Harcourt College Publishers W9-ATD-896

The Harcourt College Publishers
World Languages Accuracy Commitment:
From Manuscript to Bound Book

As a leading textbook publisher in world languages since 1866, Harcourt College Publishers recognizes the importance of accuracy in world language textbooks. In an effort to produce the most accurate programs available we have added two stages to the development of our introductory and intermediate programs – **double proofing** in production and a **final accuracy check** by experienced teachers.

The outline below shows the unprecedented steps we have taken to ensure accuracy:

| Author | Writes and proofs first draft. |

| 1st Round of Reviews | Review of first draft manuscript. Independent reviewers check for clarity of text organization, pedagogy, content, and proper use of language. |

| Author | Makes corrections/changes. |

| 2nd Round of Reviews | Review of second draft manuscript. Independent reviewers again check for clarity of text organization, pedagogy, content, and proper use of language. |

| Author | Prepares text for production. |

| Production | Copyediting and proofreading. The project is **double-proofed** – at the galley proof stage and again at the page proof stage. |

| Final Accuracy Check | The entire work is read one last time by experienced instructors, this time time to check for accurate use of language in text, examples, and exercises. The material is read word for word again and all exercises are worked to ensure the most accurate language program possible. The accompanying workbook/lab manual, tapescript, and video are proofed simultaneously. |

| Final Textbook | Published with final corrections. |

Harcourt College Publishers would like to acknowledge the following instructors who, along with others, participated in the final accuracy check for the seventh edition of *Literatura y arte:* Malcolm Compitello, University of Arizona; Roberto Cortina, University of Texas at Brownsville; Juan Carlos Galeano, Florida State University; Gail Huff, Anne Arundel Community College; Josefa Salmón, Loyola University; Silvia San Martín, Delgado Community College.

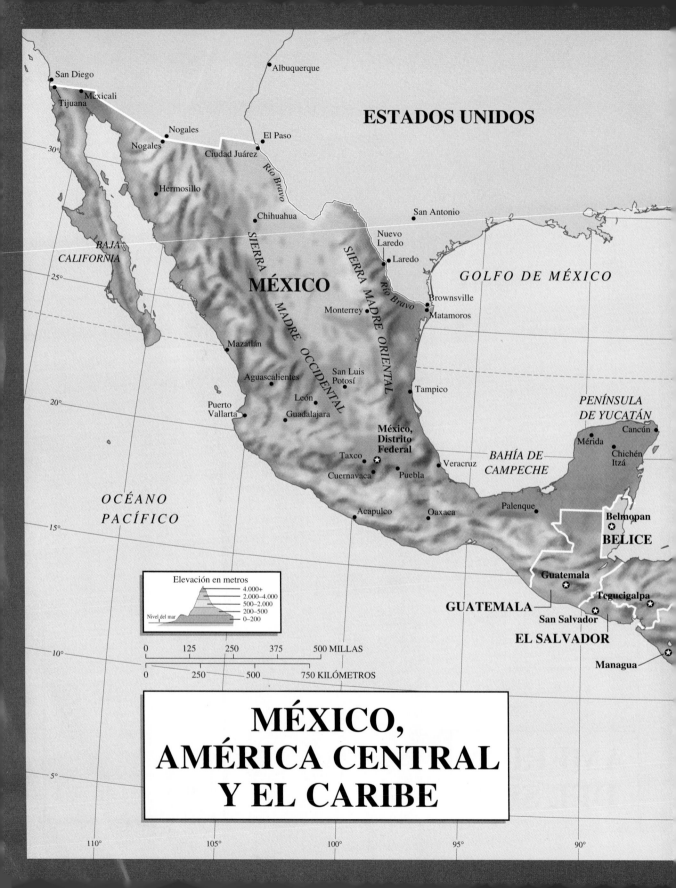

San Diego
Mexicali
Tijuana
Nogales
Nogales
Hermosillo
Chihuahua
Albuquerque
El Paso
Ciudad Juárez
Río Bravo

ESTADOS UNIDOS

San Antonio
Nuevo Laredo
Laredo
Río Bravo
Brownsville
Matamoros

BAJA CALIFORNIA

30°
25°
20°
15°
10°
5°

SIERRA MADRE OCCIDENTAL
SIERRA MADRE ORIENTAL

MÉXICO

Monterrey
Mazatlán
Aguascalientes
San Luis Potosí
León
Puerto Vallarta
Guadalajara
Taxco
Cuernavaca
Puebla
Acapulco
Oaxaca
Tampico
Veracruz
Palenque

México, Distrito Federal

GOLFO DE MÉXICO

BAHÍA DE CAMPECHE

PENÍNSULA DE YUCATÁN

Cancún
Mérida
Chichén Itzá

OCÉANO PACÍFICO

Belmopan
BELICE

Guatemala

Tegucigalpa

GUATEMALA

San Salvador
EL SALVADOR

Managua

Elevación en metros
4.000+
2.000–4.000
500–2.000
200–500
0–200
Nivel del mar

0   125   250   375   500 MILLAS
0   250   500   750 KILÓMETROS

110°   *105°*   *100°*   *95°*   *90°*

MÉXICO, AMÉRICA CENTRAL Y EL CARIBE

75°   70°   65°   60°   55°

30°

*OCÉANO
ATLÁNTICO*

25°

Miami

Nassau
⊛

BAHAMAS

TRÓPICO DE CÁNCER

La Habana
⊛

CUBA

20°

**REPÚBLICA
DOMINICANA**

Santiago

San Juan
⊛

MAR CARIBE

Puerto Príncipe
⊛

⊛
**Santo
Domingo**

**PUERTO
RICO**

GUADALUPE

⊛
Kingston

HAITÍ

DOMINICA

15°

JAMAICA

MARTINICA

HONDURAS

BARBADOS

NICARAGUA

TOBAGO

*Lago de
Nicaragua*

TRINIDAD

*CANAL DE
PANAMÁ*

Caracas
⊛

10°

San José
⊛

Colón

⊛
Panamá

PANAMÁ

VENEZUELA

**COSTA
RICA**

*GOLFO
DE
PANAMÁ*

COLOMBIA

Bogotá
⊛

80°

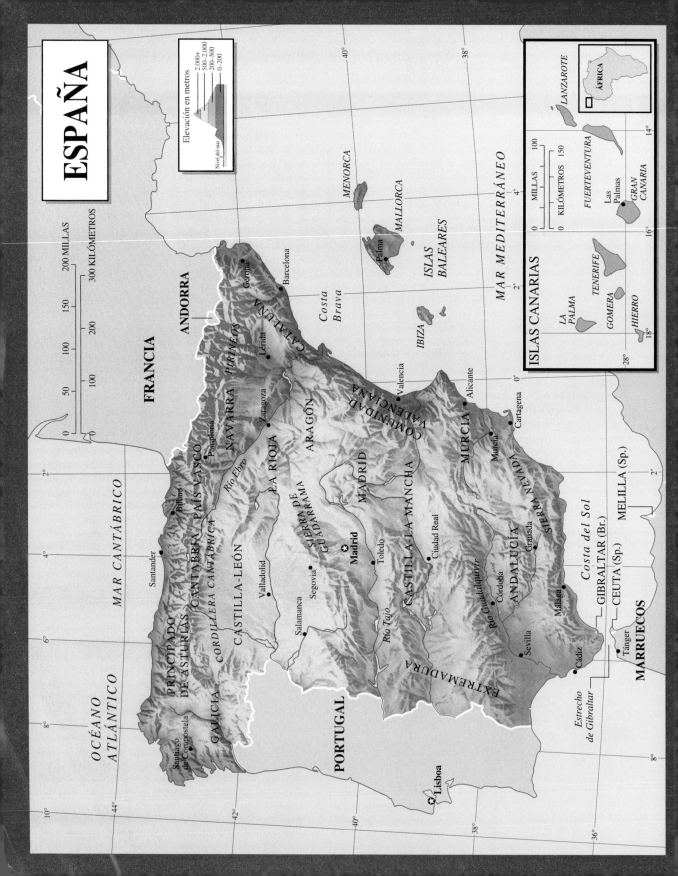

LITERATURA Y ARTE

INTERMEDIATE SPANISH

SEVENTH EDITION

John G. Copeland
Late of the University of Colorado

Ralph Kite

Lynn A. Sandstedt
Professor Emeritus
University of Northern Colorado

HARCOURT COLLEGE PUBLISHERS

Fort Worth   Philadelphia   San Diego   New York   Orlando   Austin   San Antonio
Toronto   Montreal   London   Sydney   Tokyo

Publisher: Phyllis Dobbins
Acquisitions Editor: Jeff Gilbreath
Marketing Strategist: Jill Yuen
Developmental Editor: Nancy Geilen
Project Manager: Andrea Archer

Cover Design: Clarinda Publication Services

ISBN: 0-03-029431-2
Library of Congress Catalog Card Number: 00-107217

Address for Domestic Orders
Harcourt College Publishers, 6277 Sea Harbor Drive, Orlando, FL 32887-6777
800-782-4479

Address for International Orders
International Customer Service
Harcourt College Publishers, 6277 Sea Harbor Drive, Orlando, FL 32887-6777
407-345-3800
(fax) 407-345-4060
(e-mail) hbintl@harcourtbrace.com

Address for Editorial Correspondence
Harcourt College Publishers, 301 Commerce Street, Suite 3700, Fort Worth, TX 76102

Web Site Address
http://www.harcourtcollege.com

Harcourt College Publishers will provide complimentary supplements or supplement packages to those adopters qualified under our adoption policy. Please contact your sales representative to learn how you qualify. If as an adopter or potential user you receive supplements you do not need, please return them to your sales representative or send them to:
Attn: Returns Department, Troy Warehouse, 465 South Lincoln Drive, Troy, MO 63379.

Printed in the United States of America

0 1 2 3 4 5 6 7 8 9   032   9 8 7 6 5 4 3 2 1

Harcourt College Publishers

This seventh edition of *Intermediate Spanish*
is dedicated to the memory of John G. "Pete" Copeland,
an inspirational teacher and an equally inspired
friend and colleague.

Ralph Kite and Lynn A. Sandstedt

Índice

𝔓reface

With the publication of *Intermediate Spanish*, the materials available for use at the intermediate level took a step in a new direction. We had long believed that it would be desirable to have a "package" of materials, unified in content but varied in the possibilities for use in the classroom, that would be flexible enough that the instructor could easily adapt them to his or her own teaching style and particular interests.

With this in mind, we devised the three highly successful textbooks that made up our intermediate level program. *Conversación y repaso* reviews and expands the essential points of grammar covered in the first year and also includes dialogues, abundant exercises, and a variety of activities intended to stimulate conversation. *Civilización y cultura* presents a variety of topics related to Hispanic culture. The approach in this reader is thematic rather than purely historical, and the topics have been chosen both for the insights that they offer into Hispanic culture and for their interest to students. The exercises are designed to reinforce the development of reading and writing skills, to build vocabulary, and to stimulate class discussion. *Literatura y arte* introduces the student to literary works by both Spanish and Spanish-American writers and to the rich and diverse contributions of Hispanic artists to the fine arts. The accompanying exercises also stress the development of reading and writing skills and include vocabulary-building and conversational activities.

One of the salient features of the program is the thematic unity of the texts. Each unit of each textbook has the same theme as the corresponding unit of the others. For example, Unit 7 of the grammar textbook deals with the subject of poverty and the problem of the migration of workers in Hispanic culture in its dialogues and conversational activities. The same theme is treated in the essay «Aspectos económicos de Hispanoamérica,» the seventh unit of the civilization and culture reader, and the theme of poverty is further explored in Unit 7 of the literature and art reader in the short story «Es que somos muy pobres» and in the essay on the murals of Diego Rivera.

We have found that this thematic unity offers several advantages to the teacher and student: (1) the teacher may combine the basic grammar and conversation book with either or both of the readers and be assured that essentially the same cultural and linguistic information will be presented to the students; (2) the amount of material to be covered may be adjusted through the choice of one textbook or more, making it possible to balance the quantity of material and the amount of classroom contact available; (3) if one book is used in the classroom, another may be used for outside work by those students who wish additional contact with the language; (4) for individualized programs, only those units may be assigned that are relevant to the student's particular interests. If several books are used, the student will absorb a considerable amount of vocabulary related to the theme, and by the end of their study of the topic, they will have overcome, at least in part, their reluctance to express their own ideas in Spanish. We have tested this "saturation" method in our own classrooms and have found it to be quite effective. We suggest that if several books are used, the grammar and initial dialogue should be studied first, followed by one or more of the other textbooks, and finally, the conversation stimulus section of the grammar and conversation text.

Like the earlier editions, this Seventh Edition of *Intermediate Spanish* contains materials that will be of interest to students of different disciplines. Throughout, our goal has been to present materials that will enable students to develop effective communicative skills in Spanish and motivate them to want to know more about the culture they are studying.

We would like to thank the following colleagues for their valuable comments and suggestions for the seventh edition of *Literatura y arte*: Clementina R. Adams, Clemson University; Geraldine Ameriks, University of Notre Dame; Malcolm Compitello, University of Arizona; Rafael Correa, California State University—San Bernardino; Roberto Cortina, University of Texas at Brownsville; David H. Darst, Florida State University; Juan Carlos Galeano, Florida State University; Donald B. Gibbs, Creighton University; Kerry Gjerstad, University of Iowa—Coe College; John W. Griggs, Glendale Community College; John Hall, Moorhead State University; Gail Huff, Anne Arundel Community College; Maria T. Redmon, University of Central Florida; Josefa Salmón, Loyola University; Silvia San Martín, Delgado Community College; Lourdes Torres, DePaul University.

Finally, we would like to thank our editor, Tashia Stone, for her useful suggestions and her careful editing of the text.

The Intermediate Spanish Series and the Standards

The material found in each of the three texts that make up the Intermediate Spanish Series has been developed in the following way which will enable the student to achieve the five C's which are the goals of the National Student Standards.

Communication

The paired and group activities and tasks included in each of the three texts provide a variety of opportunities for the student to be actively engaged in the **interpersonal, interpretive,** and **presentational** aspects that constitute real communication. Through a series of activities the student has ample opportunities to develop the four language skills and then integrate them in authentic everyday, communicative activities.

Culture

Cultural themes related to the **perspectives, practices,** and **products** of the Hispanic world are approached in a different way in each of the texts. In *Conversación y repaso*, the students encounter the **perspectives** of people from the Hispanic world through a series of dialogues and listening exercises. The **practices** found in the Hispanic world which are the results of how the people of those regions perceive their own reality are discussed in greater depth in the *Civilización y cultura* text. Authentic material from newspapers and magazines give an accurate view of the various cultures and people of the Hispanic world. A sampling of the major **products** of the Hispanic world are presented in the *Literatura y arte* text via a selection of short stories and poetry written by well-known Hispanic writers. Representative examples of art of the Hispanic world are also found at the end of each unit. This combination of literature and art provides the student with a broader view of the culture of the Spanish-speaking world which allows them to develop a greater understanding and appreciation of the culture of that part of the world.

Connection

Through the material found in each unit of each of the three texts, students come in contact with other disciplines through their study of geography, religion, literature, art, and history of the Hispanic world. The activities found in each text ask the student to access the Internet to find additional material that relates to some of the themes under study. Much of this material is only written in Spanish which helps the students to realize the importance of knowing a second language if they wish to research information found on the Internet that may only appear in Spanish.

Comparisons

As a student progresses through the material of the program, he or she cannot help but compare his or her language and cultures to those of the Spanish-speaking world. Through this comparison, the student not only learns to better appreciate and understand the cultures and language of other countries, but it also helps them to develop a better insight into the nature of their own culture and language.

Communities

The last two units of each text deal with the themes of «La presencia hispánica en los Estados Unidos» y «Los Estados Unidos y lo hispánico.» Students readily see that it is essential to know other languages if they wish to function effectively outside the classroom in a multicultural world. With the growing Spanish-speaking population in this country, the students gain an understanding how a functional knowledge of this language will help them secure jobs that are only open to individuals that have a specific skill coupled with a high level of proficiency in Spanish.

The Intermediate Spanish Series and Heritage Language Speakers of Spanish

The material in the Intermediate Spanish Series is designed not only to meet the educational needs of the traditional students of the language, but also the needs of the heritage language speakers of Spanish who enter the Spanish program with some or all of the four language skills already developed.

Depending on their home language background and their educational and life experiences, the heritage language student will demonstrate varying abilities and proficiencies in Spanish. Some will have minimally developed the listening and speaking skills while others will be fluent in these areas. The majority of heritage speakers, however, will need more instruction developing their ability to read and write. It is generally accepted that most heritage language speakers will need to continue the study of the language in order to maintain and further perfect the four language skills, which in turn will enable them to communicate more effectively in Spanish.

Each of the three texts in the series and the accompanying workbook, CD-ROM, and tape program provides the student with a wide variety of opportunities and activities in which the student can explore and further develop his or her language skills. The communicative focus of the series allows the student to practice the interpersonal, interpretive, and presentational modes of communication through a wide variety of authentic tasks and activities. The student will also examine various cultural aspects of the Hispanic world, which will provide the heritage language speaker with a better understanding and appreciation of his or her own heritage language and culture. One of the major goals in the series is to teach the student when to use the language appropriately and strategically depending upon the situation in which the student finds himself or herself and the status of the individual (child, adult, person in authority) with whom he or she wishes to communicate.

Introduction

Intermediate Spanish: Literatura y arte is a reader designed for use in second-year college courses. It is intended to be used with the authors' *Intermediate Spanish: Conversación y repaso*, but it may also be used with any second-year grammar review. The purpose of the book is to develop the students' reading skills and to introduce them to certain literary and cultural concepts that will enhance their comprehension of the unique qualities of Hispanic civilization.

Each unit of the reader focuses on a particular topic, which is explored through two kinds of writing: a literary text, chosen for its relevancy to the topic, its level of difficulty, and, especially, its interest to the student; and an essay on some aspect of Hispanic art, again related to the central topic. Introductory essays present the theme of the unit and provide a context, either historical or critical, for the selection to be read. Notes following the literary selection provide insights into unique aspects of Hispanic culture reflected in the reading.

It should be noted that most difficult words or phrases of the literary selections are glossed. The thematic essays (called *Enfoque*) and the essays on art are unglossed and may, therefore, be used for "extensive" reading in order to develop the student's ability to comprehend without the use of a dictionary. All words and phrases of the literary readings and of the unglossed essays are included in the end vocabulary.

The exercises preceding each literary reading are designed to introduce the student to new vocabulary, to develop his or her skill in reading, and to lead the student into the theme of the selection. Following the reading selection is an exercise to check the student's comprehension. Additional exercises, labeled *Expansión*, also follow each text. They introduce the student to literary analysis and encourage the development of his or her writing and oral skills. A variety of exercises is provided, and the instructor may wish to pick and choose those which are most appropriate for his/her class. Similarly, the *Para comentar* section at the end of the unit offers a variety of exercises from which the student or instructor may choose. Many of the prereading and postreading activities utilize strategies inspired by ideas presented by Alice C. Omaggio in her book *Teaching Language in Context* (Heinle and Heinle Publishers, Inc., 1986) and we wish to acknowledge our indebtedness to her for her excellent work.

In order to introduce the student to a variety of literary genres and styles, the literary selections included range from the short story and chronicle to the one-act play and poetry. Our main goal has been to choose materials that will interest students and that will lead them to want to know more about a rich and complex culture.

About the Seventh Edition of Literatura y arte

Numerous small changes, additions, or corrections have been made throughout the text. Also, new exercises involving the Internet have been added in most of the *Para comentar* sections for students who wish to explore further the themes of the art sections.

Literary credits

We wish to thank the authors, publishers, and holders of copyright for their permission to use the reading materials in this book.

Don Juan Manuel, «De lo que aconteció a un mancebo que se casó con una mujer muy fuerte y muy brava», from *El Conde Lucanor*.

Hernán Cortés, *Cartas de relación*.

Anonymous, «Poema nahua» («No vivimos en nuestra casa»), from *Poesía náhuatl*, Vol. 1, edited by Ángel Ma. Garibay, K., by permission of the publisher.

Jorge Manrique, *Coplas por la muerte de su padre*.

Anonymous, «Soneto».

Ruben Darío, «Lo fatal».

Miguel de Unamuno, «Salmo I».

Ana María Matute, «Don Payasito» from *Cuentos de la Artámila*, Ediciones Destino, 1961, by permission of the author.

Serafín y Joaquín Álvarez Quintero, *Mañana de sol*, 1905, by permission of Da. Carmen Álvarez-Quintero Díez.

Jorge Luis Borges, «El Evangelio según Marcos» from *El informe de Brodie*. Copyright 1970 by Jorge Luis Borges, reprinted with the permission of Wylie, Aitken & Stone, Inc.

Juan Rulfo, «Es que somos muy pobres» from *El llano en llamas*, Fondo de Cultura Económica, 1953, by permission of the publisher.

Gabriel García Márquez, «Un día de estos» from *Los funerales de la Mamá Grande*, 1962, by permission of the author.

Domitila Barrios de Chungara, *Si me permiten hablar…* , Siglo Veintiuno Editores, S.A., by permission of the publisher.

Julio Cortázar, «La noche boca arriba» from *Final del juego*, 1966, by permission of the estate of the author.

Nicolás Guillén, «Balada de los dos abuelos» from *West Indies, Ltd.*, 1934.

Pedro Juan Soto, «Garabatos» from *Spiks*, 1956, by permission of the author.

Tomás Rivera, «Zoo Island» from *Cuentos hispanos de los Estados Unidos*, edited by Julián Olivares, Arte Público Press, University of Houston, 1993. By permission of the publisher.

Photo credits

p. 1, D and H Heaton/Stock Boston

p. 15, Beryl Goldberg

p. 16, Monkmeyer Press

p. 17, Robert Frerck/Odyssey Productions

p. 19, Watercolor by Stuart Gentling

p. 32, Asociación de Amigos del Templo Mayor, A.C.; photographer Salvador Guilliem Arroyo

p. 33, Asociación de Amigos del Templo Mayor, A.C.; photographer Salvador Guilliem Arroyo

p. 34, Reproduction authorized by Instituto Nacional de Antropología e Historia p. 35, Asociación de Amigos del Templo Mayor, A.C.; photographer Salvador Guilliem Arroyo

p. 37, Robert Frerck/Odyssey/Chicago

p. 52, Art Resource

p. 53, The Metropolitan Museum of Art. Bequest of Mrs. H. O. Havemeyer, 1929. The H. O. Havemeyer Collection.

p. 54, The Bettman Archive

p. 57, Suzanne Murphy-Larronde/DDB Stock

p. 70, Pablo Picasso, *Study for "Family of saltimbanques,"* 1905. Watercolor, pastel, and charcoal, 23 5/8″ × 18 1/2″. The Baltimore Museum of Art, Cone Collection.

p. 71, *Mother and Child.* Courtesy of the Art Institute of Chicago.

p. 72, Pablo Picasso, *First Steps.* Yale University Art Gallery. Gift of Stephen C. Clark, B.A. 1943.

p. 75, Robert Fried

p. 99, The National Galleries of Scotland

p. 100, Art Resource

p. 101, Scala/Art Resource

p. 103, Peter Menzel

p. 118, Giraudon/Art Resource

p. 119, Scala/Art Resource

p. 120, Scala/Art Resource

p. 123, A/P Wide World Photos

p. 136, Escuela Nacional de Agricultura en Chapingo, México. Photo courtesy of OAS.

p. 137, Escuela Nacional de Agricultura en Chapingo, México. Photo courtesy of OAS.

p. 138, Diego Rivera, *Open Air School,* 1932. Lithograph, printed in black. Comp: 12 1/2″ × 16 3/8″. Collection, The Museum of Modern Art, New York. Gift of Abby Aldrich Rockefeller.

p. 141, Robert Frerck/Odyssey Productions

p. 154, Palacio Nacional de México

p. 155, La cúpula en el Hospicio Cabañas de Guadalajara

p. 156, David Alfaro Siqueiros, *The Sob,* 1939. Duco on composition board,

48 1/2″ × 24 3/4″. Collection, The Museum of Modern Art, New York. Given anonymously.

p. 159, Peter Menzel

p. 172, Hugh Rogers/Monkmeyer Press

p. 173, Peter Menzel

p. 174, Hugh Rogers/Monkmeyer Press

p. 177, Peter Menzel

p. 195, Joaquín Torres García, *The Port*, 1942. Oil on cardboard, 31 3/8″ × 39 7/8″. Collection, The Museum of Modern Art, New York. Inter-American Fund.

p. 196, Matta (Roberto Sebastián Antonio Matta Echaurren), *The Bus*, from the portfolio *Scènes familières*, 1962. Etching, printed in color. Plate: 12 15/16″ × 17″. Sheet: 19 3/4″ × 25 5/8″. Collection, The Museum of Modern Art, New York. Inter-American Fund.

p. 197, Alejandro Obregón, *Amanecer en los Andes*. Given as a gift by the government of Colombia to the United Nations, October, 1983.

p. 199, Robert Frerck/Tony Stone

p. 218, Mario Carreño, *Tornado*, 1941. Oil on canvas, 31″ × 41″. Collection, The Museum of Modern Art, New York. Inter-American Fund.

p. 219, Amelia Peláez del Casal, *Fishes*, 1943. Oil on canvas, 45 1/2″ × 35 1/8″. Collection, The Museum of Modern Art, New York. Inter-American Fund.

p. 220, Wilfredo Lam, *The Jungle*, 1943. Gouache on paper mounted on canvas, 7′ 10 1/4″ × 7′ 6 1/2″. Collection, The Museum of Modern Art, New York. Inter-American Fund.

p. 223, Peter Menzel

p. 239, Courtesy of the Denver Art Museum, Denver, Colorado

p. 240, Courtesy of the Anne Evans Collection, Denver Art Museum, Denver, Colorado

p. 241, Courtesy of the Denver Art Museum, Denver, Colorado

UNIDAD 1

Orígenes de la cultura hispánica: Europa

La Alhambra en Granada fue construida durante el reino moro. Describa el exterior. ¿Dónde está situada? ¿Por qué?

Enfoque

Para apreciar la riqueza de la cultura española es necesario recordar que toda ella es el producto de la asimilación de varias culturas, cuyas tradiciones y contribuciones todavía pueden observarse en España hoy día. La cultura romana aporta el idioma, la religión, el concepto de gobierno y una serie de costumbres y tradiciones. La cultura visigoda aporta el feudalismo. Y por último, la cultura árabe, durante ocho siglos de convivencia, divulga los conocimientos de la cultura griega antigua, comparte sus conocimientos en las ciencias y las matemáticas y deja profundas huellas en la cultura española, especialmente en la música, la arquitectura y la literatura. Esta cultura se nota más en el sur de España, zona reconquistada entre el siglo XIII y el siglo XV y que tiene un marcado carácter africano, además de rasgos europeos. Todas las influencias culturales mencionadas influyen en el carácter de todo el país y hacen que la cultura de España sea única en su tipo.

Desde sus orígenes, la asimilación de esas culturas explica también la extraordinaria riqueza de la literatura española. Gracias a las culturas griega, romana y árabe, los españoles llegan a conocer el mito clásico, la fábula y otros géneros literarios. Los árabes también dan a conocer su poesía amorosa y sus cuentos, que se hacen muy populares. De todas estas fuentes los peninsulares absorben conceptos, ideas y formas y los hacen suyos, logrando una expresión y un sabor únicos.

En esta unidad se presentan dos ejemplos de la vitalidad y de la riqueza de la cultura de la España medieval: un cuento famoso de don Juan Manuel, uno de los prosistas más importantes de la Edad Media, y un ensayo sobre la Alhambra, una verdadera joya de la arquitectura árabe. Los dos reflejan la profunda influencia de la cultura árabe en España, influencia que todavía puede observarse hoy día.

Vocabulario útil

Estudie Ud. estas palabras.

Verbos
acontecer *to happen*
arreglar *to arrange*
asombrarse *to be surprised*
despedazar *to cut or tear to pieces*
enojarse *to become angry; to get mad*

Sustantivos*
el casamiento *marriage*
la cena *supper*
el consejo *piece of advice*
la espada *sword*
el gallo *rooster*

---

* The gender of nouns is given in two ways: the use of the definite articles *el* or *la*; the use of *m* or *f* except for feminine nouns ending in *-a* and masculine nouns ending in *-o*.

el gato   *cat*
el mancebo   *youth*
la novia   *bride*
el novio   *groom*
el, la pariente   *relative*
el pedazo   *piece*
la pobreza   *poverty*
la saña   *wrath*
la suegra   *mother-in-law*
el suegro   *father-in-law*

Adjetivos

bravo, -a   *ill-tempered, ferocious*
ensangrentado, -a   *bloody*
grosero, -a   *coarse, rude*
honrado, -a   *honorable, of high rank*
sañudo, -a   *wrathful, angry*

Anticipación

I. Complete Ud. las oraciones con la forma correcta de una palabra apropiada del **Vocabulario útil.**

asombrarse   gato
bravo   novio
casamiento   pariente
cena   pobreza
consejo   suegro

1. Esa mujer no sabe controlarse; es muy _____.
2. No sé qué hacer. Voy a buscar _____ de mis padres.
3. La madre de mi esposa es mi _____.
4. Algunos dicen que hoy día los _____ por amor son menos populares que antes.
5. Mis tíos, mis abuelos y mis primos son _____ míos.
6. Una _____ es una mujer recién casada.
7. Lo opuesto de riqueza es _____.
8. A veces yo _____ cuando veo algo inesperado.
9. El enemigo tradicional de los ratones es el _____.
10. La última comida del día es la _____.

II. Escriba Ud. las oraciones del diálogo siguiente otra vez, usando palabras del **Vocabulario útil** en vez de las palabras en letra cursiva (*italics*).

PEPE   ¿Qué le *pasó* al *joven*?

JULIA   Pues, quería casarse con una mujer muy *feroz*, aunque su padre no quería que lo hiciera.

PEPE   Y entonces, ¿qué hizo?

JULIA   Al estar solo con ella, fingió *irritarse* mucho. Luego usó su espada y *cortó* un perro *en pedazos.* Cuando la mujer lo vio *cubierto de sangre,* tuvo mucho miedo.

PEPE   ¿Y después?

JULIA   Hombre, ¡vas a tener que leer el cuento para saberlo!

III. Antes de leer el cuento «De lo que aconteció a un mancebo que se casó con una mujer muy fuerte y muy brava», dé Ud. su propia opinión sobre las siguientes afirmaciones. Escriba «sí» si está de acuerdo (*if you agree*) y «no» si no está de acuerdo con cada observación y explique por qué opina así. Después, lea el cuento e indique cómo reaccionaría don Juan Manuel a las siguientes afirmaciones y por qué reaccionaría él así.

	La opinión de Ud.	La opinión de don Juan Manuel
1. Los jóvenes, y no los padres, deben decidir con quien se van a casar.	_____	_____
2. Para que una pareja *(couple)* sea feliz, la mujer debe serle obediente a su marido después de casarse.	_____	_____
3. Las parejas pueden cambiar su relación en cualquier momento de su vida.	_____	_____

IV. Es más fácil leer un cuento o un ensayo si uno anticipa el tema principal de la obra. A veces ese tema aparece en los primeros párrafos de la obra. Lea Ud. estos párrafos e indique la mejor contestación para cada pregunta.

Otra vez hablaba el Conde Lucanor con Patronio y le dijo:
—*Patronio, mi criado me ha dicho que piensan casarle con una mujer muy rica que es más honrada que él. Sólo hay un problema y el problema es éste: le han dicho que ella es la cosa más brava y más fuerte del mundo. ¿Debo mandarle casarse con ella, sabiendo cómo es, o mandarle no hacerlo?*
—*Señor conde* —*dijo Patronio*—, *si él es como el hijo de un hombre bueno que era moro, mándele casarse con ella; pero si no es como él, dígale que no se case con ella.*
El conde le pidió que se lo explicara.

1. En el caso del criado
   a. la mujer con quien quiere casarse es más rica y honrada que él.
   b. él y la mujer con quien quiere casarse son de la misma clase social y económica.
   c. él es más rico y honrado que la mujer con quien quiere casarse.

2. La mujer con quien el criado quiere casarse es
   a. muy feroz.
   b. muy tímida.
   c. muy débil.
3. Patronio dice que si el criado es como el hijo del moro
   a. no debe casarse con ella.
   b. debe casarse con ella.
   c. debe buscar a otra mujer.
4. Uno puede imaginar que en su cuento, Patronio va a describir
   a. las relaciones entre el moro joven y la mujer brava.
   b. las relaciones entre el moro joven y el Conde Lucanor.
   c. cómo se puede resolver el único problema que tiene el criado: la diferencia entre su rango social y el de la mujer.
5. Parece que el tema principal del cuento va a ser
   a. los problemas políticos de la clase baja.
   b. lo que debe hacer el hombre que se casa con una mujer brava.
   c. las relaciones entre personas de diferentes edades.

El Conde Lucanor

Don Juan Manuel (1282–1349?), sobrino del rey Alfonso X el Sabio, fue el primer prosista castellano que, consciente de la importancia de su estilo, supo transformar lo tradicional y lo popular por medio de su arte. Aunque escribió varias obras, esa cualidad artística se nota más en *El Conde Lucanor o Libro de Patronio*, terminado en 1335.

La estructura de la obra es sencilla. El Conde Lucanor le pide consejos a su servidor Patronio para resolver un problema que tiene. Éste le contesta mediante un cuento o ejemplo, que sirve para sugerir una solución al problema. La moraleja se resume al final en dos versos brevísimos.

Los cincuenta «ejemplos» que componen el libro son de diversos orígenes: algunos son originales y a veces tienen elementos autobiográficos o históricos; otros son de origen oriental o clásico o de tradición popular. El autor conoce los cuentos de varias colecciones árabes que circulaban por España, y su contacto personal con los musulmanes españoles se revela no sólo en las tramas de varios cuentos, sino también en muchas alusiones a dichos, costumbres y actitudes árabes. El aspecto castellano —cristiano y occidental— de su obra se nota en la sobriedad y austeridad de su estilo y en su preocupación por la política y la religión, motivos esenciales del castellano noble de su época.

En el cuento «De lo que aconteció a un mancebo que se casó con una mujer muy fuerte y muy brava» podemos observar algunos rasgos del arte de don Juan Manuel. El autor emplea el lenguaje ordinario del pueblo y busca expresarse sencillamente y con claridad. Nos comunica el castellano de su época, pero ya transformado en instrumento artístico. En cuanto al tema, es probable que la actitud que se expresa hacia la mujer refleje la percepción de algunos hombres de la época en vez de reflejar la verdadera condición de la mujer. Al final del cuento, don Juan Manuel parece comentar esa percepción masculina al describir lo que pasa cuando el suegro trata de imitar a su yerno. Finalmente, aunque el cuento del mancebo es breve, como todos los cuentos del autor, nos sorprende y deleita la capacidad extraordinaria del autor para motivar las acciones de sus personajes, para revelar el detalle pintoresco o significativo y para crear una representación armoniosa.

De lo que aconteció a un mancebo que se casó con una mujer muy fuerte y muy brava

Otra vez hablaba el Conde Lucanor con
Patronio y le dijo:

—Patronio, mi criado me ha dicho que
piensan casarle con una mujer muy rica que
5 es más honrada que él.[1] Sólo hay un
problema y el problema es éste: le han dicho
que ella es la cosa más brava y más fuerte del
mundo. ¿Debo mandarle casarse con ella,
sabiendo cómo es, o mandarle no hacerlo?

10 —Señor conde —dijo Patronio—, si él
es como el hijo de un hombre bueno que era
moro, mándele casarse con ella; pero si no es
como él, dígale que no se case con ella.

El conde le pidió que se lo explicara.

15 Patronio le dijo que en un pueblito
había un hombre que tenía el mejor hijo que
se podía desear, pero por ser pobres, el hijo
no podía emprender las grandes hazañas que
tanto deseaba realizar. Y en el mismo

20 pueblito había otro hombre que era más
honrado y más rico que el padre del mancebo,
y ese hombre sólo tenía una hija y ella era
todo lo contrario del mancebo. Mientras él era
de muy buenas maneras, las de ella eran

25 malas y groseras. ¡Nadie quería casarse con
aquel diablo!

Y un día el buen mancebo vino a su
padre y le dijo que en vez de vivir en la
pobreza o salir de su pueblo, él preferiría

30 casarse con alguna mujer rica. El padre estuvo
de acuerdo. Y entonces el hijo le propuso
casarse con la hija mala de aquel hombre
rico. Cuando el padre oyó esto, se asombró

que no se case *not to marry*
que se lo explicara *to explain it
to him*

emprender *to undertake*
hazañas *deeds, feats*

todo lo contrario del *quite the
opposite of the*

estuvo de acuerdo *agreed*

mucho y le dijo que no debía pensar en eso:
35 que no había nadie, por pobre que fuese, que
quería casarse con ella. El hijo le pidió que,
por favor, arreglase aquel casamiento. Y tanto
insistió que por fin su padre consintió,
aunque le parecía extraño.

40   Y él fue a ver al buen hombre que era
muy amigo suyo, y le dijo todo lo que había
pasado entre él y su hijo y le rogó que pues
su hijo se atrevía a casarse con su hija, que se
la diese para él. Y cuando el hombre bueno
45 oyó esto, le dijo:
—Por Dios, amigo, si yo hago tal cosa
seré amigo muy falso, porque Ud. tiene muy
buen hijo y no debo permitir ni su mal ni su
muerte. Y estoy seguro de que si se casa con
50 mi hija, o morirá o le parecerá mejor la
muerte que la vida. Y no crea que se lo digo
por no satisfacer su deseo: porque si Ud. lo
quiere, se la daré a su hijo o a quienquiera
que me la saque de casa.
55   Y su amigo se lo agradeció mucho y
como su hijo quería aquel casamiento, le
pidió que lo arreglara.
    Y el casamiento se efectuó y llevaron a
la novia a casa de su marido. Los moros
60 tienen costumbre de preparar la cena a los
novios y ponerles la mesa y dejarlos solos en
su casa hasta el día siguiente.[2] Así lo
hicieron, pero los padres y los parientes del
novio y de la novia temían que al día
65 siguiente hallarían al novio muerto o muy
maltrecho.
    Y luego que los jóvenes se quedaron
solos en casa, se sentaron a la mesa, pero
antes que ella dijera algo, el novio miró
70 alrededor de la mesa y vio un perro y le dijo
con enojo:
—¡Perro, danos agua para las manos!
    Pero el perro no lo hizo. Y él comenzó a
enojarse y le dijo más bravamente que les
75 diese agua para las manos. Pero el perro no lo
hizo. Y cuando vio que no lo iba a hacer, se

por pobre que fuese *however
poor he was*

que... arreglase *to arrange*
extraño *strange, odd*

que se la diese *to give her to
him*

su mal *harm to him*

me la saque de casa *gets her
out of my house*

que lo arreglara *to arrange it*
se efectuó *took place*

ponerles la mesa *set the table
for them*

muy maltrecho *badly off, battered*

dijera *said*

enojo *anger*

que les diese *to give them*

levantó muy enojado de la mesa y sacó su
espada y se dirigió al perro. Cuando el perro
lo vio venir, él huyó y los dos saltaban por la   saltaban *jumped*
80 mesa y por el fuego hasta que el mancebo lo
alcanzó y le cortó la cabeza y las piernas y le   alcanzó *overtook*
hizo pedazos y ensangrentó toda la casa y   ensangrentó *bloodied*
toda la mesa y la ropa.

   Y así, muy enojado y todo
85 ensangrentado, se sentó otra vez a la mesa y
miró alrededor y vio un gato y le dijo que le   alrededor *around*
diese agua para las manos. Y cuando no lo
hizo, le dijo:

   —¡Cómo, don falso traidor! ¿No viste lo
90 que hice al perro porque no quiso hacer lo
que le mandé yo? Prometo a Dios que si no
haces lo que te mando, te haré lo mismo que
al perro.

   El gato no lo hizo porque no es
100 costumbre ni de los perros ni de los gatos dar
agua para las manos. Y ya que no lo hizo, el   ya que *since*
mancebo se levantó y le tomó por las piernas
y lo estrelló contra la pared, rompiéndolo en   estrelló *smashed*
más de cien pedazos y enojándose más con él
105 que con el perro.

   Y así, muy bravo y sañudo y haciendo
gestos muy feroces, volvió a sentarse y miró   gestos *gestures*
por todas partes. La mujer, que le vio hacer   por todas partes *in all direc-*
todo esto, creyó que estaba loco y no dijo   *tions*
110 nada. Y cuando había mirado el novio por
todas partes, vio a su caballo, que estaba en
casa y era el único que tenía, y le dijo muy   único *only one*
bravamente que les diese agua para las
manos, pero el caballo no lo hizo. Cuando vio
115 que no lo hizo, le dijo:

   —¡Cómo, don caballo! ¿Piensas que
porque no tengo otro caballo que por eso no
haré nada si no haces lo que yo te mando?
Ten cuidado, porque si no haces lo que
120 mando, yo juro a Dios que haré lo mismo a ti   juro *I swear*
como a los otros, porque lo mismo haré a
quienquiera que no haga lo que yo le mande.   quienquiera... mande *whoever*
                                                            doesn't do what I order him
   El caballo no se movió. Y cuando vio   *to*
que no hacía lo que le mandó, fue a él y le

125 cortó la cabeza con la mayor saña que podía
mostrar y lo despedazó.

Y cuando la mujer vio que mataba el
único caballo que tenía y que decía que lo
haría a quienquiera que no lo obedeciese, se

130 dio cuenta que el joven no jugaba y tuvo
tanto miedo que no sabía si estaba muerta o
viva.

Y él, bravo, sañudo y ensangrentado,
volvió a la mesa, jurando que si hubiera en

135 casa mil caballos y hombres y mujeres que no
le obedeciesen, que mataría a todos. Y se
sentó y miró por todas partes, teniendo la
espada ensangrentada en el regazo. Y después
que miró en una parte y otra y no vio cosa

140 viva, volvió los ojos a su mujer muy
bravamente y le dijo con gran saña, con la
espada en la mano:

—¡Levántate y dame agua para las
manos!

145 La mujer, que estaba segura de que él la
despedazaría, se levantó muy aprisa y le dio
agua para las manos. Y él le dijo:

—¡Ah, cuánto agradezco a Dios que
hiciste lo que te mandé, que si no, por el

150 enojo que me dieron esos locos, te habría
hecho igual que a ellos!

Y después le mandó que le diese de
comer y ella lo hizo.

Y siempre que decía algo, se lo decía

155 con tal tono que ella creía que le iba a cortar
la cabeza.

Y así pasó aquella noche: ella nunca
habló y hacía lo que él le mandaba. Y cuando
habían dormido un rato, él dijo:

160 —Con la saña que he tenido esta noche,
no he podido dormir bien. No dejes que nadie
me despierte mañana y prepárame una buena
comida.

Y por la mañana los padres y los

165 parientes llegaron a la puerta y como nadie
hablaba, pensaron que el novio estaba muerto

obedeciese *obey*

se dio cuenta *she realized*

cosa viva *any living thing*

aprisa *fast*

que le diese de comer *that she give him food*

despierte *awaken*

o herido. Y lo creyeron aún más cuando vieron en la puerta a la novia y no al novio.

   herido *wounded*

170   Y cuando ella los vio a la puerta, se acercó muy despacio y con mucho miedo les dijo:

   —¡Locos, traidores! ¿Qué hacen? ¿Cómo se atreven a hablar aquí? ¡Cállense, que si no, todos moriremos!

175   Al oír esto, ellos se sorprendieron y apreciaron mucho al mancebo que tan bien sabía mandar en su casa.

   se sorprendieron *were surprised*
   apreciaron *highly esteemed*

   Y de ahí en adelante su mujer era muy obediente y vivieron muy felices.

   de ahí en adelante *from then on*

180   Pocos días después su suegro quiso hacer lo que había hecho el mancebo, y mató un gallo de la misma manera, pero su mujer le dijo:

   —¡A la fe, don Fulano, lo hiciste
185 demasiado tarde! Ya no te valdría nada aunque matares cien caballos, porque ya nos conocemos.[3]

   aunque mates *even if you kill*

   —Y por eso —le dijo Patronio al conde—, si su criado quiere casarse con tal
190 mujer, sólo lo debe hacer si es como aquel mancebo que sabía domar a la mujer brava y gobernar en su casa.

   domar *to tame*

   El conde aceptó los consejos de Patronio y todo resultó bien.

195   Y a don Juan le gustó este ejemplo y lo incluyó en este libro. También compuso estos versos:

   Si al comienzo no muestras quien eres, nunca podrás después, cuando quisieres.

   quisieres *you would like to*

Notas culturales

[1] *La costumbre de arreglar los casamientos no sólo era común entre los árabes, sino también entre los europeos de la época. A veces se arreglaban para unir dos familias importantes y otras veces por razones económicas (como se ve en el cuento de don Juan Manuel). El casamiento por amor o la idea de que los jóvenes, y no los padres, deben decidir con quienes se van a casar, es algo relativamente moderno.*

[2] *La descripción de esta costumbre de los árabes es típica de la técnica de don Juan Manuel de incluir en sus cuentos alusiones a costumbres y actitudes árabes, que muestran el contacto personal que tenía con ellos.*

[3] *Aunque el cuento refleja la actitud general de que el hombre debe gobernar en su casa, y de que la mujer debe ser sumisa y obediente —actitud típica de algunos hombres de la Edad Media— don Juan Manuel, con ironía y tal vez con realismo, sugiere que esto no siempre es así.*

Comprensión

1. ¿Cuál es el problema que tiene un criado del conde?   **2.** ¿Por qué no puede hacer el joven del cuento las cosas que desea hacer?   **3.** ¿Cómo es el padre de la joven?   **4.** ¿Por qué no quiere casarse nadie con la joven?   **5.** ¿Cómo piensa el mancebo escapar de la pobreza?   **6.** ¿Cómo reacciona el padre del joven cuando oye lo que propone su hijo?   **7.** ¿Cómo reacciona el padre de la joven ante lo que se le propone?   **8.** ¿Cuál es la costumbre mora que se presenta en el cuento?   **9.** ¿Qué es lo que temen los padres y los parientes del novio y de la novia?   **10.** ¿Qué le manda hacer el joven al perro?   **11.** ¿Qué hace cuando el perro no le obedece?   **12.** ¿Qué pasa con el gato? ¿y con el caballo?   **13.** ¿Cómo reacciona la novia cuando ve lo que hace el joven con los animales?   **14.** ¿Qué hace cuando su marido le pide agua para las manos?   **15.** ¿Cómo cambia la novia como resultado de sus experiencias?   **16.** ¿Por qué se sorprenden los padres y los parientes al llegar a la casa y ver cómo se porta la novia?   **17.** ¿Por qué no producen las acciones del suegro el mismo resultado?

Expansión

I. Análisis literario

1. ¿Qué actitudes y costumbres medievales se presentan en el cuento?
2. ¿Cuál es un ejemplo de ironía en la obra?   **3.** Describa Ud. lo que pasa en el cuento desde el punto de vista de la joven.

II. Resumen

Refiriéndose al cuento, complete Ud. las siguientes frases. Al terminar, Ud. habrá escrito un resumen breve del cuento.

1. El joven quería casarse con...   **2.** Para que la mujer fuera obediente, el joven mandó...   **3.** Cuando el joven le mandaba hacer varias cosas, la novia...   **4.** Al llegar los parientes y los padres a la mañana siguiente, la novia les dijo que debían...   **5.** Los parientes apreciaron al joven porque él...   **6.** De ahí en adelante,...

III. Minidrama

Presenten Ud. y otra(s) persona(s) de la clase un breve drama sobre el tema del cuento. El drama puede tratar de un aspecto del cuento o Ud. puede usar la imaginación y presentar una idea que se relacione con el tema. Algunas ideas posibles son:

1. Lo que pasa entre el suegro y su mujer cuando el suegro trata de imitar las acciones del joven.
2. Los mismos jóvenes diez años después.
3. Lo que pasaría si un joven moderno quisiera imitar las acciones del joven del cuento.

IV. Opiniones y actitudes

Escriba Ud. un párrafo sobre uno de los temas siguientes o explíqueselo a la clase.

1. Cómo reaccionaría o qué haría una mujer moderna en la misma situación de la mujer del cuento.
2. La moraleja del cuento: ¿todavía es válida hoy día? ¿Por qué sí? ¿Por qué no?
3. Las ventajas y las desventajas de la costumbre de arreglar los casamientos entre jóvenes.

V. Situación

Con un(a) compañero(a) de clase, presente Ud. un diálogo entre dos personas. Las dos personas son muy amigas, pero hay un problema: una de ellas nunca quiere hacer lo que la otra sugiere. En el diálogo, Ud. saluda a su compañero(a) y sugiere que los dos vayan al baile (al cine, al restaurante) esta noche. La otra persona dice por qué no quiere ir. Ud. ofrece otra posibilidad y la otra persona presenta otra idea. Los dos discuten el problema y por fin llegan a una solución. Después, se despiden.

La Alhambra

En el año 711, una fuerza militar de moros bajo el líder Tarik conquistó el peñón que todavía lleva su nombre—Jebel-al-Tarik (Monte de Tarik) o Gibraltar. Luego invadieron el resto de España y, después de siete años, lograron conquistar casi toda la península. Aunque en los siglos siguientes los cristianos gradualmente pudieron reconquistar los reinos del norte y una gran parte del sur, no lograron completar la reconquista hasta 1492, año en que Fernando e Isabel tomaron a Granada, el último reino moro.

Durante casi ocho siglos, Granada fue una ciudad mora y llegó a ser conocida como centro comercial y cultural. Entre sus habitantes había poetas, científicos, artistas y arquitectos. En 1238, el rey moro Ibn Alhamar hizo comenzar la construcción de la Alhambra (cuyo nombre significa «fortaleza roja»). Los reyes Abul Hachach Yusuf I y su hijo Mohamed V continuaron la obra, y a estos tres reyes les debemos las magníficas construcciones que han llegado hasta nosotros y que constituyen la máxima expresión del arte árabe.

Alhamar hizo construir la Alhambra sobre una colina, lugar que ofrecía protección contra sus enemigos. Desde afuera, sus murallas, torres y palacios, que se acomodan a los distintos niveles de terreno, impresionan al observador como un monumento austero, una fortaleza sin aspecto decorativo. Pero una vez adentro, todo es distinto. Desde las torres hay vistas espléndidas de la sierra y de las partes antiguas y modernas de la ciudad. Pero lo que es más impresionante es la exquisita arquitectura de los varios edificios. En el Patio de los Leones, por ejemplo, las columnillas esbeltas de mármol sostienen bóvedas cuya decoración se parece al follaje de algún palmar de la imaginación. También son notables los complejos diseños geométricos —de cerámica o de estuco— que han fascinado igualmente a los artistas y a los matemáticos de nuestros días. Y esta geometría se repite en los jardines del Generalife (el palacio de verano) donde uno puede gozar del olor de naranjos y de flores. Es importante recordar que los moros eran gente del desierto. Tal vez por eso incorporaron albercas y fuentes como elemento esencial en muchas partes de la Alhambra, de modo que siempre se oye el sonido refrescante y musical del agua.

Tal vez el que mejor supo resumir la hermosura de Granada y de la Alhambra fue el poeta Francisco de Icaza. Después de visitar la Alhambra, el poeta vio a un ciego. Esa experiencia le inspiró y escribió:

Dale limosna, mujer,
   que no hay en la vida nada
   como la pena de ser ciego en Granada.

Patio de la Acequia, Generalife

Como podemos ver en esta foto del Patio de la Acequia, el agua es un elemento esencial en el plan de la Alhambra. Los árabes sabían utilizar la fuerza de gravedad para hacer funcionar todas las fuentes y para proveer agua para los baños y los estanques. Aquí todo tiene aspecto de oasis. El agua no sólo les gustaba por razones estéticas, sino que debían usar agua cinco veces al día para sus abluciones religiosas.

Patio de los Leones

Este patio y las salas que dan a él formaban la residencia del rey, el lugar donde vivían sus mujeres. Cada sala tenía agua corriente que pasaba por canales estrechos hasta llegar a la base de la fuente. El encanto del patio, la música del agua y la elegante decoración de las salas producían un ambiente íntimo y seductor que todavía impresiona al visitante.

Los baños reales

La elegancia de los baños reales es testimonio de la importancia que los moros le daban al aseo personal. Hay que recordar que en la misma época los cristianos casi nunca se bañaban, ya que creían que el bañarse causaba debilidad.

En esta foto se puede ver cómo los árabes usaban diseños geométricos, especialmente en el diseño que se ve al fondo, donde el juego de cerámicas blancas y de colores produce una ilusión óptica.

Para comentar

1. Refiriéndose a las fotos, describa Ud. la parte de la Alhambra que más le gusta y más le atrae.

2. En las iglesias y los palacios cristianos normalmente se encuentran representaciones de seres humanos. ¿Sabe Ud. por qué estas representaciones están ausentes en edificios moros como los de la Alhambra?

3. ¿Qué aspectos de la arquitectura mora pueden encontrarse en la arquitectura moderna de nuestro país, especialmente en la arquitectura del suroeste?

4. Escriba Ud. un ensayo breve sobre uno de los temas siguientes:

   a. El papel del hombre y el de la mujer en nuestra sociedad hoy día.

   b. El contraste entre el papel de la mujer en nuestra sociedad y su papel en Irán o en otra sociedad musulmana.

Orígenes de la cultura hispánica: América

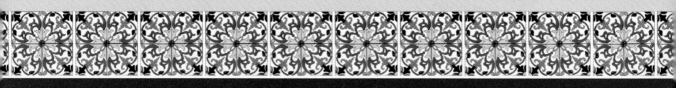

Interpretación de un artista del Templo Mayor dentro del recinto sagrado de Tenochtitlán. ¿Cómo describiría Ud. el templo? ¿Cómo reaccionaría un español al verlo por primera vez en 1519?

Enfoque

Hoy día, las impresionantes ruinas de México, Centroamérica y el Perú son mudos testigos de la grandeza alcanzada por las grandes civilizaciones precolombinas que existieron en América. De esas civilizaciones, sólo la de los aztecas del valle de México y la de los incas del Perú florecían en la época en que llegaron los conquistadores españoles. La civilización maya, que se desarrolló en el sureste de México, Honduras y Guatemala, decayó después del siglo X y los edificios de sus centros ceremoniales fueron cubiertos y escondidos por el bosque y la selva. Así como la naturaleza escondió la evidencia de los conocimientos tecnológicos y artísticos de los mayas, las acciones de los conquistadores durante y después de la Conquista dificultaron la apreciación del verdadero valor de las civilizaciones de los aztecas de México y de los incas y sus predecesores en el Perú. Muchas de las grandes estructuras se derrumbaron o fueron destruidas y sus materiales se utilizaron para construir edificios europeos, a veces sobre los cimientos de los antiguos templos y palacios. Los objetos artísticos de oro y plata se redujeron a barras que se transportaron fácilmente a Europa. Otros objetos aun más frágiles fueron destruidos por el hombre o por el tiempo y la naturaleza.

Sin embargo, no se perdió todo. Debido a la obra paciente de historiadores y arqueólogos hemos podido recobrar mucho del pasado. Se han restaurado muchos centros ceremoniales, y otra vez el hombre puede caminar por donde caminaban los mayas, los aztecas y los incas. Otros objetos que se salvaron de las fuerzas destructivas —cerámicas, tejidos, esculturas, pinturas, objetos de orfebrería— se encuentran en los museos más importantes del mundo, donde podemos apreciar la alta calidad del arte del hombre precolombino.

Así como la cultura de España refleja la asimilación de varias culturas, lo mismo puede observarse en muchos países hispanoamericanos, donde la contribución india es tan evidente como la española. Aquí presentamos obras que reflejan la cultura precolombina de México: trozos de las *Cartas de relación* de Hernán Cortés y algunas obras artísticas de los aztecas de México. La obra de Cortés nos permite compartir las experiencias del famoso conquistador y nos deja ver algo de la grandeza de Tenochtitlán, la gran ciudad de los aztecas. Las obras artísticas atestiguan el alto valor del arte azteca.

Vocabulario útil

Estudie Ud. estas palabras.

Verbos

labrar *to work (stone); to carve (wood)*

Sustantivos

el ajedrez *chess*
el ave *f* *bird*
el barbero *barber*
el cabello *hair*
la calle *street*
la canoa *canoe*
la ceja *eyebrow*
el estanque *pool, pond*
el jardín *garden*
la laguna *lake, lagoon*
la limpieza *cleaning*

el, la mar *sea*
el mercado *market*
el mirador *window, observation point*
el oro *gold*
el pescado *fish*
la pestaña *eyelash*
la piedra *stone*
la plata *silver*
el platero *silversmith*
el puente *bridge*
el rostro *face*

Adjetivos

ancho, -a *wide*
derecho, -a *straight*

Anticipación

I. La moderna capital de México está construida sobre las ruinas de Tenochtitlán, la antigua capital de los aztecas. El título de la obra que Ud. va a leer es «El español en Tenochtitlán». La obra fue escrita por Hernán Cortés, famoso conquistador de los aztecas. Antes de leer lo que escribió Cortés, haga Ud. solo(a) o con los compañeros de clase una lista de las cosas que probablemente aparecerán en la lectura.

II. En «El español en Tenochtitlán» hay muchas palabras que son idénticas o parecidas a palabras en inglés. ¿Puede Ud. adivinar *(guess)* lo que significan estas palabras?

admiración *f*	león *m*	portal *m*
corredor *m*	medicinal	potable
deformidad *f*	patio	principal
imposible	persona	servicio
instrumento	plaza	tigre *m*

¿Hay otras palabras de este tipo en el **Vocabulario útil?**

III. Las siguientes oraciones describen algunos aspectos de México en la época cuando Tenochtitlán era la capital de los aztecas. Complete Ud. cada oración con la forma correcta de estas palabras que son del **Vocabulario útil.**

ancho	mercado
ave	oro
derecho	plata
jardín	puente
laguna	

1. Fundaron la ciudad de Tenochtitlán en una _____.
2. Las calles eran muy _____ y muy _____.
3. Había canales que atravesaban las calles y sobre esos canales había _____.
4. En las plazas de la ciudad había _____ donde vendían muchas cosas.
5. Moctezuma, el monarca del imperio azteca, tenía objetos artísticos que se hacían de plumas, de piedra, de _____ y de _____.
6. En una de las casas de Moctezuma había estanques de agua donde vivían diversas _____ domésticas.

IV. Aunque es posible que Ud. no sepa mucho de los aztecas y de su capital, indique si cada oración es verdadera o falsa. Después de leer «El español en Tenochtitlán», corrija Ud. las oraciones que sean falsas.

1. La población de Tenochtitlán no podía compararse con la de las ciudades europeas del siglo XVI: Tenochtitlán era una ciudad mucho más pequeña.
2. Todas las ciudades aztecas, así como las de otras culturas precolombinas, eran centros religiosos, no centros comerciales.
3. Ya que los primeros conquistadores eran de otra cultura, no apreciaban las cosas que veían en Tenochtitlán.
4. Ciertos conceptos, como el del jardín zoológico, no existían en la cultura azteca.
5. A los aztecas les interesaban las personas que tenían ciertas deformidades o anormalidades.

Cartas de relación

El título completo de la colección de cinco cartas que le mandó **Hernán Cortés** a Carlos V es *Cartas de relación sobre el descubrimiento y la conquista de la Nueva España*. En ellas el gran conquistador describe uno de los hechos más notables de la historia: la conquista de México por un grupo relativamente pequeño de españoles entre 1519 y 1521. Las cartas de Cortés también inician un nuevo género literario: la crónica de Indias.

Cortés nació en Medellín, España, en 1485. Estudió dos años en Salamanca. A los veintinueve años viajó a América, a Santo Domingo, donde conoció a Diego Velázquez y participó en la conquista de Cuba. Durante varios años Cortés fue secretario de Velázquez, quien llegó a ser gobernador de Cuba. Éste le dio a Cortés una comisión para la conquista de México, y en 1518 Cortés salió de Cuba para emprender la conquista que había de hacerlo famoso. En sus cartas a Carlos V, Cortés describe lo que pasó después: la serie de hechos que culminaron en la conquista del imperio azteca y la destrucción de su capital, Tenochtitlán. Después de la conquista, el rey lo nombró Gobernador y Capitán General de Nueva España, pero Cortés tenía muchos enemigos y en 1528 tuvo que regresar a España para defenderse de sus acusaciones. El rey reconoció la contribución de Cortés, confiriéndole un título, pero aunque Cortés regresó a México, no le gustaron las intrigas políticas y volvió a España. Allí dirigió una expedición a Argelia; murió en su país natal en 1547.

El lenguaje de las cartas de Cortés es directo y sencillo. En sus cartas Cortés informa al rey sobre los hechos de la conquista y también revela su interés y su admiración por la civilización india que encontró. Cortés describe las ciudades, los edificios, la religión y otros aspectos de la vida de los aztecas y es obvio que él se asombra ante el esplendor de esa civilización. Nos la describe con una viveza que hace que nosotros también seamos testigos de su grandeza.

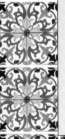

El español en Tenochtitlán

... Esta gran ciudad de Temixtitan[1] está
fundada en esta laguna salada, y desde la
Tierra-Firme hasta el cuerpo de la dicha
ciudad, por cualquiera parte que quisieren
5   entrar a ella, hay dos leguas. Tiene cuatro
entradas, todas de calzada hecha a mano, tan
ancha como dos lanzas jinetas. Es tan grande
la ciudad como Sevilla y Córdoba. Son las
calles de ella, digo las principales, muy
10   anchas y muy derechas, y algunas de éstas y
todas las demás son la mitad de tierra, y por
la otra mitad es agua, por la cual andan en
sus canoas. Todas las calles de trecho en
trecho están abiertas por donde atraviesa el
15   agua de las unas a las otras, y en todas estas
aberturas, que algunas son muy anchas, hay
sus puentes de muy anchas y muy grandes
vigas juntas y recias y bien labradas; y tales,
que por muchas de ellas pueden pasar diez de
20   caballo juntos a la par... Tiene esta ciudad
muchas plazas, donde hay continuos
mercados y trato de comprar y vender. Tiene
otra plaza tan grande como dos veces la de la
ciudad de Salamanca, toda cercada de
25   portales alrededor, donde hay cotidianamente
arriba de 60.000 ánimas comprando y
vendiendo; donde hay todos los géneros de
mercaderías que en todas las tierras se hallan,
así de mantenimientos como de vituallas,
30   joyas de oro y de plata, de plomo, de latón,
de cobre, de estaño, de piedras, de huesos, de
conchas, de caracoles y de plumas. Véndese
tal piedra labrada y por labrar, adobes,
ladrillos, madera labrada y por labrar de
35   diversas maneras. Hay calles de caza donde

Temixtitan *Tenochtitlán*

quisieren *they may wish*
leguas *leagues*
calzada... mano *handmade
    pavement*
lanzas jinetas *short lances*

de trecho en trecho *at intervals*

vigas *beams*
recias *strong*
diez... par *ten horsemen riding
    shoulder to shoulder*

cercada... alrededor *surrounded
    by porticos*
arriba de *more than*
géneros *types*
mercaderías *goods*
así de... vituallas *including both
    things for subsistence and
    for food*
Véndese *They sell*
labrada y por labrar *worked and
    unworked*
caza *game*

venden todo linaje de aves que hay en la
tierra... Venden conejos, liebres, venados y
perros pequeños, que crían para comer. Hay
calles de herbolarios, donde hay todas las
40 raíces y yerbas medicinales que en esta tierra
se hallan. Hay casas como de boticarios
donde se venden las medicinas hechas, así
potables como ungüentos y emplastos. Hay
casas como de barberos, donde lavan y rapan
45 las cabezas. Hay casas donde dan de comer y
beber por precio... Finalmente, que en los
dichos mercados se venden todas cuantas
cosas se hallan en la tierra, que demás de las
que he dicho, son tantas y de tantas
50 calidades, que por la prolijidad y por no me
ocurrir tantas a la memoria, y aun por no
saber poner los nombres, no las expreso...
　　　En lo del servicio de Moctezuma[2] y de
las cosas de admiración que tenía por
55 grandeza y estado, hay tanto que escribir,
que certifico a vuestra alteza que yo no sé
por dónde pueda acabar de decir alguna parte
de ellas. Porque, como ya he dicho, ¿qué más
grandeza puede ser que un señor bárbaro
60 como éste tuviese contrahechas de oro y
plata y piedras y plumas todas las cosas que
debajo del cielo hay en su señorío, tan al
natural lo de oro y plata, que no hay platero
en el mundo que mejor lo hiciese; y lo de las
65 piedras, que no baste juicio comprender con
qué instrumentos se hiciese tan perfecto; y lo
de pluma, que ni de cera ni en ningún
broslado se podría hacer tan
maravillosamente?... Tenía, así fuera de la
70 ciudad como dentro, muchas casas de placer,
y cada una de su manera de pasatiempo, tan
bien labradas cuanto se podría decir, y cuales
requerían ser para un gran príncipe y señor.
Tenía dentro de la ciudad sus casas de
75 aposentamiento, tales y tan maravillosas que
me parecería casi imposible poder decir la
bondad y grandeza de ellas... Tenía una casa
poco menos buena que ésta, donde tenía un

linaje *kind*

herbolarios *herbalists*
yerbas *herbs*
boticarios *druggists*
así... emplastos *drinkable ones
　as well as ointments and
　poultices*
rapan *they shave*

por la... memoria *because there
　are so many and I can't re-
　member so many*
poner los nombres *give them a
　name*
En lo del *As for the*

dónde pueda... ellas *how I can
　mention even a part of them*
qué más... que *what could be
　more grand than for*
contrahechas de *copied in*
al natural *naturally*

que... juicio *there is no under-
　standing great enough*

broslado: bordado *embroidery*

de su manera de pasatiempo
　with its own kind of pastimes
cuales requerían ser *each suit-
　able*
aposentamiento *lodging*

muy hermoso jardín con ciertos miradores
80 que salían sobre él, y los mármoles y losas de
ellos eran de jaspe, muy bien obradas. Había
en esta casa aposentamientos para se
aposentar dos muy grandes príncipes con
todo su servicio. En esta casa tenía diez
85 estanques de agua, donde tenía todos los
linajes de aves de agua que en estas partes se
hallan, que son muchos y diversos, todas
domésticas; y para las aves que se crían en la
mar eran los estanques de agua salada, y para
90 las de ríos, lagunas de agua dulce; la cual
agua vaciaban de cierto a cierto tiempo por la
limpieza, y la tornaban a henchir por sus
caños. A cada género de aves se daba aquel
mantenimiento que era propio a su natural y
100 con que ellas en el campo se mantenían. De
forma que a las que comían pescado se lo
daban, y las que gusanos, gusanos, y las que
maíz, maíz, y las que otras semillas más
menudas, por consiguiente se las daban...
105 Había para tener cargo de estas aves
trescientos hombres, que en ninguna otra
cosa entendían. Había otros hombres que
solamente entendían en curar las aves que
adolecían. Sobre cada alberca y estanque de
110 estas aves había sus corredores y miradores
muy gentilmente labrados, donde el dicho
Moctezuma se venía a recrear y a las ver.
Tenía en esta casa un cuarto en que tenía
hombres, mujeres y niños, blancos de su
115 nacimiento en el rostro y cuerpo y cabellos y
cejas y pestañas. Tenía otra casa muy
hermosa, donde tenía un gran patio losado de
muy gentiles losas, todo él hecho a manera de
un juego de ajedrez... Había en esta casa
120 ciertas salas grandes, bajas, todas llenas de
jaulas grandes, de muy gruesos maderos, muy
bien labrados y encajados, y en todas o en las
más había leones, tigres, lobos, zorras y gatos
de diversas maneras, y de todos en cantidad;
125 a los cuales daban de comer gallinas cuantas
les bastaban. Para estos animales y aves había

mármoles *marbles*
losas *tiles*
jaspe *colored stoneware*
para se aposentar *for lodging*

la tornaban a henchir *they*
    would fill it again
caños *pipes*
propio a su natural *suitable for*
    its kind
De forma que *So*
gusanos *worms*
menudas *small*
por... las daban *(fig) they gave*
    them what was appropriate
tener cargo de *to take care of*
que en... entendían *who were*
    responsible for nothing else
adolecían *were ill*

se venía... ver *came to amuse*
    himself and see them

losado *tiled*

jaulas *cages*
de muy gruesos maderos *of very*
    thick wood
encajados *fitted*
de... maneras *of different kinds*
daban de comer... bastaban
    they fed them all the hens
    they wanted

otros trescientos hombres, que tenían cargo
de ellos. Tenía otra casa donde tenía muchos
hombres y mujeres monstruos en que había
130   enanos, corcovados y contrahechos, y otros
con otras deformidades, y cada manera de
monstruos en su cuarto por sí; y también
había para éstos personas dedicadas a tener
cargo de ellos. Las otras casas de placer que
135   tenía en su ciudad dejo de decir, por ser
muchas y de muchas calidades...

enanos, corcovados y contrahe-
    chos *dwarfs, hunchbacks
    and deformed people*
en su cuarto por sí *in their own
    room*
dejo de decir *I omit*

Notas culturales

[1]*En 1519 Tenochtitlán era una de las ciudades más grandes del mundo y la capital de un imperio de unos once millones de habitantes. Se ha estimado que había unas 60.000 casas en la ciudad y se cree que unas 200.000 personas vivían allí, cuatro veces la población de Londres en aquella época. Como la ciudad estaba situada en un lago y había muchos canales, los españoles la comparaban con Venecia. En el centro de la ciudad se encontraba el recinto administrativo y religioso, con muchos edificios (pirámides y palacios) enormes y suntuosos. Cerca de ese recinto estaban los mercados, donde se vendía de todo. La grandeza y la riqueza de la ciudad asombraron a los españoles, que la comparaban favorablemente con las ciudades más importantes de Europa.*

[2]*Moctezuma II fue una de las figuras más trágicas de la historia. Monarca absoluto de un reino bastante grande, recibía tributo de las tribus conquistadas. Los aztecas lo consideraban como figura semireligiosa y lo trataban como se trata a un dios. Al recibir noticias de la llegada de Cortés a la costa, creyó Moctezuma que el extraño desconocido de la barba rubia era Quetzalcóatl, dios antiguo de los toltecas, que había prometido volver para destruir a los aztecas. Se ha sugerido que la pasividad y la inacción de Moctezuma frente a los españoles se debía a que el monarca creía que era inútil oponerse y que era su destino reinar sobre la destrucción de su pueblo.*

Comprensión

1. Según Cortés, ¿con qué ciudades españolas se podía comparar Tenochtitlán?
2. ¿Cómo eran las calles de la ciudad?   **3.** ¿Cuántas personas compraban y vendían cosas todos los días en uno de los mercados?   **4.** ¿Cuáles eran algunas de las cosas que se vendían en el mercado?   **5.** ¿Qué cosa comían los aztecas que normalmente no comeríamos nosotros?   **6.** ¿Cómo indica Cortés que algunas cosas eran tan nuevas que él no sabía describirlas?   **7.** ¿De qué se hacían las copias de las cosas que se encontraban en el reino de Moctezuma?
8. ¿Cómo era la casa donde había cuartos para príncipes?   **9.** ¿Dónde se

encontraban las aves de agua?   **10.** ¿Qué les daban de comer a las aves?
11. ¿Cuántos hombres había para cuidar las aves?   **12.** ¿Desde dónde miraba
Moctezuma las aves?   **13.** ¿Qué había en las jaulas de otra casa?   **14.** ¿Qué
les daban de comer a esos animales?   **15.** ¿Qué cosa extraña había en otra
casa?   **16.** ¿Por qué no describe Cortés las otras casas que vio?

Expansión

I. Análisis literario

1. ¿Cuáles son las tres cosas que vieron los españoles que les sorprendieron?
2. Describa Ud. en sus propias palabras el mercado que vio Cortés.   **3.** Si Ud.
fuera el conquistador que acababa de ver la casa de los estanques de agua,
¿cómo la describiría?   **4.** ¿Cómo indica Cortés que a los españoles les interesaban mucho las riquezas?   **5.** ¿Cuál parece ser la actitud de Cortés frente a
lo que vio?

II. Resumen

Refiriéndose a la selección literaria, complete Ud. las frases siguientes para escribir un párrafo que describa la ciudad de Tenochtitlán.

1. Tenochtitlán era tan grande como...
2. Las calles principales de la ciudad eran...
3. En las plazas de la ciudad había...
4. En algunos mercados se vendían conejos, liebres, venados y...
5. Había otros mercados donde vendían...
6. Cortés no mencionó todas las cosas que vendían porque...

III. Minidrama

Presenten Ud. y otra(s) persona(s) de la clase un breve drama sobre dos personas que acaban de conocer por primera vez una cultura muy diferente de la
suya. Algunas situaciones posibles son:

1. Dos soldados de Cortés comentan lo que ven en una de las casas de
   Moctezuma.
2. Dos norteamericanos de nuestros tiempos visitan Moscú.
3. Dos aztecas del siglo XVI hacen un viaje por el tiempo y visitan a una familia
   norteamericana típica.

IV. Opiniones y actitudes

Escriba Ud. un párrafo sobre uno de los temas siguientes o explíqueselo a la
clase.

1. El doce de octubre: ¿el día del indígena o el día de Colón?
2. Un lugar inolvidable.
3. El choque de dos culturas: aspectos del problema de la incomprensión cultural entre norteamericanos y japoneses en nuestros días.

V. Situación

Con un(a) compañero(a) de clase, presente Ud. un diálogo entre dos personas que acaban de visitar un famoso sitio arqueológico. Ud. le pregunta al (a la) compañero(a) qué es lo que más le ha interesado del sitio. La otra persona describe el aspecto que más le gustó y le pregunta si algún aspecto del sitio le ha sorprendido. Ud. dice que sí (o que no) y explica su contestación. Después, su compañero(a) menciona que encontró un artefacto pequeño en el sitio y que se lo llevó. Ud. le dice que debe devolverlo al sitio y le explica por qué. Los dos terminan su conversación mencionando otros sitios que les gustaría visitar en el futuro y por qué quieren ir a esos lugares.

El arte de los aztecas

Según una leyenda antigua, los aztecas salieron de Aztlán, el «lugar de las garzas» en el norte de México, más o menos en el año 1000 después de Cristo. Durante doscientos años migraron al sur hasta llegar al valle de México en 1193. La región ya estaba bien poblada y había varias ciudades cerca de los lagos del valle. Durante unos cien años los aztecas convivieron con sus vecinos más poderosos, sirviéndoles de criados y guerreros mientras buscaban un lugar permanente donde construir su propia ciudad. Mientras tanto, absorbían las costumbres y las tradiciones de sus vecinos más avanzados y sofisticados.

Según la leyenda, el dios de los aztecas, Huitzilopochtli, les había indicado que debían construir su propia ciudad en un lugar donde habría un águila posada encima de un nopal. El águila simbolizaba el sol y Huitzilopochtli era el dios del sol y de la guerra. La fruta roja del nopal representaba los corazones que le ofrecían al dios durante los sacrificios humanos. Por fin, en 1325, apareció ese signo, en una pequeña isla en el lago de Texcoco. En ese año los aztecas construyeron un templo dedicado a Huitzilopochtli y empezaron a construir la ciudad de Tenochtitlán, el «Lugar de la Fruta del Nopal».

Entre 1325 y la llegada de los españoles en 1519, los aztecas establecieron un imperio muy grande, sea por la conquista militar o por varias alianzas con otros grupos. Durante esos años Tenochtitlán llegó a ser una de las ciudades más grandes y poderosas del mundo.

En el centro de Tenochtitlán había un recinto ceremonial que en 1519 incluía unos 78 edificios. Dominaba el recinto el Templo Mayor, que representaba el centro real y simbólico del mundo azteca. El Templo Mayor, como el resto de Tenochtitlán, fue destruido durante la conquista de Tenochtitlán por los españoles. Estos usaron las piedras de las estructuras aztecas para construir sus propios edificios, y así crearon la moderna capital de México. Tenochtitlán desapareció.

Aunque se sabía que el recinto ceremonial y el Templo Mayor estaban situados cerca de la actual plaza central de México (el Zócalo), las ruinas estaban cubiertas de construcciones modernas. Así no se sabía exactamente dónde estaban, hasta que en el año 1978 unos obreros que excavaban en el Zócalo descubrieron un pedazo de una escultura. Informaron a los del Instituto Nacional de Antropología e Historia de México. Así empezó una de las excavaciones arqueológicas más grandes de México. Entre 1978 y 1982 excavaron las ruinas del Templo Mayor y descubrieron miles de artefactos. Llegaron a saber que el Templo Mayor fue reconstruido siete veces, empezando con el primitivo templo de Huitzilopochtli, construido en 1325 y terminando con una impresionante pirámide encima de la cual había dos templos, uno dedicado a Huitzilopochtli y el otro dedicado a Tláloc, el dios de la lluvia y del sustento.

La escultura descubierta por los obreros resultó ser parte de una enorme piedra redonda, tallada con la imagen del cuerpo despedazado de Coyolxauhqui, diosa de la luna y hermana de Huitzilopochtli. Esta piedra se refiere a una leyenda antigua de los aztecas que tenía que ver con el nacimiento de Huitzilopochtli. La leyenda indica cómo Huitzilopochtli derrotó a 400 hermanos suyos (que representaban las estrellas) y a su hermana (la luna), encima del cerro de Coatepetl. Huitzilopochtli le cortó la cabeza a su hermana y el cadáver de ella se despedazó al caer por el cerro. La pirámide representaba el cerro y la batalla entre el sol y la luna se celebraba en ceremonias especiales donde la sangre del sacrificado era ofrecida al sol como sustento, y su cadáver era tirado por el «cerro» hasta caer en la piedra de Coyolxauhqui.

Durante la excavación del Templo Mayor se descubrió una gran variedad de objetos que se les habían ofrecido a los dioses. Algunos objetos fueron ofrecidos como tributo de regiones conquistadas por los aztecas y otros fueron creados por los aztecas mismos. Son objetos de extraordinario valor artístico y nos permiten apreciar la enorme contribución de los aztecas al patrimonio de los mexicanos modernos. Aquí sólo presentamos unos pocos ejemplos del arte azteca. Para conocer otros ejemplos y para saber más sobre la historia, la cultura y la sociedad de los aztecas, le recomendamos el excelente libro de Jane S. Day, *Aztec: The World of Moctezuma* (Roberts Rinehart Publishers, 1992).

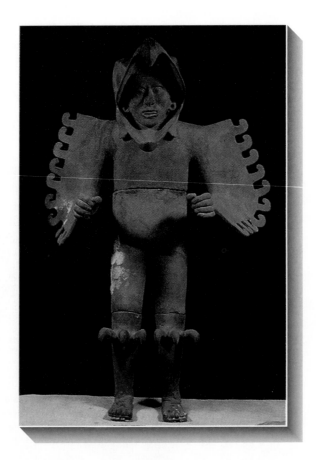

Guerrero vestido de águila

Ya que el águila simbolizaba el sol y también el dios Huitzilopochtli (dios de la guerra y del sol), los guerreros que estaban autorizados a vestirse como águilas gozaban de un alto rango social. Entre nosotros, ¿hay militares que se visten de un modo especial para indicar su rango o su capacidad especial?

Cerámica con la figura de Tezcatlipoca

Tezcatlipoca era el dios de los reyes aztecas, el «Dios de los Dioses». Su espejo le permitía ver todas las cosas en todos los lugares del mundo. Ante él, todos se hallaban indefensos. Aquí lo vemos con sus armas y detrás de él se ve una serpiente.

Quetzalcóatl, la serpiente emplumada

Muy conocido dios tolteca, Quetzalcóatl fue adoptado por los aztecas. Ya que incorporaba características de serpiente y de águila, Quetzalcóatl se sentía igualmente cómodo en la tierra o en el cielo. Era un gran héroe cultural y el dios de la sabiduría, la cultura y la civilización. ¿Conoce Ud. otra religión donde la serpiente tiene un papel importante?

Coyolxauhqui, diosa de la luna

Esta magnífica escultura representa el cuerpo despedazado de Coyolxauhqui. En la cabeza tiene plumas y lleva aretes en las orejas. Alrededor de la cintura tiene un cinturón hecho de dos serpientes y atado al cinturón hay una calavera. En las sandalias, los codos y las rodillas se ven máscaras de monstruos que tienen unos colmillos grandes. Pensando en la luna, ¿qué simbolismo se puede encontrar en la leyenda de Coyolxauhqui?

Para comentar

1. Entre los aztecas, las ofrendas que ofrecían a cierto dios simbolizaban alguna característica de ese dios. Por ejemplo, una escultura de un pez simbolizaba el dios Tláloc, dios de la lluvia, o un águila simbolizaba el dios Huitzilopochtli. En nuestra sociedad también hay cosas que se asocian con un concepto religioso. Por ejemplo, todos reconocemos a cierto señor gordo, de barba blanca y muy larga, que lleva un traje rojo y botas negras. Sabemos cuál es la función de ese señor, cómo se relaciona con los niños y en qué estación del año aparece. ¿Cuáles son algunas otras cosas que tienen valor simbólico o tradicional en nuestra cultura?

2. En muchas culturas se asocian ciertas cualidades con ciertos animales. Así, por ejemplo, el búho con frecuencia simboliza la sabiduría. En nuestra cultura, ¿qué cualidades se asocian con el león? ¿el zorro? ¿el toro? ¿Hay otros animales que para Ud. tienen valor simbólico? ¿Cuáles son?

3. Escriba Ud. un ensayo breve sobre una obra de arte europea o norteamericana que tenga valor simbólico. Describa la obra (incluya una foto si es posible) y después, explique los símbolos que se presentan en la obra.

UNIDAD 3

La religión en el mundo hispánico

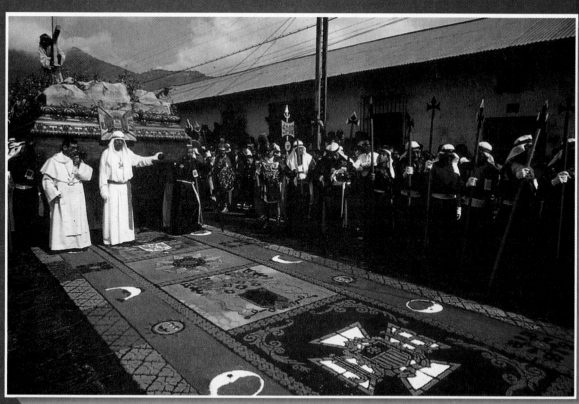

Aquí se ve la procesión del Viernes Santo en Antigua, Guatemala, donde caminan sobre imágenes de arena y flores de muchos colores. En estas procesiones frecuentemente hay elementos de dos tradiciones religiosas. ¿Cuáles son las dos religiones?

Enfoque

En los países hispánicos, todos los aspectos de la vida revelan la importancia de la religión cristiana. La Iglesia participa en los momentos más importantes de la vida del individuo: el bautismo, el matrimonio y la muerte. La mayoría de las fiestas populares son religiosas. Aun los que no creen en Dios usan expresiones como «Dios mío» o «Por Dios».

En España, el catolicismo llegó con los romanos y cobró fuerza durante la Reconquista, la lucha entre cristianos y moros que duró casi ocho siglos. La importancia de la Iglesia durante ese período se revela de muchas maneras: en la arquitectura, la pintura, la escultura y la literatura. Para el hombre medieval —tanto para el español como para el de otros países europeos— la religión era el aspecto más importante de su vida. La vida para tal individuo era el camino para llegar al cielo, y por eso era importante vivir bien para merecer la vida eterna. Aun en el Renacimiento, cuando se ponía más énfasis en el aspecto mundano de la vida, las artes y la literatura españolas de la época revelan que la religión seguía siendo importantísima.

Por medio de la conquista de América se extendió el catolicismo al continente. En las regiones donde había grandes civilizaciones indígenas, las funciones de los dioses indígenas fueron absorbidas por santos cristianos que tenían funciones parecidas, y ciertas costumbres y actitudes de los indios llegaron a formar parte del tipo de catolicismo que se desarrolló allí. Es interesante notar, por ejemplo, que en la poesía española del siglo XV se expresa la idea de que la vida es transitoria y frágil, actitud que también aparece en poesías aztecas del mismo siglo, aunque esa observación les lleva a conclusiones diferentes.

En esta unidad se presentan varios testimonios de la importancia de la religión en el mundo hispánico: varios poemas de tema religioso y algunas pinturas magníficas de El Greco, el pintor que mejor supo captar la fe elevada y mística del español del siglo XVI.

Vocabulario útil

Estudie Ud. estas palabras.

Verbos

acabar   *to end, to finish*
alegrarse (de)   *to be glad (about)*
dejar de   *to cease, to stop*
durar   *to last*
engañar(se)   *to deceive (oneself)*

juzgar   *to judge*
mover (ue)   *to move*
prestar   *to lend*
ser   *to be; to exist*
sospechar   *to suspect*
temer   *to fear*

Sustantivos

la cruz   *cross*
el dolor   *pain*
el infierno   *hell*
nahua   *adj; n m Nahuatl (Aztec
   language)*
el placer   *pleasure*

el préstamo   *loan*
la voluntad   *will, willpower*

Adjetivos

dichoso, -a   *blessed*
duro, -a   *hard*

Anticipación

I. Complete Ud. el párrafo con la forma correcta de la palabra apropiada del **Vocabulario útil.**

*Ayer tuve que ir al dentista porque tenía un _____ de muela (molar) muy
malo. Para mí, ir al dentista no es un _____ y el ir allí requiere mucha
_____. Dicen que ningún dolor _____ mucho, pero siempre
_____ que el dentista es indiferente a mi sufrimiento. Como siempre, el
dentista me dijo que no había nada que _____. Tal vez para distraerme me
dediqué a pensar en los _____ santos, pero terminé pensando en el sufrimiento de Cristo en la _____ y en las almas que sufrían en el
_____. ¡Cuánto _____ cuando el dentista anunció que había
_____ su tarea!*

II. El artículo neutro **lo** se usa en muchas expresiones. Es común usar **lo que** o **lo cual** para referirse a un antecedente no específico que exprese una idea o una situación.

No me habló, lo cual *(which)* me sorprendió.
Allí vimos a mis padres, lo que *(which)* me alegró bastante.

Lo que también se usa con el sentido de *what* cuando no se indica el antecedente.

Lo que *(what)* van a hacer es un secreto.
¿Quieres decirme lo que *(what)* piensas hacer?

También se usa **lo** con la forma neutra de un adjetivo para expresar un concepto abstracto.

Lo bueno *(the good thing, the good part)* fue lo que pasó después.
Él siempre buscaba lo nuevo y lo perfecto *(the new and the perfect)*.

Pensando en los varios usos de **lo,** traduzca Ud. estas oraciones.

1. Lo que vio era extraño.
2. Quiero hacer lo mismo.
3. ¿Crees tú que Dios es todo lo que existe?
4. ¿Tienes miedo de lo que no conoces?
5. Lo único que hizo fue salir sin decir nada.
6. Ella no se quedó, lo cual nos sorprendió.
7. En las pinturas de El Greco se presentan simultáneamente lo divino y lo humano.

III. Si Ud. no está de acuerdo con las siguientes afirmaciones, cámbielas para expresar su opinión personal.

1. Me parece que la vida hoy es más dura que en otras épocas.
2. La vida es breve y por eso debemos gozar de ella y no pensar en otra cosa.
3. Creo que existen el cielo y el infierno.
4. No puedo ni negar ni afirmar la existencia de Dios.
5. Es evidente que Dios controla lo que pasa en nuestras vidas.

IV. Lea Ud. los cinco poemas religiosos. Busque la idea principal de cada poema, sin preocuparse si no entiende cada una de las palabras. Después, indique el poema donde aparecen los siguientes conceptos. (Puede ser que el concepto aparezca en más de un poema.)

1. La vida es breve.
2. No sabemos qué nos espera después de la muerte.

Cinco poemas religiosos o filosóficos

En casi todas las culturas del mundo (si no en todas), los seres humanos han querido saber el porqué de nuestra existencia. Ciertos temas se repiten a través del tiempo y del espacio: la vida es breve; la existencia es fugaz y frágil; debe existir alguna divinidad que le dé sentido a la vida. Esos temas aparecen en las culturas indígenas precolombinas y también, por supuesto, en las varias culturas hispánicas después de la conquista. Aquí presentamos cinco momentos de la poesía religiosa y filosófica en América y en España donde también aparecen esos temas.

El primer poema es un poema nahua, coleccionado por Juan Bautista Pomar. Pomar vivía en Texcoco, una de las principales ciudades que se establecieron cerca del lago de Texcoco en la época del imperio azteca. Se cree que Pomar nació allí en 1535, quince años después de la destrucción de Tenochtitlán y la desolación de Texcoco. Por su madre, Pomar era bisnieto de Nezahualcóyotl, famoso rey de Texcoco en el siglo XV. Como Pomar sabía hablar nahuatl, pudo coleccionar poemas de los aztecas.

El trozo que se presenta del segundo poema, «Coplas por la muerte de su padre», de **Jorge Manrique**, tiene un tema parecido al tema del poema nahua. Como muchos nobles de su época, Manrique (1440?–1479) se dedicó a las armas y las letras. Murió en una batalla durante el reinado de los Reyes Católicos. Aunque las ideas y los conceptos de las coplas son tradicionales, por su belleza y su perfección este poema es considerado como la elegía más perfecta que se haya escrito en español.

El soneto «No me mueve, mi Dios… » es de un autor desconocido del siglo XVI. Sin duda es el soneto más famoso de inspiración religiosa que se ha escrito en español. Hay muchos sonetos dedicados a Cristo en la cruz, pero la sinceridad de este poema y su lirismo son extraordinarios.

En las últimas décadas del siglo XIX, la poesía en Hispanoamérica goza de un florecimiento no conocido anteriormente en el continente. La producción de obras líricas de gran calidad es extraordinaria. Aún más, es una poesía cosmopolita que incorpora elementos extranjeros (especialmente franceses) y elementos americanos, tanto modernos como antiguos. El movimiento literario que resulta se llama Modernismo, y los escritores modernistas se consideran héroes del arte y rebeldes contra el mundo burgués que los rodea. Logran renovar la forma y el lenguaje de la poesía e influyen en la sensibilidad y la manera de pensar de los intelectuales de su época.

En esta sección se presenta un ejemplo de poesía modernista: «Lo fatal» de **Rubén Darío**. Darío (1867–1916) era nicaragüense y se dedicó totalmente a la literatura. Es sin duda el poeta más importante del Modernismo, tanto por su propia producción literaria como por su influencia en otros poetas. Tal vez los libros más conocidos de él son *Azul* (1888), *Prosas profanas* (1896) y *Cantos de vida y esperanza* (1905). «Lo fatal» pertenece a *Cantos de vida y esperanza* que, según muchos críticos, es su mejor libro, no sólo por la perfección de los varios poemas que en él se incluyen, sino también por su profundidad filosófica.

La «generación del 98» se refiere a un grupo de escritores que aparecieron en España al final del siglo XIX. Desilusionados por la derrota de España en la guerra con los Estados Unidos y por lo que les parecía ser la decadencia de la patria, esos escritores expresaron sus inquietudes y su deseo de penetrar en la esencia del alma española. **Miguel de Unamuno** (1864–1936) fue uno de los escritores más conocidos de esa generación. Novelista, cuentista, poeta, filósofo, ensayista y dramaturgo, Unamuno expresó su angustia por España y su deseo de calmar sus profundas dudas religiosas. Entre sus ficciones se destacan obras como *Paz en la guerra*, *Niebla*, *San Manuel Bueno, mártir* y *Abel Sánchez*.

Poema nahua

1 No vivimos en nuestra casa
   aquí en la tierra.
   Así solamente por breve tiempo
   la tomamos en préstamo.
5 ¡Adornaos, príncipes!

                           Adornaos *Adorn yourselves*

   Solamente aquí
   nuestro corazón se alegra:
   por breve tiempo, amigos, estamos
      prestados unos a otros:
10 No es nuestra casa definitiva la tierra:
   ¡Adornaos príncipes!

Anónimo

Nota cultural

Un tema que aparece con frecuencia en la literatura europea medieval es que la vida es breve y por eso debemos gozar de cada momento de ella. Es interesante notar que ese concepto también aparece en muchos poemas nahuas escritos antes del descubrimiento de América.

Comprensión

1. Según el poeta, ¿por cuánto tiempo es nuestra la tierra?   **2.** Ya que la vida es transitoria, ¿qué debemos hacer?   **3.** ¿Dónde podemos sentir la alegría?
4. ¿Son permanentes las amistades?

Coplas por la muerte de su padre (trozo)

1 Recuerde el alma dormida,
  avive el seso y despierte
   contemplando
  cómo se pasa la vida,
5 cómo se viene la muerte
   tan callando;
  cuán presto se va el placer;
  cómo, después de acordado,
   da dolor;
10 cómo, a nuestro parecer,
  cualquiera tiempo pasado
   fue mejor.

  Pues si vemos lo presente
  cómo en un punto se es ido
15 e acabado,
  si juzgamos sabiamente,
  daremos lo non venido
   por pasado.
  Non se engañe nadie, no,
20 pensando que ha de durar
   lo que espera
  más que duró lo que vio,
  pues que todo ha de pasar
   por tal manera.

25 Nuestras vidas son los ríos
  que van a dar en la mar,
   que es el morir;
  allí van los señoríos
  derechos a se acabar
30 e consumir;
  allí los ríos caudales,
  allí los otros medianos,
   e más chicos,
  allegados, son iguales
35 los que viven por sus manos
  e los ricos.

Jorge Manrique

Glosses:

Recuerde *Awaken*

avive el seso *(fig.) be alert*

tan callando *so silently*

presto *quickly*

después de acordado *once it is remembered*

parecer *opinion*

en un punto *in a flash*

daremos... pasado *we will regard the future as already past*

por tal manera *in the same way*

van a dar en *flow into*

señoríos *great lords*

derechos... consumir *straight to be ended and consumed*

caudales *large, powerful*

medianos *middling*

allegados *upon arriving*

Comprensión

1. Según Manrique, ¿es breve o larga la vida? **2.** ¿Cuál es mejor según Manrique: el pasado, el presente o el futuro? **3.** El poeta indica que el presente pasa rápidamente. ¿Dura más tiempo el futuro? **4.** ¿Con qué compara el poeta nuestras vidas? **5.** ¿Qué simboliza la mar? **6.** ¿Cuándo son iguales los ricos y los pobres?

Soneto

No me mueve, mi Dios, para quererte
el cielo que me tienes prometido,
ni me mueve el infierno tan temido
para dejar por eso de ofenderte.
5　Tú me mueves, Señor; muéveme el verte
clavado en esa cruz y escarnecido;
muéveme el ver tu cuerpo tan herido;
muévenme tus afrentas y tu muerte.
Muéveme, en fin, tu amor de tal manera
10　que, aunque no hubiera cielo, yo te
　　amara,
y, aunque no hubiera infierno, te
　　temiera.
No me tienes que dar porque te quiera;
15　que, aunque cuanto espero no esperara,
lo mismo que te quiero te quisiera.

Anónimo

clavado *nailed*
escarnecido *mocked*
herido *wounded*
tus afrentas *the outrages done*
　to you

Nota cultural

El hombre medieval creía que era necesario vivir bien porque esta vida sólo tenía importancia como medio de ganar la vida eterna después de la muerte: el que se comportaba bien iba al cielo y el que se comportaba mal podía ir al infierno. La actitud que se presenta en este soneto del Renacimiento es mucho más íntima, ya que su autor sólo es movido por su amor a Cristo, por el sufrimiento de Cristo y por el amor de Cristo hacia los seres humanos.

Comprensión

1. ¿Qué es lo que mueve al poeta a querer a Dios?　**2.** ¿Qué momento de la vida de Cristo le mueve especialmente?　**3.** ¿Pone el poeta condiciones para su amor?　**4.** ¿Qué pasaría si no existieran ni el infierno ni el cielo?

Lo fatal

Dichoso el árbol, que es apenas sensitivo,
y más la piedra dura, porque ésa ya no siente,
pues no hay dolor más grande que el dolor de
    ser vivo,
5 ni mayor pesadumbre que la vida consciente.   pesadumbre *grief*
Ser, y no saber nada, y ser sin rumbo cierto   rumbo *direction*
y el temor de haber sido, y un futuro terror...
Y el espanto seguro de estar mañana muerto,   espanto *horror*
y sufrir por la vida, y por la sombra, y por
10 lo que no conocemos y apenas sospechamos.
Y la carne que tienta con sus frescos racimos,   tienta *tempts*
y la tumba que aguarda con sus fúnebres   racimos *clusters*
    ramos   aguarda... ramos *awaits with its*
¡y no saber a dónde vamos,   *dark branches*
15 ni de dónde venimos...!

Rubén Darío

Comprensión

1. ¿Por qué es especialmente dichosa la piedra? **2.** ¿Qué cosas producen dolor? **3.** ¿Qué dudas expresa Darío en cuanto a lo que significa la vida?
4. ¿Cree el poeta saber lo que nos espera después de la muerte?

Salmo I (trozo)

Quiero verte, Señor, y morir luego,
morir del todo;
pero verte, Señor, verte la cara,
¡saber que eres!
5 ¡Saber que vives!
Mírame con tus ojos,
ojos que abrasan;
¡mírame y que te vea!
¡que te vea, Señor, y morir luego!
10 Si hay un Dios de los hombres,
¿el más allá qué nos importa, hermanos?
¡Morir para que Él viva,
para que Él sea!
¡Pero, Señor, «yo soy» dinos tan sólo,
15 dinos «yo soy» para que en paz muramos,
no en soledad terrible,
sino en tus brazos!

Miguel de Unamuno

Comprensión

1. ¿Por qué quiere Unamuno que el Señor le diga «yo soy»?   **2.** ¿Puede Ud.
aceptar la existencia de Dios sin las pruebas de Su existencia que busca
Unamuno?

Expansión

I. Análisis literario

1. El uso de la repetición es una característica de la poesía nahua. ¿Cuál es un ejemplo de repetición en el poema nahua que Ud. ha leído?   **2.** Tanto en el poema nahua, como en las «Coplas» de Jorge Manrique se indica que la vida es breve. Sin embargo, las conclusiones de los dos poetas son diferentes. ¿Qué diferencia hay?   **3.** ¿Se puede decir que la última estrofa del poema de Manrique tiene un comentario social? ¿Cuál es?   **4.** ¿Cómo se usa la repetición en el soneto que Ud. ha leído? ¿Cuáles son algunas palabras que se repiten? ¿Cuál es el efecto de la repetición?   **5.** El cristiano medieval sabía exactamente cómo era la relación entre él y Dios. ¿Cómo se pueden contrastar las creencias de un hombre como Jorge Manrique con las de Rubén Darío?   **6.** ¿Cómo se puede contrastar la angustia que Darío expresa en su poema «Lo fatal» con la que expresa Unamuno en el «Salmo I»?

II. Entrevista

Hágale Ud. algunas preguntas a otra persona de la clase sobre sus creencias religiosas o filosóficas. Después, escriba Ud. un párrafo, indicando lo que Ud. ha aprendido. Algunas preguntas posibles son:

¿Cree Ud. en alguna divinidad? ¿Cómo es?
¿Es necesario asistir a la iglesia o al templo para ser religioso? ¿Por qué sí o por qué no?
¿Influye la religión en las decisiones que toma Ud.? ¿Cómo?
¿Cuáles son dos valores que le parecen ser muy importantes en la vida?
¿?

III. Minidrama

Presenten Ud. y otra(s) persona(s) de la clase un breve drama sobre el tema de la religión. Algunas situaciones posibles son:

1. Una persona que siempre ha hecho lo que le place *(whatever he or she fancied)* se muere. Después, se encuentra ante San Pedro en la puerta del cielo.
2. Un individuo viejo y otro joven discuten cuáles son los aspectos más importantes de la vida.
3. Dos jóvenes quieren casarse, pero son de diferentes religiones. Los dos hablan de los problemas que van a tener que enfrentar.

IV. Opiniones y actitudes

Escriba Ud. un párrafo sobre uno de los temas siguientes o explíqueselo a la clase.

1. La religión y la educación pública
2. Conceptos religiosos que se deben incorporar en la vida diaria
3. La religión y la política

V. Situación

Con un(a) compañero(a) de clase, presente Ud. un diálogo entre dos personas que tienen diferentes actitudes hacia la vida. Una de ellas cree que todo tiene explicación científica, mientras que la otra cree que algunas cosas no se pueden explicar así. En el diálogo, uno de Uds. le pregunta al otro sobre su actitud hacia la religión. Éste contesta que no cree en la religión: cree que todo tiene explicación científica. El primero hace una serie de preguntas sobre las creencias «científicas» del otro y después expresa su propia opinión sobre la importancia de la fe religiosa.

El Greco

La Reforma, iniciada en Alemania en la primera mitad del siglo XVI, produjo en España la Contrarreforma, un nuevo despertar del sentimiento religioso y un retorno al misticismo y a la espiritualidad de la Edad Media. La influencia de la nueva actitud sobre el arte fue notable. Tal vez el que mejor supo expresar ese misticismo fue el pintor barroco **El Greco** (1541–1614).

El Greco nació en la isla de Creta —que pertenecía a Grecia en aquellos tiempos— y su nombre verdadero era Domenico Theotocopuli. De su vida no se sabe mucho. Aparentemente pasó su juventud en Venecia, donde posiblemente estudió con Ticiano y fue influenciado por las pinturas de Tintoreto. Después visitó Roma, pero no le impresionaron ni el orden ni la armonía del verdadero arte renacentista. A la edad de treinta y cuatro años viajó a España donde esperaba trabajar en la decoración de El Escorial, el gran palacio que hizo construir Felipe II —el enérgico monarca que encabezó la Contrarreforma. Pero a Felipe no le gustó el estilo de El Greco y rehusó darle la comisión. Así se produjo una de las grandes paradojas de la vida: el pintor más religioso fue rechazado por el monarca más religioso. Fue entonces El Greco a Toledo, una ciudad-isla a orillas del río Tajo. Como la percibió El Greco, era ésta una ciudad gris, oscura, en cuyo cielo se movían nubes verduscas; una ciudad cosmopolita, de grandes mezquitas, sinagogas e iglesias. Era el lugar que siempre había buscado el genio nada común de El Greco y allí se quedó el resto de su vida.

En Toledo, El Greco creó un arte propio, único, que armonizaba perfectamente con el carácter y el alma españoles. Nos presenta un mundo místico. Sus figuras alargadas, con caras blancas y extenuadas, siempre parecen anhelar subir al cielo. Todo en ellas es rítmico y reflejan un éxtasis espiritual. Nadie como El Greco ha podido captar el misterio del fervor religioso.

La pintura de El Greco goza actualmente de gran popularidad y sus cuadros pueden verse en los mejores museos del mundo. Por ejemplo, hay siete obras suyas en el Museo Metropolitano de Nueva York, incluyendo su *Vista de Toledo*, uno de los primeros ejemplos de la pintura paisajista occidental. En España, su famosa pintura *El espolio* todavía se halla en la catedral de Toledo y *El entierro del Conde de Orgaz* también puede verse en esa ciudad, en la Iglesia de Santo Tomé.

Art Resource.

El entierro del Conde de Orgaz

En los cuadros religiosos de El Greco siempre hay una mezcla de lo humano y lo divino. Para el pintor, lo que está ocurriendo en la parte superior del cuadro es tan real como lo que está pasando en la tierra, y no separa los dos niveles. El pintor se identifica aquí con esta expresión de su fe al incluirse a sí mismo en el cuadro (la séptima cabeza, empezando desde la izquierda, es el autorretrato del pintor). ¿Quiénes son las personas que se ven en el centro de la parte superior del cuadro? ¿Qué hace el ángel en el centro del cuadro? ¿Hacia dónde mira la mayoría de la gente que rodea al Conde? ¿Cuál parece ser la actitud de los vivos hacia la muerte?

The Metropolitan Museum of Art. Bequest of Mrs. H. O. Havemeyer, 1929. The H. O. Havemeyer Collection.

Vista de Toledo

En este famoso cuadro El Greco no sólo nos presenta uno de los primeros ejemplos de la pintura de paisaje en el arte occidental, sino que logra indicar la cualidad espiritual y religiosa que se asocia con la ciudad de Toledo. Lo hace mediante el uso de luz y de color —matices de verde y de gris— y el movimiento rítmico tanto de la tierra como de las nubes. Aunque la ciudad ha cambiado mucho en los últimos siglos, todavía pueden verse allí el río, los cerros y las cúspides de la catedral que se ven en la pintura. ¿Por qué puede describirse Toledo como una *ciudad-isla*? ¿Hay alargamiento de formas en esta pintura? ¿Qué efecto produce el juego de la luz y de la sombra? ¿Le parece a Ud. que esta pintura tiene valor espiritual?

The Bettmann Archive.

El espolio

En este cuadro también se aprecia la mezcla de lo humano y lo divino. En la figura de Cristo hay cierta paz y resignación que contrastan con la violencia y el ritmo agitado de las figuras que lo rodean. ¿Qué contraste hay entre la expresión de la cara de Cristo y la de las otras figuras en el cuadro? ¿Quiénes son las mujeres a la izquierda de Cristo? ¿Qué hace el hombre a la derecha? ¿Son de tamaño normal las figuras?

𝒫ara comentar

1. ¿Se puede comparar una de las pinturas de El Greco con uno de los poemas que Ud. ha leído? Indique cuáles son algunas comparaciones que se pueden hacer.
2. ¿Cómo reflejan las pinturas religiosas de El Greco el aspecto dramático de la espiritualidad hispana?
3. En Internet, busque Ud. otros ejemplos del arte de El Greco y prepare un informe para la clase, describiendo lo que ha descubierto.
4. Por lo general, en la Edad Media los grandes escritores y artistas pertenecían a la clase adinerada, o eran patrocinados por el estado o la Iglesia. ¿Cree Ud. que el estado debe patrocinar las artes en nuestros tiempos? ¿Por qué sí o por qué no?
5. Escriba Ud. un ensayo breve sobre uno de los temas siguientes.
   a. Un ejemplo de la influencia de la arquitectura y el arte modernos en los edificios religiosos (templos o iglesias).
   b. El arte norteamericano del siglo XX como reflejo de nuestros valores culturales.

Aspectos de la familia
en el mundo hispánico

En esta foto se ven los miembros de una familia puertorriqueña. ¿Quiénes serán todas estas personas? ¿Por qué imaginas que se reunieron?

Enfoque

En los países hispánicos no hay institución más importante que la de la familia. La familia típica incluye no sólo a los padres y sus hijos, sino también a los parientes —abuelos, tíos, primos, etc. Las estrechas relaciones que se mantienen entre varias generaciones de la familia se reflejan en las ocasiones sociales —en las que participan todos— y también en la unidad de la familia frente a la sociedad.

Para el niño, este concepto de la unidad es muy importante. Desde muy pequeño, él participa en las actividades sociales de la familia, y así aprende a portarse con personas de varias generaciones. No depende tanto de sus padres y hermanos, ya que en su vida diaria hay otros parientes que lo pueden cuidar y guiar. Los adultos tienen mucho contacto personal con los niños y los jóvenes y les ofrecen su protección, cariño y ejemplo.

El interés por el niño en el mundo hispánico ha resultado en una copiosa literatura acerca del mundo del niño y del adolescente. Esta literatura sólo puede apreciarla completamente quien ha experimentado los aspectos cómicos y trágicos, crueles y tiernos, de esa época de la vida. Ya en el siglo XVI se publica *La vida del Lazarillo de Tormes*, obra anónima muy popular. Trata de las aventuras de un muchacho pobre que tiene que usar su inteligencia y su astucia para no morirse de hambre. En el siglo XX, también, los niños y los jóvenes son el tema de una literatura rica y variada. En España, este tema se encuentra en obras tan distintas como *Platero y yo* de Juan Ramón Jiménez y en la novela *Juego de manos* de Juan Goytisolo. En Hispanoamérica, Gabriela Mistral, poetisa chilena que ganó el Premio Nobel en 1945, ha sabido expresar el mundo infantil con sus poemas sobre el amor materno y el sufrimiento del niño.

En esta unidad se presenta un cuento de Ana María Matute, donde la autora española revela el fantástico mundo de la imaginación de los niños. También se presentan unas pinturas de Picasso en las que el gran pintor logra expresar la relación íntima que existe entre el niño y el adulto.

Vocabulario útil

Estudie Ud. estas palabras.

Verbos

acabar de   *to have just*
acababa de comer   *I had just eaten*
acercarse   *to approach*
callarse   *to be quiet*

cocinar   *to cook*
correr   *to run*
llorar   *to cry, to weep*
mentir (ie)   *to lie*
saltar   *to jump, to leap*

Sustantivos

la cara   *face*
la cebolla   *onion*
la cuchara   *spoon (tablespoon)*
el dedo   *finger, toe*
la finca   *property; farm*
la frente   *forehead*
la garganta   *throat*
el labio   *lip*
la mejilla   *cheek*
la negrura   *blackness*
la patata   *potato (in Spain)*
el payaso   *clown*

el pecho   *chest*
la voz   *voice*

Adjetivos

negro, -a   *black*
verde   *green*
verdoso, -a   *greenish*

Otras palabras y expresiones

ponerse de pie   *to stand up*
en voz alta   *aloud*
en voz baja   *in a whisper*

Anticipación

I. Complete Ud. el párrafo con la palabra o expresión en español equivalente a la indicada entre paréntesis.

Cuando yo tenía cuatro años, mi familia y yo fuimos a un circo. Nunca había visto un circo y por eso no sabía cómo eran los (clowns) —————— . (We had just sat down) —————— *cuando se nos acercó un hombre. Me miró e indicó con el* (finger) —————— *que yo debía* (be quiet) —————— . *Pero no era un hombre ordinario: mientras hablaba* (he would jump) —————— . *Además, tenía el cabello azul, los* (lips) —————— *eran verdosos y la* (forehead) —————— *y las* (cheeks) —————— *eran muy blancas. Empecé a* (cry) —————— *y* (I stood up) —————— *porque quería escaparme. Desde entonces no puedo ver a los payasos sin sentir miedo.*

II. Ud. ya sabe que se usa el imperfecto del verbo para indicar acciones que se repetían en el pasado o que eran habituales. También se usa ese tiempo verbal para describir una condición que existía en el pasado y para indicar el estado mental, emocional o físico de una persona en el pasado. Pensando en esos usos, complete Ud. el párrafo siguiente, usando la forma correcta de los verbos entre paréntesis.

En aquellos tiempos nosotros (ser) —————— *niños. En el verano* (vivir) —————— *en el campo en la casa de mi abuelo. Allí conocimos al hombre que, para nosotros,* (ser) —————— *el hombre más extraordinario del mundo. Las personas mayores* (creer) —————— *que don Pedro no* (ser)

_____ más que un simple campesino, pero nosotros (saber)
_____ que en realidad (ser) _____ un tipo mágico. Nos
(acompañar) _____ cuando (ir) _____ al bosque y allí, entre
los árboles misteriosos, nos (contar) _____ historias terribles: de monstruos, de seres de otros mundos, de animales que (devorar) _____ a los
niños. Don Pedro murió hace muchos años, pero todavía me acuerdo del maravilloso
miedo que (sentir) _____ en aquellas ocasiones.

III. El cuento «Don Payasito» de Ana María Matute tiene que ver con las actitudes de los niños. Antes de leer el cuento, indique qué opina Ud. de las siguientes observaciones. Escriba «sí» si está de acuerdo y «no» si no está de
acuerdo con cada observación y explique por qué opina así. Después, lea el
cuento e indique cómo reaccionaría la autora a las siguientes observaciones
y por qué reaccionaría ella así.

	La reacción de Ud.	La reacción de Matute
1. A los niños les gustan los payasos, pero también sienten cierto temor cuando están cerca de ellos.	_____	_____
2. Casi todos los niños, en algún momento, creen que los mayores pueden adivinarles el pensamiento.	_____	_____
3. Por instinto, los niños tienen miedo de las cosas muertas.	_____	_____
4. La imaginación de los niños es más fuerte que la de las personas mayores.	_____	_____

Don Payasito

Ana María Matute (n. 1926). Después de la Guerra Civil (1936–1939), apareció en España una nueva generación de escritores, muchos de los cuales habían sido —de niños— testigos de aquella horrenda época de la historia española. Esa generación, influida por la guerra, se ha preocupado por las cuestiones económicas y sociales que España ha confrontado en las últimas décadas. Dentro de este grupo se hallan algunas novelistas de gran importancia: Carmen Laforet, Dolores Medio, Elena Quiroga y Ana María Matute, para mencionar sólo unas cuantas. Estas mujeres han presentado al mundo una producción literaria de primera calidad y han asegurado la posición femenina dentro de las artes españolas. El valor excepcional de la obra de Matute fue reconocido en 1998 cuando la autora fue incorporada en la Real Academia Española.

Ana María Matute nació en Barcelona. De niña siempre pasaba sus vacaciones en la casa de su madre en Mansilla de la Sierra, un pueblo pequeño situado en las montañas de Castilla. Mansilla, que aparece en su obra bajo el nombre de «Artámila» o «Hegroz», es el escenario de sus obras literarias más importantes. Descripciones de la casa de su madre y del paisaje de esa región aparecen con frecuencia en su ficción. La escritora tenía diez años de edad cuando empezó la Guerra Civil. Llegó a conocer el hambre y fue testigo de la violencia, la crueldad y la muerte. Esta experiencia, sin duda, explica su interés por la pobreza y el sufrimiento, especialmente de los niños, temas muy importantes en su obra.

Publicó Matute su primera novela a los diecisiete años. Entre sus novelas se destacan *Los hijos muertos* (1958), en la que estudia la «generación perdida» que aparece después de la Guerra Civil, y la gran trilogía *Los mercaderes* (*Primera memoria*, 1959; *Los soldados lloran de noche*, 1963; y *La trampa*, 1969), en donde no sólo critica la burguesía, sino que eleva las circunstancias de la Guerra Civil a un nivel universal. También ha publicado más de siete colecciones de cuentos, entre ellas la colección *Historias de la Artámila*, dedicada al mundo adolescente.

El cuento «Don Payasito» tiene lugar en Mansilla de la Sierra (Artámila). Como en todos los cuentos de Matute, la realidad exterior —el mundo físico de los niños, el mundo de don Lucas— lleva a comprender la realidad interior o imaginada de algunos personajes: el mundo de don Payasito[1] percibido por la imaginación de los complejos niños de Ana María Matute.

1 En la finca del abuelo, entre los jornaleros, había uno muy viejo llamado Lucas de la Pedrería. Este Lucas de la Pedrería decían todos que era un pícaro y un marrullero, pero 5 mi abuelo le tenía gran cariño y siempre contaba cosas suyas, de hacía tiempo:	jornaleros *day laborers*
	pícaro *rogue*
	marrullero *deceiver, wheedler*
	de hacía tiempo *from long ago*
—Corrió mucho mundo —decía—. Se arruinó siempre. Estuvo también en las islas de Java...	Corrió mucho mundo *He travelled a lot*
10 Las cosas de Lucas de la Pedrería hacían reír a las personas mayores. No a nosotros, los niños. Porque Lucas era el ser más extraordinario de la tierra. Mi hermano y yo sentíamos hacia él una especie de amor, 15 admiración y temor, que nunca hemos vuelto a sentir.	especie *kind*
	nunca hemos vuelto a sentir *we never felt again*
Lucas de la Pedrería habitaba la última de las barracas, ya rozando los bosques del abuelo. Vivía solo, y él mismo cocinaba sus 20 guisos de carne, cebollas y patatas, de los que a veces nos daba con su cuchara de hueso, y él se lavaba su ropa, en el río, dándole grandes golpes con una pala. Era tan viejo que decía perdió el último año y no lo podía 25 encontrar. Siempre que podíamos nos escapábamos a la casita de Lucas de la Pedrería, porque nadie, hasta entonces, nos habló nunca de las cosas que él nos hablaba.	barracas *cabins, huts*
	rozando *bordering on*
	guisos *stew*
	hueso *bone*
	golpes *blows*
	pala *paddle*
	perdió... año *lost track of the time (his age)*
	Siempre que *Whenever*
—¡Lucas, Lucas! —le llamábamos, 30 cuando no le veíamos sentado a la puerta de su barraca.	
Él nos miraba frotándose los ojos. El cabello, muy blanco, le caía en mechones sobre la frente. Era menudo, encorvado, y 35 hablaba casi siempre en verso. Unos extraños versos que a veces no rimaban mucho, pero que nos fascinaban:	frotándose *rubbing*
	mechones *locks, curls*
	menudo *small*
	encorvado *bent over*
—Ojitos de farolito —decía— ¿Qué me venís a buscar...?[2]	Ojitos de farolito *Little lantern eyes*
40 Nosotros nos acercábamos despacio, llenos de aquel dulce temor cosquilleante que nos invadía a su lado (como rodeados de mariposas negras, de viento, de las luces verdes que huían sobre la tierra grasienta del 45 cementerio...).	cosquilleante *thrilling*
	mariposas *butterflies*
	grasienta *oily, greasy*

—Queremos ver a don Payasito — decíamos, en voz baja, para que nadie nos oyera. Nadie que no fuera él, nuestro mago.

Él se ponía el dedo, retorcido y oscuro 50 como un cigarro, a través sobre los labios:

—¡A callar, a bajar la voz, muchachitos malvados de la isla del mal!

Siempre nos llamaba «muchachitos malvados de la isla del mal». Y esto nos 55 llenaba de placer. Y decía: «Malos, pecadores, cuervecillos», para referirse a nosotros. Y algo se nos hinchaba en el pecho, como un globo de colores, oyéndole.

Lucas de la Pedrería se sentaba y nos 60 pedía las manos:

—Acá las «vuesas» manos, acá pa «adivinasus» todito el corazón...

Tendíamos las manos, con las palmas hacia arriba. Y el corazón nos latía fuerte. 65 Como si realmente allí, en las manos, nos lo pudiera ver: temblando, riendo.

Acercaba sus ojos y las miraba y remiraba, por la palma y el envés, y torcía el gesto:

70 —Manitas de «pelandrín», manitas de cayado, ¡ay de las tus manitas, cuitado... !

Así, iba canturreando, y escupía al suelo una vez que otra. Nosotros nos mordíamos los labios para no reír.

75 —¡Tú mentiste tres veces seguidas, como San Pedro! —le decía, a lo mejor, a mi hermano. Mi hermano se ponía colorado y se callaba. Tal vez era cierto, tal vez no. Pero, ¿quién iba a discutírselo a Lucas de la 80 Pedrería?

—Tú, golosa, corazón egoísta, escondiste pepitas de oro en el fondo del río, como los malos pescadores de la isla de Java...

85 Siempre sacaba a cuento los pescadores de la isla de Java. Yo también callaba, porque ¿quién sabía si realmente había yo escondido pepitas de oro en el lecho del río? ¿Podría decir acaso que no era verdad? Yo no podía, 90 no.

Nadie que no fuera él *No one except him*

mago *magician*

retorcido *twisted*

A callar *Be quiet*

malvados *wicked*

placer *pleasure*

pecadores *sinners*

cuervecillos *little crows, ravens*

se... pecho *swelled in our chests*

globo *balloon*

«vuesas» (vuestras) *your*

«pa «adivinasus» (para adivinaros)... corazón *so that I can guess everything in your heart*

envés *back*

torcía el gesto *made a face*

«pelandrín» (pelantrín) *farmer*

cayado *shepherd's crook*

cuitado *poor thing*

canturreando *humming*

escupía *he used to spit*

a lo mejor *perhaps*

se ponía colorado *blushed, turned red*

golosa *glutton*

egoísta *selfish*

pepitas *nuggets*

sacaba a cuento *dragged in, mentioned*

lecho *bed*

—Por favor, por favor, Lucas, queremos
ver a don Payasito...

Lucas se quedaba pensativo, y, al fin,
decía:

95   —¡Saltad y corred, diablos, que allá va
don Payasito, camino de la gruta... ! ¡Ay de
vosotros, si no le alcanzáis a tiempo!

Corríamos mi hermano y yo hacia el
bosque, y en cuanto nos adentrábamos entre
100   los troncos nos invadía la negrura verdosa, el
silencio, las altas estrellas del sol acribillando
el ramaje. Hendíamos el musgo, trepábamos
sobre las piedras cubiertas de líquenes, junto
al torrente. Allá arriba, estaba la cuevecilla de
105   don Payasito, el amigo secreto.

Llegábamos jadeando a la boca de la
cueva. Nos sentábamos, con todo el latido de
la sangre en la garganta, y esperábamos. Las
mejillas nos ardían y nos llevábamos las
110   manos al pecho para sentir el galope del
corazón.

Al poco rato, aparecía por la cuestecilla
don Payasito. Venía envuelto en su capa
encarnada, con soles amarillos. Llevaba un
115   alto sombrero puntiagudo de color azul, el
cabello de estopa, y una hermosa, una
maravillosa cara blanca, como la luna. Con la
diestra se apoyaba en un largo bastón,
rematado por flores de papel encarnadas, y en
120   la mano libre llevaba unos cascabeles dorados
que hacía sonar.

Mi hermano y yo nos poníamos de pie
de un salto y le hacíamos una reverencia. Don
Payasito entraba majestuosamente en la
125   gruta, y nosotros le seguíamos.

Dentro olía fuertemente a ganado,
porque algunas veces los pastores guardaban
allí sus rebaños, durante la noche. Don
Payasito encendía parsimoniosamente el farol
130   enmohecido, que ocultaba en un recodo de la
gruta. Luego se sentaba en la piedra grande
del centro, quemada por las hogueras de los
pastores.

Saltad Jump (up)

gruta cavern

alcanzáis overtake

a tiempo in time

nos adentrábamos we entered,
   went in

acribillando piercing

Hendíamos We cut through,
   went through

trepábamos climbed

cuevecilla little care

jadeando panting

ardían burned

cuestecilla little slope

envuelto wrapped

encarnada red

puntiagudo pointed

cabello de estopa yarn or hemp
   wig

diestra right hand

bastón cane

rematado topped

cascabeles dorados gilded bells

reverencia bow

a ganado like livestock

rebaños flocks

parsimoniosamente slowly

farol enmohecido rusty lamp,
   lantern

recodo corner, angle

quemada scorched, burned

hogueras fires

—¿Qué traéis hoy? —nos decía, con
135 una rara voz, salida de tenebrosas
profundidades.

Hurgábamos en los bolsillos y
sacábamos las pecadoras monedas que
hurtábamos para él. Don Payasito amaba las
140 monedillas de plata. Las examinaba
cuidadosamente, y las guardaba en lo
profundo de la capa. Luego, también de
aquellas mágicas profundidades, extraía un
pequeño acordeón.

145 —¡El baile de la bruja Timotea! —le
pedíamos. Don Payasito bailaba. Bailaba de
un modo increíble. Saltaba y gritaba, al son
de su música. La capa se inflaba a sus vueltas
y nosotros nos apretábamos contra la pared
150 de la gruta, sin acertar a reírnos o a salir
corriendo. Luego, nos pedía más dinero. Y
volvía a danzar, a danzar, «el baile del diablo
perdido». Sus músicas eran hermosas y
extrañas, y su jadeo nos llegaba como un raro
155 fragor de río, estremeciéndonos. Mientras
había dinero había bailes y canciones. Cuando
el dinero se acababa don Payasito se echaba
en el suelo y fingía dormir.

—¡Fuera, fuera, fuera! —nos gritaba. Y
160 nosotros, llenos de pánico, echábamos a
correr bosque abajo; pálidos, con un
escalofrío pegado a la espalda como una
culebra.

Un día —acababa yo de cumplir ocho
165 años— fuimos escapados a la cabaña de
Lucas, deseosos de ver a don Payasito. Si
Lucas no le llamaba, don Payasito no vendría
nunca.

La barraca estaba vacía. Fue inútil que
170 llamáramos y llamáramos y le diéramos la
vuelta, como pájaros asustados. Lucas no nos
contestaba. Al fin, mi hermano, que era el
más atrevido, empujó la puertecilla de
madera, que crujió largamente. Yo, pegada a
175 su espalda, miré también hacia adentro. Un
débil resplandor entraba en la cabaña, por la
ventana entornada. Olía muy mal. Nunca
antes estuvimos allí.

rara *strange*

tenebrosas *gloomy*

Hurgábamos *We poked*

pecadoras *ill-gotten*

hurtábamos *we stole*

bruja *witch*

son *sound*

se inflaba *swelled, became inflated*

vueltas *turns, spins*

nos apretábamos *pressed ourselves*

acertar a *being able to decide whether*

fragor *din, loud noise*

estremeciéndonos *making us tremble*

fingía *pretended*

Fuera *Out*

echábamos a correr *we began to run*

bosque abajo *down through the woods*

escalofrío... espalda *chill down our backs*

culebra *snake*

fuimos escapados *we sneaked away*

cabaña *hut*

le diéramos la vuelta *circle it (go around it)*

asustados *frightened*

atrevido *bold, daring*

empujó *pushed*

crujió *creaked*

resplandor *light, ray of light*

entornada *half-opened*

Sobre su camastro estaba Lucas, quieto,
180 mirando raramente al techo. Al principio no
lo entendimos. Mi hermano le llamó. Primero
muy bajo, luego muy alto. También yo le
imité.

—¡Lucas, Lucas, cuervo malo de la isla
185 del mal!...

Nos daba mucha risa que no nos
respondiera.

Mi hermano empezó a zarandearle de un
lado a otro. Estaba rígido, frío, y tocarlo nos
190 dio un miedo vago pero irresistible. Al fin,
como no nos hacía caso, le dejamos.
Empezamos a curiosear y encontramos un
baúl negro, muy viejo. Lo abrimos. Dentro
estaba la capa, el gorro y la cara blanca, de
195 cartón triste, de don Payasito. También las
monedas, nuestras pecadoras monedas,
esparcidas como pálidas estrellas por entre
los restos.

Mi hermano y yo nos quedamos
200 callados, mirándonos. De pronto, rompimos a
llorar. Las lágrimas nos caían por la cara, y
salimos corriendo al campo. Llorando,
llorando con todo nuestro corazón, subimos
la cuesta. Y gritando entre hipos:

205 —¡Que se ha muerto don Payasito, ay,
que se ha muerto don Payasito... !

Y todos nos miraban y nos oían, pero
nadie sabía qué decíamos ni por quién
llorábamos.

Historias de la Artámila, 1961

---

camastro *miserable bed*

Nos... risa *It made us laugh hard*

zarandearle *turn him (move him to and fro)*

no nos hacía caso *he paid no attention to us*

curiosear *poke*
baúl *trunk*

cartón *cardboard*

esparcidas *scattered*

restos *remains*

rompimos a llorar *we burst out crying*

lágrimas *tears*

hipos *sobs (hiccups)*

Notas culturales

[1] *El payaso es el personaje del circo más querido y estimado por los niños —y también por muchas personas mayores. El uso del diminutivo en el título de este cuento ya indica el cariño que le tienen los dos hermanos. El uso del «don» revela la mezcla de admiración, amor y respeto que sienten por el payaso. Ana María Matute, de niña, sentía las mismas emociones, como lo confesó en una entrevista:*

Siempre pensé en que sería escritora, pero confieso que durante un tiempo mi gran ilusión hubiera sido poder llegar a ser payaso. ¡Cómo influyeron para esto los carros de titiriteros que llegaban al pueblo! Cada vez que oigo la trompeta y el tambor, tal como se anunciaban ellos, siento en la espalda el mismo cosquilleo de entonces. Todos los seres que salen a un escenario, que cuentan historias, que representan algo, me han fascinado.

[2]La manera de hablar de Lucas sugiere el lenguaje de los cuentos de hadas (fairy tales), en los que siempre existen lo extraordinario y lo mágico. Con frases como «muchachitos malvados de la isla del mal», Lucas les da a entender a los niños que sabe muchas cosas extrañas y que de una manera secreta ha podido penetrar sus mentes y saber lo que piensan y lo que han hecho.

Comprensión

1. ¿Quién era Lucas?   **2.** ¿Qué sentían los niños por este hombre?   **3.** ¿Qué expresiones usaba Lucas con los niños?   **4.** ¿Creían ellos que Lucas sabía adivinar cosas?   **5.** ¿Adónde corrían para ver a don Payasito?   **6.** ¿Cómo se vestía don Payasito y cómo tenía su cara?   **7.** ¿Qué debían traerle a don Payasito los niños?   **8.** ¿Qué hacía don Payasito después de recibir su pago?   **9.** ¿Qué encontraron un día los niños al entrar en la barraca de Lucas?   **10.** ¿Cómo reaccionaron al darse cuenta de que Lucas estaba muerto?   **11.** ¿Qué hallaron en un baúl?   **12.** ¿Cómo reaccionaron al ver esas cosas?

Expansión

I. Análisis literario

1. ¿Dónde tiene lugar la primera parte del cuento? ¿la segunda? ¿la conclusión?
2. ¿Con quién estaban los niños en la primera parte del cuento? ¿en la segunda? ¿en la conclusión?   **3.** Compare Ud. las cualidades de Lucas con las de don Payasito.   **4.** ¿Cuál de los dos (Lucas o don Payasito) es el más fantástico y mágico? Explique Ud. su respuesta.   **5.** ¿Qué sugiere el hecho de que los niños no lloran al saber que Lucas está muerto, pero sí lloran al ver lo que contiene el baúl?   **6.** Para los niños, ¿es más importante la realidad o la fantasía?

II. Descripción

El uso de adjetivos, adverbios o de otras expresiones descriptivas añade color y vida a un texto. Por ejemplo, compare Ud. estas versiones de algunas frases del texto de Matute que Ud. acaba de leer. La primera versión tiene pocos elementos descriptivos; la segunda es de Matute.

1. Lucas era viejo.
   (Matute) Lucas era «tan viejo que decía perdió el último año y no lo podía encontrar».

2. Al encontrarnos con él sentíamos miedo.
(Matute) «Nosotros nos acercábamos despacio, llenos de aquel dulce temor cosquilleante que nos invadía a su lado (como rodeados de mariposas negras, de viento, de las luces verdes que huían sobre la tierra grasienta del cementerio...)».

Busque Ud. en el texto el equivalente de estas frases.

1. Don Payasito aparecía. Estaba vestido como un payaso.
2. Las músicas y el jadeo de don Payasito nos impresionaban.

Ahora, describa Ud. algún aspecto de una persona. La persona puede ser real o imaginaria. Incluya elementos descriptivos.

III. Minidrama

Presenten Ud. y otra(s) persona(s) de la clase un breve drama sobre el tema del cuento. El drama puede tratar de un aspecto del cuento, o Ud. puede usar la imaginación y presentar una idea que se relacione con el tema. Algunas ideas posibles son:

1. Lo que pasaba cuando los niños del cuento iban a la cueva de don Payasito.
2. Dos jóvenes tienen dificultades con el automóvil y tienen que pasar la noche en una casa abandonada.
3. Dos niños encuentran una persona muerta en la playa. Ninguno de los dos sabe nada de la muerte.

IV. Opiniones y actitudes

Escriba Ud. un párrafo sobre uno de los temas siguientes o explíqueselo a la clase.

1. La televisión y los niños
2. El problema de cuidar a los niños en la actualidad
3. La actitud de Ud. sobre el aborto (abortion)

V. Situación

Con un(a) compañero(a) de clase, presente Ud. un diálogo sobre el tema de la literatura para niños. Si quiere, puede incluir algunas de las ideas siguientes. ¿Le contaban sus padres cuentos de hadas cuando era niño(a)? ¿Cómo reaccionaba ante esos cuentos? (¿Había alguno que le asustaba? ¿Por qué?) ¿Leía obras del Dr. Seuss? ¿Cuál de las obras de él le gustaba más? ¿Qué pasa en esa obra? ¿Por qué le gustaba?

Pablo Ruiz Picasso

Pablo Ruiz Picasso (1881–1973), el pintor español más conocido de nuestro siglo, nació en Málaga, España. Picasso visitó París por primera vez a los dieciocho años y después pasó casi toda su larga vida en Francia, visitando España y otros países europeos muy raramente. Entre los dieciocho y los cuarenta años, Picasso estableció su reputación como el pintor más extraordinario de Europa. Su pintura pasó por varias épocas: la época azul, con su énfasis en el conflicto entre la vida y la muerte; la época rosa, una etapa más serena, con un mundo de gente joven, adolescente, frágil, solitaria; y, por último, la del cubismo, con un nuevo concepto estético que le ganó fama mundial. Pero Picasso no se limitó a esos estilos: también hizo obras impresionistas, algunas de tipo puntillista y muchas otras de línea clásica tanto en forma como en expresión.

Aunque vivió en Francia, Picasso nunca perdió su españolismo. Pintaba ambientes y tipos puramente españoles. También fue grande la influencia ejercida sobre su arte por los pintores españoles que más admiraba: El Greco, Velázquez, Goya y otros. Su versión cubista del famoso cuadro *Las Meninas* de Velázquez es un sincero homenaje al gran maestro, y la tremenda pintura *Guernica*, que resume todo el horror de la Guerra Civil en España, expresa la misma tragedia universal que se encuentra en los *Desastres de la Guerra* de Goya.

Picasso dominaba todos los medios de expresión artística, y las obras de su vejez fueron tan revolucionarias e imaginativas como las de su juventud. Aunque famoso y millonario, no dejó de crear nuevos estilos y nuevas técnicas, transformando lo bello y lo feo en una visión personal y penetrante del mundo.

En sus obras pictóricas Picasso nos presenta todo un mundo de seres reales, imaginarios y míticos: desde toreros hasta mendigos, minotauros hasta ninfas, inocentes campesinas hasta prostitutas —todos retratados con las más variadas técnicas y formas. Se presentan aquí tres ejemplos de sus obras que tratan el tema de la familia.

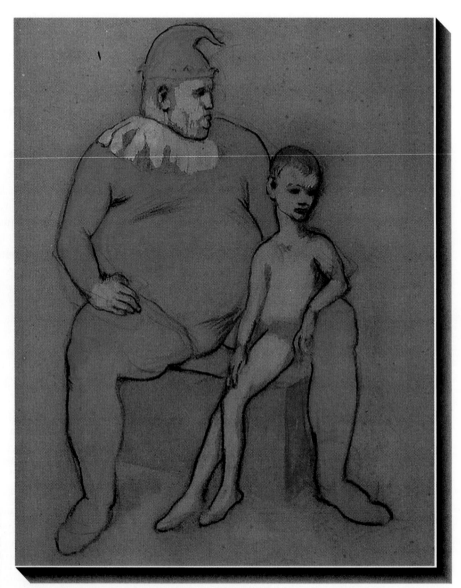

Pablo Picasso, Study for
"Family of saltimbanques"
1905. Watercolor, pastel, and
charcoal. 23⅝″ × 18½″. The
Baltimore Museum of Art,
Cone Collection.

Familia de saltimbanques

El cuadro es de la «época rosa», cuando Picasso visitaba con frecuencia el
Cirque Medrano en París y pintó los diversos tipos del circo que observó allí. Es
importante la relación que existe entre la figura grande, sólida, casi grosera del
payaso y la figura frágil, indefensa, etérea del niño. El payaso está vestido de rosa,
color que sugiere cariño; el cabello y el vestido del niño son de un azul pálido y
ese color da énfasis a su fragilidad. Los dos son del circo y pertenecen al mundo
de los artistas, un mundo incierto y, a veces, peligroso. ¿Cuál parece ser la
relación entre el muchacho y el adulto?

Mother and Child. *Courtesy of The Art Institute of Chicago.*

Madre e hijo

Durante su época neoclásica, Picasso pintó una serie de cuadros cuyo tema era la madre, tal como la percibiría un niño pequeño. En estos cuadros la madre es el símbolo de la vida, de la tierra, de la fecundidad. Es una diosa —enorme, serena, fuerte, cuyas dimensiones sugieren una escultura grande y pesada. En este cuadro, ¿cómo percibe el niño a su madre? ¿No es, para él, como un gigante?

Pablo Picasso. First Steps. Yale University Art Gallery. Gift of Stephen C. Clark, B.A. 1943.

Los primeros pasos

El tema de la maternidad siempre le ha interesado a Picasso. La madre, para él, es símbolo de la vida y la fecundidad, y con frecuencia es una figura grande cuyas dimensiones sugieren tanto la percepción que tiene el niño de ella, como la seguridad que siente en su presencia. En este cuadro, ¿qué siente la madre al mirar a su niño? ¿Se comunica la incertidumbre del niño que da sus primeros pasos?

Para comentar

1. ¿Cómo reflejan los cuadros el tema de esta unidad?
2. En las tres obras de Picasso se ve al adulto desde el punto de vista del niño. Comente Ud. esta observación, indicando cómo parece percibir el niño a la persona mayor y qué es lo que ésta le ofrece al niño.
3. ¿Qué contraste hay entre el estilo de los tres cuadros?
4. Compare Ud. el cuento de Matute con los cuadros de Picasso. ¿Qué tienen en común?
5. En el arte de Picasso hay una gran variedad de temas. Busque Ud. en Internet otro tema de Picasso y describa a la clase lo que ha podido encontrar.
6. Escriba Ud. un ensayo breve sobre uno de los temas siguientes.
   a. La contribución de *Plaza Sésamo* a nuestra cultura.
   b. Los juguetes *(toys)* para niños como reflejo de los valores de nuestra cultura.

UNIDAD 5

El hombre y la mujer en la sociedad hispánica

Esta pareja madrileña pasa la tarde en un parque. ¿Qué hacen allí? ¿Qué otras actividades puede Ud. hacer en un parque?

Enfoque

Esta unidad trata del tema del hombre y de la mujer, junto con el tema de la vejez, época de la vida retratada en el drama que se presenta aquí, *Mañana de sol*. Los ideales, los entusiasmos y las pasiones que hemos conocido en la juventud nunca desaparecen del todo en la vejez. Puede ser que la experiencia disminuya su intensidad, pero los viejos todavía sienten su presencia, con nostalgia o con ironía. Por eso es que a veces un viejo se enamora de una joven, olvidándose de su vejez y del qué dirán, al pensar en la belleza de la mujer.

La manera en que los viejos recuerdan las ardientes pasiones de la juventud aparece en el breve drama de los hermanos Álvarez Quintero, *Mañana de sol*. Con un realismo fino e irónico, los Álvarez Quintero presentan un conflicto tipo «Romeo y Julieta», así como lo recuerdan los que estaban enamorados en una época de su vida. La solución del conflicto es, a la vez, cómica y realista.

Diego Rodríguez de Silva y Velázquez, famoso pintor español del siglo XVII, también dejó testimonios del efecto de la vejez sobre el individuo en sus retratos de personas humildes o poderosas, pintadas con un realismo intransigente, pero también con una gran comprensión de la condición humana.

Vocabulario útil

Estudie Ud. estas palabras.

Verbos
alejarse   *to move away, to withdraw*
charlar   *to chat*
presentar   *to introduce*

Sustantivos
el apellido   *(family) name, surname*
la arena   *sand*
el cura   *priest*
la gana   *desire*
el gorrión   *sparrow*
la marea   *tide*
la nariz   *nose*
el nombre   *(first or given) name*
la ola   *wave*
la playa   *beach, shore*
el provecho   *benefit; profit*
el sol   *sun*

la tontería   *foolishness; foolish act*
la vez   *time; occasion; turn*

Adjetivos
junto, -a   *united; together*

Otras palabras y expresiones
a veces   *sometimes, at times*
alguna vez   *sometime*
buen provecho   *enjoy (yourself; your meal); bon appétit*
dos veces   *twice*
en seguida   *at once, immediately*
hace sol   *it is sunny*
mañana de sol   *sunny morning*
no me da la gana   *I don't feel like it*
tener ganas de   *to feel like*
varias veces   *several times*
otra vez   *again*

Anticipación

I. Complete Ud. el siguiente diálogo. Use palabras o expresiones del **Vocabulario útil** equivalentes a las que aparecen entre paréntesis.

MIGUEL   ¿Qué hacemos hoy?

SUSANA   No sé. Laura y Gonzalo querían que los acompañáramos al teatro, pero *(I don't feel like it)* _____. Ya fuimos al teatro *(twice)* _____ esta semana y me parece que es bastante.

MIGUEL   Yo no *(feel like going)* _____ tampoco. ¿Qué te parece si los invitamos para ir a *(the beach)* _____?

SUSANA   Creo que no van a querer ir. Laura dice que en el teatro van a presentar una obra que se llama *(It's Sunny)* _____ o *(Sunny Morning)* _____ o algo así. Ellos han visto la obra *(several times)* _____, pero les gusta y quieren verla *(again)* _____.

MIGUEL   Bueno. Que vayan ellos. Yo siempre he preferido ir a la playa para ver subir *(the tide)* _____, jugar en *(the waves)* _____ y construir castillos de *(sand)* _____.

SUSANA   De acuerdo. Voy a llamar a Laura y después podemos ir *(at once)* _____.

II. Lea el siguiente trozo *(excerpt)* del drama que van a leer en esta unidad. Subraye *(Underline)* las palabras o las expresiones que Ud. no conoce o que no entiende. Después, con otras dos personas, discuta lo subrayado para saber si pueden adivinar *(guess)* lo que quiere decir.

Mi amiga esperó noticias un día, y otro, y otro... y un mes, y un año... y la carta no llegaba nunca. Una tarde, a la puesta del sol, con el primer lucero de la noche, se la vio salir resuelta camino de la playa... de aquella playa donde el predilecto de su corazón se jugó la vida. Escribió su nombre en la arena —el nombre de él,— y se sentó luego en una roca, fija la mirada en el horizonte... Las olas murmuraban su monólogo eterno... e iban poco a poco cubriendo la roca en que estaba la niña... ¿Quiere usted saber más?... Acabó de subir la marea... y la arrastró consigo...

III. Complete Ud. las siguientes frases para expresar su opinión.

1. Cuando uno llega a ser viejo, los ideales de la juventud...
2. El amor entre viejos...
3. Los viejos piensan que los jóvenes de hoy...
4. Al pensar en cosas que ocurrieron hace mucho tiempo, a veces nosotros...
5. Es una lástima que los viejos...

Mañana de sol

Los hermanos **Serafín y Joaquín Álvarez Quintero** nacieron en Andalucía; Serafín en el año 1871 y Joaquín en 1873. En 1888 cuando ya era obvio su talento como dramaturgos, se mudaron con su familia a Madrid. Entre 1888 y 1938 escribieron más de 200 piezas teatrales, de gran variedad. Aunque pasaron casi toda la vida en la capital, nunca olvidaron su origen andaluz y gran parte de su obra refleja el ambiente y el dialecto andaluces. Desde jóvenes trabajaron juntos, estableciéndose entre ellos una armonía intelectual muy rara. Describieron su método de composición como una conversación continua: por la mañana discutían sus dramas, formando un plan para la trama y comentando el diálogo y los personajes. Cuando ya habían desarrollado verbalmente toda la obra, con muchos detalles, Serafín la escribía. Mientras así lo hacía se la leía a su hermano, quien la comentaba y corregía. De esta manera, el drama completo parece ser el producto de un solo hombre, y no el resultado de una colaboración.

Aunque escribieron dramas de dos, tres y cuatro actos, son más conocidos por su obra dentro del «género chico»: el sainete o entremés y el paso de comedia. Los primeros son breves cuadros dramáticos que describen costumbres y otros aspectos de la vida entre la clase baja. El paso de comedia también es una obra breve, pero los personajes no representan a la clase baja, hablan castellano en vez de andaluz, y hay más énfasis en la sicología de los personajes que en la presentación de las costumbres regionales.

El paso de comedia más famoso de los Álvarez Quintero es el que se incluye aquí, *Mañana de sol* (1905). Tiene muchas de las características de los otros pasos de los hermanos: la trama es esencialmente sencilla y no hay gran conflicto; el diálogo es muy natural y animado; y al dibujar los personajes principales, doña Laura y don Gonzalo, los cuales representan la clase cómoda de comienzos del siglo, los hermanos mezclan lo filosófico con lo humorístico, y lo real con lo poético. Nos presentan un retrato de dos viejos que llegan a simbolizar el eterno amor juvenil.

Paso de comedia
Personajes

Doña Laura   Don Gonzalo
Petra   Juanito

1 Lugar apartado de un paseo público, en
Madrid. Un banco a la izquierda del actor. Es
una mañana de otoño templada y alegre.
     Doña Laura y Petra salen por la derecha.
5 Doña Laura es una viejecita setentona, muy
pulcra, de cabellos muy blancos y manos muy
finas y bien cuidadas. Aunque está en la edad
de chochear, no chochea. Se apoya de una
mano en una sombrilla, y de la otra en el
10 brazo de Petra, su criada.

DOÑA LAURA   Ya llegamos... Gracias a Dios.
Temí que me hubieran
quitado el sitio. Hace una
mañanita tan templada...
15 PETRA   Pica el sol.
DOÑA LAURA   A ti, que tienes veinte años.
(Siéntase en el banco.)
¡Ay!... Hoy me he cansado
más que otros días. *(Pausa.*
20 *Observando a Petra, que*
parece impaciente.) Vete, si
quieres, a charlar con tu
guarda.
25 PETRA   Señora, el guarda no es mío;
es del jardín.
DOÑA LAURA   Es más tuyo que del jardín.
Anda en su busca, pero no te
alejes.
30 PETRA   Está allí esperándome.
DOÑA LAURA   Diez minutos de conversación, y aquí en seguida.

Glosas:
apartado *out-of-the-way, remote*
banco *bench*
templada *temperate, fair*
setentona *in her seventies*
pulcra *neat*
chochear *to be in one's dotage, to be getting senile*
Se apoya *She leans*
sombrilla *parasol*
Pica *Burns, is hot*
Anda en su busca *Go look for him*

PETRA Bueno, señora.

DOÑA LAURA *(Deteniéndola.)* Pero escucha.

PETRA ¿Qué quiere usted?

DOÑA LAURA ¡Que te llevas las miguitas de pan!

> miguitas *crumbs*

PETRA Es verdad; ni sé dónde tengo la cabeza.

DOÑA LAURA En la escarapela del guarda.

> escarapela *cockade, badge*

PETRA Tome usted. *(Le da un cartucho de papel pequeñito y se va por la izquierda.)*

> cartucho *roll*

DOÑA LAURA Anda con Dios. *(Mirando hacia los árboles de la derecha.)* Ya están llegando los tunantes. ¡Cómo me han cogido la hora!... *(Se levanta, va hacia la derecha y arroja adentro, en tres puñaditos, las migas de pan.)* Éstas, para los más atrevidos... Éstas, para los más glotones... Y éstas, para los más granujas, que son los más chicos... Je... *(Vuelve a su banco y desde él observa complacida el festín de los pájaros.)* Pero, hombre, que siempre has de bajar tú el primero. Porque eres el mismo: te conozco. Cabeza gorda, boqueras grandes... Igual a mi administrador. Ya baja otro. Y otro. Ahora dos juntos. Ahora tres. Ese chico va a llegar hasta aquí. Bien; muy bien; aquél coge su miga y se va a una rama a comérsela. Es un filósofo. Pero ¡qué nube! ¿De dónde salen tantos? Se conoce que ha corrido la voz... Je, je... Gorrión habrá que venga

> tunantes *rascals*
> ¡Cómo... hora! *How quickly they have learned when I come!*
> arroja *throws*
> puñaditos *little handfuls*
> los... granujas *the biggest rascals*
> boqueras *corners of the mouth*
> ha corrido la voz *the word has spread*

desde la Guindalera. Je, je... Vaya, no pelearse, que hay para todos. Mañana traigo más.

Guindalera suburb of Madrid
no pelearse don't fight

80   *(Salen don Gonzalo y Juanito por la izquierda del foro. Don Gonzalo es un viejo contemporáneo de doña Laura, un poco cascarrabias. Al andar arrastra los pies. Viene de mal temple, del brazo de Juanito, su criado.)*

foro back of the stage

85

cascarrabias irritable
arrastra drags
de mal temple in a bad humor

DON GONZALO   Vagos, más que vagos... Más valía que estuvieran diciendo misa...

Vagos Loafers

90

JUANITO   Aquí se puede usted sentar: no hay más que una señora.

     (Doña Laura vuelve la cabeza y escucha el diálogo.)

95   **DON GONZALO**   No me da la gana, Juanito. Yo quiero un banco solo.

JUANITO   ¡Si no lo hay!

DON GONZALO   ¡Es que aquél es mío!

JUANITO   Pero si se han sentado tres

100   curas...

DON GONZALO   ¡Pues que se levanten!... ¿Se levantan, Juanito?

JUANITO   ¡Qué se han de levantar! Allí están de charla.

¡Qué... levantar! Of course they haven't gotten up!

105   **DON GONZALO**   Como si los hubieran pegado al banco... No; si cuando los curas cogen un sitio... ¡cualquiera los echa! Ven por aquí, Juanito, ven por aquí.

¡cualquiera los echa! no one can throw them out!

110   *(Se encamina hacia la derecha resueltamente. Juanito lo sigue.)*

DOÑA LAURA   *(Indignada.)* ¡Hombre de Dios!

115   **DON GONZALO**   *(Volviéndose.)* ¿Es a mí?

DOÑA LAURA   Sí señor; a usted.

DON GONZALO   ¿Qué pasa?

120	DOÑA LAURA	¡Que me ha espantado usted los gorriones, que estaban comiendo miguitas de pan!	espantado *frightened*
	DON GONZALO	¿Y yo qué tengo que ver con los gorriones?	qué... con *what do I have to do with*
	DOÑA LAURA	¡Tengo yo!	
	DON GONZALO	¡El paseo es público!	
125	DOÑA LAURA	Entonces no se queje usted de que le quiten el asiento los curas.	no se queje usted *don't complain*
130	DON GONZALO	Señora, no estamos presentados. No sé por qué se toma usted la libertad de dirigirme la palabra. Sígueme, Juanito. *(Se van los dos por la derecha.)*	no estamos presentados *we haven't been introduced*
135	DOÑA LAURA	¡El demonio del viejo! No hay como llegar a cierta edad para ponerse impertinente. *(Pausa.)* Me alegro; le han quitado aquel banco también. ¡Anda! para que me espante los pajaritos. Está furioso... Sí, sí; busca, busca. Como no te sientes en el sombrero... ¡Pobrecillo! Se limpia el sudor... Ya viene, ya viene... Con los pies levanta más polvo que un coche.	No hay como *There's nothing like*
140			para... pajaritos *serves him right for frightening my bird*
			Como... sombrero *But unless you sit on your hat*
145			polvo *dust*
150	DON GONZALO	*(Saliendo por donde se fue y encaminándose a la izquierda.)* ¿Se habrán ido los curas, Juanito?	
	JUANITO	No sueñe usted con eso, señor. Allí siguen.	
155	DON GONZALO	¡Por vida...! *(Mirando a todas partes perplejo.)* Este Ayuntamiento, que no pone más bancos para estas mañanas de sol... Nada, que me tengo que conformar con	Ayuntamiento *city government*

160		el de la vieja. *(Refun-* *fuñando, siéntase al otro* *extremo que doña Laura, y la* *mira con indignación.)* Buenos días.	Refunfuñando *Grumbling*
165	DOÑA LAURA	¡Hola! ¿Usted por aquí?	
	DON GONZALO	Insisto en que no estamos presentados.	
	DOÑA LAURA	Como me saluda usted, le contesto.	
170	DON GONZALO	A los buenos días se contesta con los buenos días, que es lo que ha debido usted hacer.	
175	DOÑA LAURA	También usted ha debido pedirme permiso para sen- tarse en este banco que es mío.	
	DON GONZALO	Aquí no hay bancos de nadie.	
180	DOÑA LAURA	Pues usted decía que el de los curas era suyo.	
	DON GONZALO	Bueno, bueno, bueno... se concluyó. *(Entre dientes.)* Vieja chocha... Podía estar haciendo calceta...	Entre dientes. *Muttering.* chocha *senile* haciendo calceta *knitting*
185			
	DOÑA LAURA	No gruña usted, porque no me voy.	No gruña usted *Don't growl*
	DON GONZALO	*(Sacudiéndose las botas con* *el pañuelo.)* Si regaran un poco más, tampoco perderíamos nada.	regaran *they would water*
190			
	DOÑA LAURA	Ocurrencia es: limpiarse las botas con el pañuelo de la nariz.	Ocurrencia es *That's a new idea*
195	DON GONZALO	¿Eh?	
	DOÑA LAURA	¿Se sonará usted con un cepillo?	Se sonará usted *I suppose you* *blow your nose*
	DON GONZALO	¿Eh? Pero, señora, ¿con qué derecho...?	cepillo *brush*
200	DOÑA LAURA	Con el de vecindad.	
	DON GONZALO	*(Cortando por lo sano.)* Mira, Juanito, dame el libro; que	Cortando por lo sano. *Getting* *on safe ground.*

		no tengo ganas de oír más tonterías.	
205	DOÑA LAURA	Es usted muy amable.	
	DON GONZALO	Si no fuera usted tan entremetida...	entremetida *nosy, meddlesome*
	DOÑA LAURA	Tengo el defecto de decir todo lo que pienso.	
210	DON GONZALO	Y el de hablar más de lo que conviene. Dame el libro, Juanito.	conviene *is proper*
	JUANITO	Vaya, señor. *(Saca del bolsillo un libro y se lo entrega. Paseando luego por el foro, se aleja hacia la derecha y desaparece.*	Vaya *Here it is*
215			entrega *hands over*
		Don Gonzalo, mirando a doña Laura siempre con rabia, se pone unas gafas prehistóricas, saca una gran lente, y con el auxilio de toda esa cristalería se dispone a leer.)	rabia *rage, fury*
220			gafas *spectacles*
			lente *magnifying glass*
			cristalería *glassware*
225	DOÑA LAURA	Creí que iba usted a sacar ahora un telescopio.	
	DON GONZALO	¡Oiga usted!	
	DOÑA LAURA	Debe usted de tener muy buena vista.	
230	DON GONZALO	Como cuatro veces mejor que usted.	
	DOÑA LAURA	Ya, ya se conoce.	
	DON GONZALO	Algunas liebres y algunas perdices lo pudieran atestiguar.	liebres *hares, rabbits*
235			perdices *partridges*
			atestiguar *bear witness*
	DOÑA LAURA	¿Es usted cazador?	cazador *hunter*
	DON GONZALO	Lo he sido... Y aún... aún...	
	DOÑA LAURA	¿Ah, sí?	
	DON GONZALO	Sí, señora. Todos los domingos, ¿sabe usted? cojo mi escopeta y mi perro, ¿sabe usted? y me voy a una finca de mi propiedad, cerca de Aravaca... A matar el tiempo, ¿sabe usted?	escopeta *shotgun*
240			
245			

	DOÑA LAURA	Sí, como no mate usted el tiempo... ¡lo que es otra cosa!	como... otra cosa *if you don't kill time, you won't kill anything*
250	DON GONZALO	¿Conque no? Ya le enseñaría yo a usted una cabeza de jabalí que tengo en mi despacho.	jabalí *wild boar*
255	DOÑA LAURA	¡Toma! y yo a usted una piel de tigre que tengo en mi sala. ¡Vaya un argumento!	¡Vaya un argumento! *What a story!*
	DON GONZALO	Bien está, señora. Déjeme usted leer. No estoy por darle a usted más palique.	No... palique. *I don't feel like going on with the conversation (chit-chat).*
260	DOÑA LAURA	Pues con callar, hace usted su gusto.	
	DON GONZALO	Antes voy a tomar un polvito. *(Saca una caja de rapé.)* De esto sí le doy. ¿Quiere usted?	polvito *pinch of snuff* rapé *snuff*
265	DOÑA LAURA	Según. ¿Es fino?	Según. *It depends.*
	DON GONZALO	No lo hay mejor. Le agradará.	
	DOÑA LAURA	A mí me descarga mucho la cabeza.	A... cabeza. *It clears my head a lot.*
	DON GONZALO	Y a mí.	
270	DOÑA LAURA	¿Usted estornuda?	¿Usted estornuda? *Do you sneeze?*
	DON GONZALO	Sí, señora: tres veces.	
	DOÑA LAURA	Hombre, y yo otras tres: ¡qué casualidad!	casualidad *coincidence*
275		*(Después de tomar cada uno su polvito, aguardan los estornudos haciendo visajes, y estornudan alternativamente.)*	visajes *faces*
	DOÑA LAURA	¡Ah... chis!	
280	DON GONZALO	¡Ah... chis!	
	DOÑA LAURA	¡Ah... chis!	
	DON GONZALO	¡Ah... chis!	
	DOÑA LAURA	¡Ah... chis!	
	DON GONZALO	¡Ah... chis!	
285	DOÑA LAURA	¡Jesús!	
	DON GONZALO	Gracias. Buen provechito.	
	DOÑA LAURA	Igualmente. (Nos ha reconciliado el rapé.)	

290	DON GONZALO	Ahora me va usted a dispensar que lea en voz alta.	
	DOÑA LAURA	Lea usted como guste: no me incomoda.	
295	DON GONZALO	(Leyendo.) «Todo en amor es triste; mas, triste y todo, es lo mejor que existe.» De Campoamor,[1] es de Campoamor.	mas *yet* triste... mejor *sad as it is, it's the best thing*
	DOÑA LAURA	¡Ah!	
300	DON GONZALO	(Leyendo.) «Las niñas de las madres que amé tanto, me besan ya como se besa a un santo». Éstas son humoradas.	humoradas *humorous poems*
	DOÑA LAURA	Humoradas, sí.	
	DON GONZALO	Prefiero las doloras.	doloras *sad poems*
305	DOÑA LAURA	Y yo.	
	DON GONZALO	También hay algunas en este tomo. (Busca las doloras y lee.) Escuche usted ésta: «Pasan veinte años: vuelve él... »	
310			
	DOÑA LAURA	No sé qué me da verlo a usted leer con tantos cristales...	No... da *I can't tell you what it does to me* cristales *glasses*
315	DON GONZALO	¿Pero es que usted, por ventura, lee sin gafas?	por ventura *by any chance*
	DOÑA LAURA	¡Claro!	
	DON GONZALO	¿A su edad?... Me permito dudarlo.	
320	DOÑA LAURA	Déme usted el libro. (Lo toma de mano de don Gonzalo y lee:) «Pasan veinte años; vuelve él, y al verse, exclaman él y ella: (—¡Santo Dios! ¿y éste es aquél?...)	
325		(—Dios mío ¿y ésta es aquélla?...).» (Le devuelve el libro.)	
	DON GONZALO	En efecto: tiene usted una vista envidiable.	
330	DOÑA LAURA	(¡Como que me sé los versos de memoria!)	

	DON GONZALO	Yo soy muy aficionado a los buenos versos... Mucho. Y hasta los compuse en mi mocedad.	Y... compuse *And I even composed them* mocedad *youth*
335			
	DOÑA LAURA	¿Buenos?	
	DON GONZALO	De todo había. Fui amigo de Espronceda, de Zorrilla, de Bécquer[2]... A Zorrilla lo conocí en América.	De todo había. *There were all kinds.*
340			
	DOÑA LAURA	¿Ha estado usted en América?	
	DON GONZALO	Varias veces. La primera vez fui de seis años.	
345	DOÑA LAURA	¿Lo llevaría a usted Colón en una carabela?	carabela *caravel (sailing vessel, especially the type of the 15th and 16th centuries)*
	DON GONZALO	(*Riéndose.*) No tanto, no tanto... Viejo soy, pero no conocí a los Reyes Católicos...	
350			
	DOÑA LAURA	Je, je...	
	DON GONZALO	También fui gran amigo de éste: de Campoamor. En Valencia nos conocimos... Yo soy valenciano.	
355			
	DOÑA LAURA	¿Sí?	
	DON GONZALO	Allí me crié; allí pasé mi primera juventud... ¿Conoce usted aquello?	me crié *grew up* juventud *youth* aquello *that region*
360	DOÑA LAURA	Sí, señor. Cercana a Valencia, a dos o tres leguas de camino, había una finca que si aún existe se acordará de mí. Pasé en ella algunas temporadas. De esto hace muchos años; muchos. Estaba próxima al mar, oculta entre naranjos y limoneros... Le decían... ¿cómo le decían?... *Maricela.*	algunas temporadas *some length of time* De... mucho años *Many years ago now* naranjos *orange trees* limoneros *lemon trees* Le decían *They called it*
365			
370	DON GONZALO	¿*Maricela?*	
	DOÑA LAURA	*Maricela.* ¿Le suena a usted el nombre?	¿Le... nombre? *Does the name sound familiar to you?*

	DON GONZALO	¡Ya lo creo! Como si yo no estoy trascordado —con los años se va la cabeza,— allí vivió la mujer más preciosa que nunca he visto. ¡Y ya he visto algunas en mi vida!... Deje usted, deje usted... Su nombre era Laura. El apellido no lo recuerdo... *(Haciendo memoria.)* Laura... ¡Laura Llorente!	trascordado *mistaken (forgetful)*
375			
380			Deje usted *Wait*
			Haciendo memoria. *Searching his memory.*
385	DOÑA LAURA	Laura Llorente...	
	DON GONZALO	¿Qué?	
		(Se miran con atracción misteriosa.)	
	DOÑA LAURA	Nada... Me está usted recordando a mi mejor amiga.	
390			
	DON GONZALO	¡Es casualidad!	
	DOÑA LAURA	Sí que es peregrina casualidad. La *Niña de Plata.*	peregrina *strange*
	DON GONZALO	La *Niña de Plata...* Así le decían los huertanos y los pescadores. ¿Querrá usted creer que la veo ahora mismo, como si la tuviera presente, en aquella ventana de las campanillas azules?... ¡Se acuerda usted de aquella ventana?...	
395			huertanos *farmers*
400			campanillas azules *bluebells*
	DOÑA LAURA	Me acuerdo. Era la de su cuarto. Me acuerdo.	
405	DON GONZALO	En ella se pasaba horas enteras... En mis tiempos, digo.	
			digo *I mean*
	DOÑA LAURA	*(Suspirando.)* Y en los míos también.	
410	DON GONZALO	Era ideal, ideal... Blanca como la nieve... Los cabellos muy negros... Los ojos muy negros y muy dulces... De su frente parecía que brotaba luz... Su cuerpo era fino,	
415			brotaba *flowed*

	esbelto, de curvas muy suaves...	esbelto *slender*
420	«¡Qué formas de belleza soberana modela Dios en la escultura humana!» Era un sueño, era un sueño...	soberana *sovereign*
DOÑA LAURA	(¡Si supieras que la tienes al lado, ya verías lo que los sueños valen!) Yo la quise de veras, muy de veras. Fue	
425	muy desgraciada. Tuvo unos amores muy tristes.	desgraciada *unlucky, unfortunate*
DON GONZALO	Muy tristes.	
	(Se miran de nuevo.)	de nuevo *again*
430 DOÑA LAURA	¿Usted lo sabe?	
DON GONZALO	Sí.	
DOÑA LAURA	(¡Qué cosas hace Dios! Este hombre es aquél.)	
DON GONZALO	Precisamente el enamorado galán, si es que nos referi-	
435	mos los dos al mismo caso...	
DOÑA LAURA	¿Al del duelo?	¿Al del duelo? *To the one in the duel?*
DON GONZALO	Justo: al del duelo. El ena- morado galán era... era un	Justo *Just so (exactly)*
440	pariente mío, un muchacho de toda mi predilección.	de toda mi predilección *of whom I was very fond*
DOÑA LAURA	Ya vamos, ya. Un pariente... A mí me contó ella en una de sus últimas cartas, la his-	Ya *To be sure*
445	toria de aquellos amores, verdaderamente románticos.	
DON GONZALO	Platónicos. No se hablaron nunca.	
DOÑA LAURA	Él, su pariente de usted,	
450	pasaba todas las mañanas a caballo por la veredilla de los rosales, y arrojaba a la ventana un ramo de flores, que ella cogía.	veredilla *path* rosales *rosebushes* ramo *bouquet*
455 DON GONZALO	Y luego, a la tarde, volvía a pasar el gallardo jinete, y recogía un ramo de flores que ella le echaba. ¿No es esto?	jinete *horseman*

460	DOÑA LAURA	Eso es. A ella querían casarla con un comerciante... un cualquiera, sin más títulos que el de enamorado.	un cualquiera *a nobody*
465	DON GONZALO	Y una noche que mi pariente rondaba la finca para oírla cantar, se presentó de improviso aquel hombre.	rondaba *was making the rounds of* de improviso *unexpectedly*
	DOÑA LAURA	Y le provocó.	
	DON GONZALO	Y se enzarzaron.	se enzarzaron *they quarreled*
470	DOÑA LAURA	Y hubo desafío.	desafío *challenge*
	DON GONZALO	Al amanecer: en la playa. Y allí se quedó malamente herido el provocador. Mi pariente tuvo que esconderse primero, y luego que huir.	Al amanecer *At dawn* herido *wounded*
475	DOÑA LAURA	Conoce usted al dedillo la historia.	al dedillo *perfectly, down to the last detail*
	DON GONZALO	Y usted también.	
480	DOÑA LAURA	Ya le he dicho a usted que ella me la contó.	
	DON GONZALO	Y mi pariente a mí... (Esta mujer es Laura... ¡Qué cosas hace Dios!)	
485	DOÑA LAURA	(No sospecha quién soy: ¿para qué decírselo? Que conserve aquella ilusión...)	
490	DON GONZALO	(No presume que habla con el galán... ¿Qué ha de presumirlo?... Callaré.) *(Pausa.)*	
	DOÑA LAURA	¿Y fue usted, acaso, quien le aconsejó a su pariente que no volviera a pensar en Laura? (¡Anda con ésa!)	¡Anda con ésa! *Take that!*
495	DON GONZALO	¿Yo? ¡Pero si mi pariente no la olvidó un segundo!	
	DOÑA LAURA	Pues ¿cómo se explica su conducta?	
500	DON GONZALO	¿Usted sabe?... Mire usted, señora: el muchacho se refugió primero en mi casa —temeroso de las consecuencias del duelo con aquel	temeroso *fearful*

505	hombre, muy querido allá;— luego se trasladó a Sevilla; después vino a Madrid... Le escribió a Laura ¡qué sé yo el número de cartas! —algunas en verso, me consta...— Pero	se trasladó *he moved*
510	sin duda las debieron de interceptar los padres de ella, porque Laura no contestó... Gonzalo, entonces, desesperado, desengañado, se incorporó al ejército de África, y allí, en una trinchera, encontró la muerte, abrazado a la bandera española y repitiendo el nombre de su	me consta *I happen to know* desengañado *disillusioned* ejército *army* trinchera *trench* bandera *flag*
515		
520	amor: Laura... Laura... Laura...	
	DOÑA LAURA (¡Qué embustero!)	embustero *faker, cheat*
	DON GONZALO (No me he podido matar de un modo más gallardo.)	
525	**DOÑA LAURA** ¿Sentiría usted a par del alma esa desgracia?	a par del alma *to the bottom of your heart*
	DON GONZALO Igual que si se tratase de mi persona. En cambio, la ingrata, quién sabe si estaría a los dos meses cazando mariposas en su jardín, indiferente a todo...	En cambio *On the other hand*
530		
	DOÑA LAURA Ah, no señor; no, señor...	
	DON GONZALO Pues es condición de mujeres...	es condición de mujeres *women are like that*
535		
	DOÑA LAURA Pues aunque sea condición de mujeres, la *Niña de Plata* no era así. Mi amiga esperó noticias un día, y otro, y otro... y un mes, y un año... y la carta no llegaba nunca. Una tarde, a la puesta del sol, con el primer lucero de la noche, se la vio salir resuelta camino de la playa... de aquella playa donde el	
540		puesta del sol *sunset* lucero *star* resuelta *resolutely* camino de *in the direction of*
545		

| | | predilecto de su corazón se jugó la vida. Escribió su nombre en la arena —el nombre de él,— y se sentó luego en una roca, fija la mirada en el horizonte... Las olas murmuraban su monólogo eterno... e iban poco a poco cubriendo la roca en que estaba la niña... ¿Quiere usted saber más?... Acabó de subir la marea... y la arrastró consigo... | predilecto *favorite*
 se jugó la vida *gambled his life*

 poco a poco *little by little*

 arrastró *dragged away* |

550

555

560	DON GONZALO	¡Jesús!	
	DOÑA LAURA	Cuentan los pescadores de la playa que en mucho tiempo no pudieron borrar las olas aquel nombre escrito en la arena. (¡A mí no me ganas tú a finales poéticos!)	borrar *erase* ¡A mí... poéticos! *You can't beat me in poetic endings!*
565			
	DON GONZALO	(¡Miente más que yo!) *(Pausa.)*	
	DOÑA LAURA	¡Pobre Laura!	
570	DON GONZALO	¡Pobre Gonzalo!	
	DOÑA LAURA	(¡Yo no le digo que a los dos años me casé con un fabricante de cervezas!)	a los dos años *two years later* fabricante de cervezas *brewer*
	DON GONZALO	(¡Yo no le digo que a los tres meses me largué a París con una bailarina!)	me largué a *I went off to*
575			
	DOÑA LAURA	Pero, ¿ha visto usted cómo nos ha unido la casualidad, y cómo una aventura añeja ha hecho que hablemos lo mismo que si fuéramos amigos antiguos?	añeja *ancient*
580			
	DON GONZALO	Y eso que empezamos riñendo.	eso que *in spite of the fact that*
585	DOÑA LAURA	Porque usted me espantó los gorriones.	
	DON GONZALO	Venía muy mal templado.	
	DOÑA LAURA	Ya, ya lo vi. ¿Va usted a volver mañana?	

590	DON GONZALO	Si hace sol, desde luego. Y no sólo no espantaré los gorriones, sino que también les traeré miguitas...	
595	DOÑA LAURA	Muchas gracias, señor... Son buena gente; se lo merecen todo. Por cierto que no sé dónde anda mi chica... *(Se levanta.)* ¿Qué hora será ya?	
600	DON GONZALO	*(Levantándose.)* Cerca de las doce. También ese bribón de Juanito... *(Va hacia la derecha.)*	bribón *rascal*
605	DOÑA LAURA	*(Desde la izquierda del foro, mirando hacia dentro.)* Allí la diviso con su guarda... *(Hace señas con la mano para que se acerque.)*	señas *signals*
610 615	DON GONZALO	*(Contemplando mientras a la señora.)* (No... no me descubro... Estoy hecho un mamarracho tan grande... Que recuerde siempre al mozo que pasaba al galope y le echaba las flores a la ventana de las campanillas azules...)	no me descubro *I won't reveal myself* Estoy... grande *I have become such an old scarecrow*
	DOÑA LAURA	¡Qué trabajo le ha costado despedirse! Ya viene.	
620 625	DON GONZALO	Juanito, en cambio... ¿Dónde estará Juanito? Se habrá engolfado con alguna niñera. *(Mirando hacia la derecha primero, y haciendo señas como doña Laura después.)* Diablo de muchacho...	engolfado *involved* niñera *nursemaid*
630	DOÑA LAURA	*(Contemplando al viejo.)* (No... no me descubro... Estoy hecha una estantigua... Vale más que recuerde siempre a la niña de los ojos negros, que le arrojaba las flores cuando él	estantigua *old witch, spook*

	pasaba por la veredilla de los rosales...)	
635	*(Juanito sale por la derecha y Petra por la izquierda. Petra trae un manojo de violetas.)*	manojo *bunch*
DOÑA LAURA	Vamos, mujer; creí que no llegabas nunca.	
640		
DON GONZALO	Pero, Juanito, ¡por Dios! que son las tantas...	son las tantas *it's so late*
PETRA	Estas violetas me ha dado mi novio para usted.	
645 DOÑA LAURA	Mira qué fino... Las agradezco mucho... *(Al cogerlas se le caen dos o tres al suelo.)* Son muy hermosas...	
650 DON GONZALO	*(Despidiéndose.)* Pues, señora mía, yo he tenido un honor muy grande... un placer inmenso...	
DOÑA LAURA	*(Lo mismo.)* Y yo una verdadera satisfacción...	
655		
DON GONZALO	¿Hasta mañana?	
DOÑA LAURA	Hasta mañana.	
DON GONZALO	Si hace sol...	
DOÑA LAURA	Si hace sol... ¿Irá usted a su banco?	
660		
DON GONZALO	No, señora; que vendré a éste.	
DOÑA LAURA	Este banco es muy de usted. *(Se ríen.)*	
665 DON GONZALO	Y repito que traeré miga para los gorriones. *(Vuelven a reírse.)*	
DOÑA LAURA	Hasta mañana.	
DON GONZALO	Hasta mañana.	
670	*(Doña Laura se encamina con Petra hacia la derecha. Don Gonzalo, antes de irse con Juanito hacia la izquierda, tembloroso y con gran esfuerzo se agacha a coger las*	
675		se agacha *stoops*

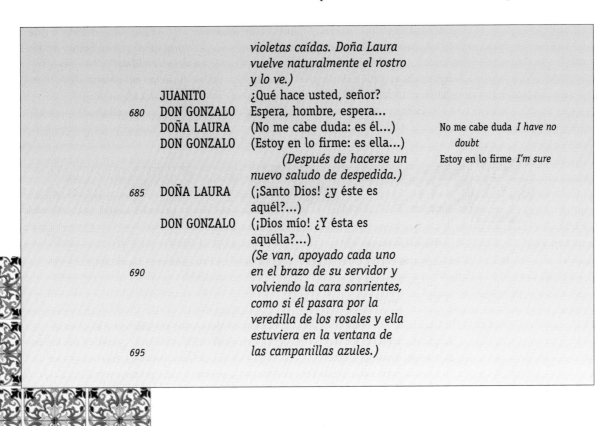

		violetas caídas. Doña Laura
		vuelve naturalmente el rostro
		y lo ve.)
	JUANITO	¿Qué hace usted, señor?
680	DON GONZALO	Espera, hombre, espera...
	DOÑA LAURA	(No me cabe duda: es él...)
	DON GONZALO	(Estoy en lo firme: es ella...)
		(Después de hacerse un
		nuevo saludo de despedida.)
685	DOÑA LAURA	(¡Santo Dios! ¿y éste es aquél?...)
	DON GONZALO	(¡Dios mío! ¿Y ésta es aquélla?...)
		(Se van, apoyado cada uno
690		*en el brazo de su servidor y*
		volviendo la cara sonrientes,
		como si él pasara por la
		veredilla de los rosales y ella
		estuviera en la ventana de
695		*las campanillas azules.)*

No me cabe duda *I have no doubt*

Estoy en lo firme *I'm sure*

Notas culturales

[1]*Ramón del Campoamor (1871–1901) era un famoso poeta español cuya poesía favorecía «el arte por la idea». Es decir, las ideas son el elemento más importante del arte y todo lo demás debe ser secundario. Según la definición de Campoamor, la humorada es «en rasgo intencionado» y la dolora es «una humorada convertida en drama».*

[2]*José de Espronceda (1808–1842), José Zorrilla y Moral (1817–1893) y Gustavo Adolfo Bécquer (1836–1870) eran otros famosos poetas españoles del siglo XIX.*

Comprensión

1. ¿Por qué trae doña Laura unas miguitas de pan al parque?   **2.** ¿Qué hace Petra mientras se divierte su señora?   **3.** ¿Por qué se enoja don Gonzalo? **4.** ¿Dónde se sienta don Gonzalo por fin?   **5.** ¿Cómo se sabe que don Gonzalo no puede ver bien?   **6.** ¿Es buena la vista de doña Laura? (¿Cómo engaña ella a don Gonzalo?)   **7.** ¿Cuál de los dos menciona primero el nombre de un lugar que ambos habían conocido en la juventud?   **8.** ¿Qué clase de amores existían entre Laura y don Gonzalo cuando eran jóvenes?   **9.** Al darse cuenta de lo que ha pasado, ¿por qué no quieren confesárselo el uno al otro?   **10.** Según don Gonzalo, ¿qué le pasó al joven galán? ¿Qué le pasó en realidad?   **11.** Según doña Laura, ¿qué hizo la joven cuando no recibió noticias del galán? ¿Qué hizo ella en realidad?   **12.** ¿Qué piensan hacer los viejos al día siguiente? **13.** ¿Existe todavía un eco de sus antiguos amores? (¿Cómo se sabe?)

𝕰xpansión

I. Análisis literario

1. Los dos últimos versos del poema de Campoamor son paralelos:

> —¡Santo Dios! ¿y éste es aquél?...
> —¡Dios mío! ¿y ésta es aquélla?...

Indique Ud. tres ejemplos de acciones o comentarios paralelos en el drama. **2.** ¿Son paralelas las acciones de los criados?   **3.** Para Ud., ¿cuál de los viejos es más inteligente y astuto?   **4.** Según lo que se percibe en el drama, ¿es verdad que el concepto del amor sentimental sólo puede existir entre jóvenes?   **5.** Se puede definir la ironía como el dar a entender lo contrario de lo que se dice. Cite y comente Ud. un ejemplo del uso de ironía en este drama.

II. Descripción

A continuación se presenta una serie de oraciones cortas que describen a doña Laura. Después se combinan esas oraciones para hacer una sola oración larga que tiene el mismo sentido. Por el momento, vea Ud. este ejemplo:

Doña Laura es viejecita.
Tiene unos setenta años.
Es muy pulcra.
Tiene los cabellos blancos.
Sus manos son muy finas.
También son bien cuidadas.

La combinación: *Doña Laura es una viejecita setentona, muy pulcra, de cabellos blancos y manos muy finas y bien cuidadas.*

Ahora, combine Ud. estas oraciones para hacer una sola oración que describa a don Gonzalo.

Don Gonzalo es viejo.
Es contemporáneo de doña Laura.
Es un poco cascarrabias.

La combinación: ¿?

Finalmente, haga lo mismo con estas oraciones. Después, Ud. puede comparar sus oraciones con las del texto del drama.

Don Gonzalo mira a doña Laura.
Lo hace siempre con rabia.
Se pone unas gafas prehistóricas.
Saca una gran lente.
Con el auxilio de toda esa cristalería se dispone a leer.

La combinación: ¿?

III. Minidrama

Presenten Ud. y otra(s) persona(s) de la clase un breve drama sobre algún aspecto o concepto del drama de los Alvarez Quintero. Algunos temas posibles son:

1. Petra y Juanito observan y comentan lo que hacen los viejos.
2. Volvemos al pasado para ver lo que pasó la noche del desafío *(challenge, duel)*.
3. Llegamos a saber lo que hacían y decían Petra y Juanito mientras los viejos conversaban.

IV. Opiniones y actitudes

Escriba Ud. un párrafo sobre uno de los temas siguientes o explíqueselo a la clase.

1. El problema de las relaciones entre hombres y mujeres en el trabajo.
2. El problema más grande de los de mi generación.
3. Lo que se debe hacer en los casos de violación *(rape)*.

V. Situación

Con un(a) compañero(a) de clase, presente Ud. un diálogo entre dos personas que discuten un caso de acoso *(harassment)* sexual en la oficina o en la universidad. Algunas de las cosas que pueden comentar en el diálogo son: ¿Qué pasó entre dos personas (la víctima y su jefe)? ¿Debe la víctima informarles lo que pasó a las autoridades? ¿Por qué sí o por qué no? ¿Qué recursos existen para ayudar a las víctimas de acoso sexual? ¿Por qué no quieren muchas personas informar que han sido víctimas de acoso? ¿Es más difícil que un hombre informe que ha sido víctima de acoso sexual? ¿Por qué?

Diego Rodríguez de Silva y Velázquez

El famoso pintor **Diego Rodríguez de Silva y Velázquez** nació en Sevilla en 1599. Su padre era portugués y su madre sevillana, y ambos pertenecían a la aristocracia, hecho de bastante importancia puesto que Velázquez iba a ser no sólo pintor, sino también persona de mucha influencia en la corte de Felipe IV. A los once años Velázquez fue aprendiz de Francisco Pacheco, famoso profesor de pintura en Sevilla y consejero para la Inquisición en materia de arte. Aprendió mucho de su maestro, quien le impuso una disciplina severa aunque también dejó que el joven manifestara su originalidad y talento. Al terminar su aprendizaje, Diego se casó con Juana, la hija de Pacheco, y se estableció en Sevilla como padre de familia y pintor de retratos y de cuadros religiosos.

En aquella época ocurrieron hechos históricos que influyeron radicalmente en la vida de Velázquez. Llegó al trono Felipe IV, quien, como su padre, prefería dejar el gobierno del país en manos de otro. Así llegó al poder un noble sevillano, Don Gaspar de Guzmán, Conde-Duque de Olivares, y en poco tiempo se estableció en Madrid un grupo de sevillanos, muchos de los cuales eran amigos de Pacheco. Éste supo aprovechar la situación: en 1622 su yerno visitó Madrid por primera vez, llegó a conocer a algunos amigos de Olivares y pintó un retrato del famoso poeta Luis de Góngora. Un año más tarde, Olivares le mandó volver a la corte, lo presentó al Rey y le hizo pintar un retrato del soberano. De ahí en adelante, durante más de treinta y un años, Velázquez gozó de la protección y de la amistad del Rey, quien no sólo lo empleó como pintor, sino también como diplomático, y le confirió grandes honores. Aunque Velázquez recibió muchos favores reales durante su vida, nunca se envaneció por eso. El testimonio de sus contemporáneos confirma que era un amigo leal, buen padre de familia y un hombre noble, orgulloso, generoso y que sabía gozar de la vida. Cuando murió en 1660, a los sesenta y un años, el Rey escribió que se sentía abrumado por la pérdida de tan fiel vasallo y amigo.

Si las pinturas de El Greco reflejan su fervor místico y su pasión religiosa, las de Velázquez revelan su interés por el instante, la realidad inmediata y su deseo de fijarlos para siempre. Fiel a su concepto del realismo, el artista no lisonjea a sus modelos, ya sean nobles o humildes. Sin embargo, todos tienen una dignidad que hace que sus retratos sean una afirmación de la vida. Al captarlos en el instante, Velázquez los inmortaliza, así como al pintar las cosas más humildes y reales, las eleva al nivel de lo perdurable y eterno.

The National Galleries of Scotland.

La vieja cocinera (1618)

Una de las contribuciones originales de Velázquez al arte fue su manera de darles énfasis a las cosas que están en el primer plano de un cuadro al presentarlas desde una perspectiva en la que se las ve desde arriba. En esta pintura, por ejemplo, se ven desde arriba los objetos que están en la mesa o cerca de la cocinera, mientras lo demás —las dos figuras y lo que está detrás— se ven desde otra perspectiva. ¿Cómo describiría Ud. a la cocinera? ¿Cuál sería la actitud del pintor hacia ella? ¿Qué es lo que queda mejor definido en el cuadro, las cosas o los seres humanos? ¿Puede nombrar algunas de las cosas que Ud. ve en el retrato?

Art Resource.

Esopo (1637–1640)

Según fuentes antiguas, el creador de las *Fábulas* era esclavo. También se decía que era feo y algo deforme. Según Vico en su *Scienza Nuova* (1725), Esopo representaba a los que eran compañeros y ayudantes de los héroes.

En la pintura se ve a la izquierda el cubo que se usaba para curtir pieles, una alusión a una de las fábulas en la que un rico llega a aceptar con ecuanimidad algo que le molesta —el olor de una curtiduría que se encuentra al lado de su casa. El libro que tiene Esopo en la mano es un ejemplar de las *Fábulas*.

En esta pintura Velázquez usa los matices de tres colores: el gris, el verde y el café. El rostro de Esopo es asimétrico, pero esto aumenta el interés cuando examinamos la magnífica ejecución del artista: es como si Velázquez quisiera definir el espíritu del personaje en la honestidad brutal de su retrato. El rostro de Esopo revela su sufrimiento, su nobleza y, sobre todo, su dignidad.

¿Cómo compararía Ud. la cara de Esopo con la de la vieja cocinera? ¿Qué cualidades tienen en común?

Scala/Art Resource.

Las Meninas (1656)

Sin duda *Las Meninas* es la pintura más famosa de Velázquez. Esta obra maestra presenta a la infanta Margarita rodeada de las meninas (las jóvenes nobles que la acompañaban), criadas y otras personas. Velázquez mismo aparece a la izquierda, delante de un lienzo grande, y parece mirar al espectador, aunque en realidad está mirando a los reyes, cuyos retratos aparecen en un espejo en el fondo. Es una pintura compleja y enigmática y es más real que la realidad misma. Con razón se ha dicho que tal vez es la obra maestra de toda la pintura de todos los tiempos.

Para comentar

1. ¿Cuál de las pinturas de Velázquez le gusta más? ¿Por qué? (Describa lo que significa esa pintura para Ud.)
2. Muchos artistas han preferido pintar personas mayores. ¿Por qué les ha interesado pintar personas de edad?
3. ¿Puede Ud. comparar las pinturas de Velázquez con las que hemos visto de El Greco?
4. Busque Ud. en Internet otro ejemplo del arte de Velázquez. Si es posible, traiga una fotocopia de la pintura a la clase y presente un comentario sobre ella.
5. Escriba Ud. un ensayo sobre uno de los temas siguientes.
   a. El problema de la barrera generacional (generation gap).
   b. El uso de fondos públicos para apoyar las artes.

UNIDAD 6

Costumbres y creencias

En México es costumbre decorar las tumbas para honrar a los difuntos, especialmente el dos de noviembre, el Día de los Muertos. Aquí vemos una foto de una vigilia en Mixcuic, México. Describa Ud. lo que se ve en la foto.

Enfoque

Es probable que no haya tema tan fascinante para la mente y la imaginación del hombre como el de la muerte. Tanto en las tribus primitivas como en las sociedades más complejas se hallan explicaciones y teorías sobre el significado del fin de la vida. Los ritos, las supersticiones, las costumbres y las prácticas que se asocian con la muerte son tan innumerables como las canciones, las poesías y otras expresiones verbales que se dedican a ella.

En algunas sociedades se percibe la muerte como parte de un ciclo vinculado a la vida. Así la entendieron los aztecas, cuya cosmología y teología eran bastante complejas. En otras sociedades, como en la anglosajona, se trata de esconder o negar la muerte. Se emplean eufemismos de todo tipo para evitar enfrentar la realidad. (Se dice, por ejemplo, que una persona muerta «ya no está con nosotros», que «se ha ido».) En general, se puede decir que aunque todos los países cristianos comparten ciertos conceptos relacionados con la muerte (el concepto de la inmortalidad del alma, la esperanza de la redención por Cristo, etc.), la presencia de la muerte como cosa tangible y real en la vida es mucho más notable en los países hispánicos que en los anglosajones. A veces, en aquellos países, se hace presente la muerte en la vida diaria de una forma directa y simple. Por ejemplo, en México en el Día de los Muertos (el dos de noviembre), se ven dulces, pan y juguetes en forma de calaveras o esqueletos.

Como tema literario, la muerte y la inmortalidad son de suma importancia en el mundo hispánico. Aquí se incluyen dos ejemplos ilustrativos de la vitalidad de ese tema: algunas pinturas del gran pintor español Francisco de Goya y Lucientes y un cuento de Jorge Luis Borges, uno de los prosistas más brillantes de la América hispana.

Vocabulario útil

Estudie Ud. estas palabras.

Verbos

cerrar (ie)   *to close*
graduarse   *to graduate*
hallar   *to find*
instruir   *to instruct*
jugar (ue)   *to play*
veranear   *to spend the summer*

Sustantivos

el atardecer   *dusk, twilight*
el azúcar   *sugar*
el calor   *heat*
el capítulo   *chapter*
el colegio   *school (usually a private school)*

la cruz *cross*	la taza *cup*
el, la estudiante *student*	la tacita *little cup*
el hallazgo *discovery*	el techo *roof*
la huelga *strike*	el trueno *thunder*
el juego *game; gambling*	el verano *summer*
el jugador *player*	
el lugar *place*	**Otras palabras y expresiones**
la tarea *task, job*	cerrar con llave *to lock*

Anticipación

I. Complete Ud. el párrafo con la forma correcta de la palabra apropiada del **Vocabulario útil.**

En los años cuando estaba en el _____, Baltasar era muy buen _____. Mientras los otros jóvenes _____ al fútbol, él _____ su puerta con llave y se preparaba una _____ de café con _____. No lo visitábamos mientras estaba en ese _____ porque sabíamos que estaba preparando sus _____ para el día siguiente. A pesar del calor del _____, no salía hasta el _____. No sé por qué no participó en los deportes: decían que era buen _____, pero no le gustaban los _____. Ya que se dedicó totalmente a sus estudios, _____ cuando sólo tenía quince años.

II. A continuación hay dos párrafos. Cada uno contiene una oración que no se relaciona directamente con el tema del párrafo. Elimine Ud. la oración que no sea necesaria, para que todas las oraciones sean coherentes y relacionadas con el tema. Después, indique por qué ha eliminado la oración.

1. Espinosa expresaba ideas contradictorias. Veneraba a Francia, pero no le gustaban los franceses. Hablaba mal de los Estados Unidos y admiraba los rascacielos *(skyscrapers)* de Buenos Aires. No conocía otro país, pero eso no le importaba. Criticaba a la Argentina, pero no quería que otros hicieran lo mismo.

2. Los Gómez vivían en un rancho y estaban tan aislados del resto del mundo que no tenían concepto ni de la geografía, de la historia o del tiempo. Además, eran analfabetos y por eso no podían aprender nada de los libros. Con frecuencia los viejos pierden la memoria o sólo tienen un concepto vago de las fechas. Los Gómez no sabían el año en que nacieron ni la distancia entre el rancho y la capital del país. Tampoco sabían nada del gobierno ni de la historia de su región.

III. Si Ud. no está de acuerdo con las siguientes afirmaciones, cámbielas para expresar su opinión personal.

1. Lo que dice la Biblia no es alegórico: se debe aceptar al pie de la letra *(literally)*.
2. Algunas ideas están en la sangre de uno: no son parte de la cultura, sino parte de la herencia biológica.
3. Si existe el cielo, uno lo gana con las buenas obras, no simplemente con la fe.
4. Lo que comunica un libro no depende del lector ni de otros factores exteriores: un libro es una cosa absoluta.
5. A veces lo mágico y lo milagroso tienen una base científica.

El evangelio según Marcos

Jorge Luis Borges (1899–1987), escritor argentino que ha sido comparado con Kafka, Poe y Wells, crea en sus obras literarias un mundo fantástico e imaginario, independiente de un tiempo o un espacio específicos. Borges dijo que necesitaba alejar sus cuentos, situarlos en tiempos y espacios algo lejanos para liberar su imaginación y obrar con mayor libertad. Era un hombre sumamente intelectual para quien las ideas tenían vida y eran capaces de provocar el asombro y el deleite del lector a través de sus ficciones.

Borges nació en Buenos Aires, de padres intelectuales de clase media. Educado en la capital y en Ginebra, pasó luego tres años en España antes de regresar a Buenos Aires en 1921. En los años siguientes se distinguió como poeta, pero es probable que la verdadera originalidad de Borges no esté ni en las poesías ni en la crítica literaria que publicó en esos años, sino en las breves narraciones que aparecieron en los años siguientes —entre 1930 y 1955—, especialmente en dos colecciones: *Ficciones* y *El Aleph*. Aunque en aquellos años los dos tomos no atrajeron mucha atención, después gozaron de fama mundial y situaron a Borges entre los escritores más importantes de nuestro tiempo.

En los cuentos de esa época Borges explora los temas que, según él, son básicos en toda literatura fantástica: la obra dentro de la obra, la contaminación de la realidad por el sueño, el viaje a través del tiempo y el concepto del doble. En ellos el orden se encuentra en la mente humana, mientras que la realidad exterior tiene cualidades caóticas y peligrosas. También se manifiesta, en esos cuentos, la condición absurda y tal vez heroica del hombre que lucha por imponer orden sobre el caos del mundo físico que lo rodea.

En este capítulo se presenta «El Evangelio según Marcos», cuento que, según Borges, se debe a un sueño y, como toda literatura, es un «sueño dirigido». En este caso, el sueño se basa en un pasaje de la Biblia, y en la narración que allí se hace del sacrificio de Cristo en la cruz, acto que asegura la salvación del alma del creyente y que se ha establecido como parte de la «intrahistoria» de los pueblos occidentales. Es un cuento que debe leerse con cuidado. Sólo el lector cuidadoso y detallista tendrá el placer de anticipar el fin dramático e inevitable que el autor ha preparado mediante la acumulación de indicios.

1	El hecho sucedió en la estancia La Colorada, en el partido de Junín, hacia el sur, en los últimos días del mes de marzo de 1928. Su protagonista fue un estudiante de medicina,
5	Baltasar Espinosa. Podemos definirlo por ahora como uno de tantos muchachos porteños, sin otros rasgos dignos de nota que esa facultad oratoria que le había hecho merecer más de un premio en el colegio
10	inglés de Ramos Mejía y que una casi ilimitada bondad. No le gustaba discutir; prefería que el interlocutor tuviera razón y no él. Aunque los azares del juego le interesaban, era un mal jugador, porque le
15	desagradaba ganar. Su abierta inteligencia era perezosa; a los treinta y tres años le faltaba rendir una materia para graduarse, la que más lo atraía. Su padre, que era librepensador, como todos los señores de su época, lo había
20	instruido en la doctrina de Herbert Spencer,[1] pero su madre, antes de un viaje a Montevideo, le pidió que todas las noches rezara el Padrenuestro e hiciera la señal de la cruz. A lo largo de los años no había
25	quebrado nunca esa promesa. No carecía de coraje; una mañana había cambiado, con más indiferencia que ira, dos o tres puñetazos con un grupo de compañeros que querían forzarlo a participar en una huelga universitaria.
30	Abundaba, por espíritu de aquiescencia, en opiniones o hábitos discutibles; el país le importaba menos que el riesgo de que en otras partes creyeran que usamos plumas; veneraba a Francia pero menospreciaba a los
35	franceses; tenía en poco a los americanos, pero aprobaba el hecho de que hubiera rascacielos en Buenos Aires; creía que los gauchos de la llanura son mejores jinetes que los de las cuchillas o los cerros. Cuando
40	Daniel, su primo, le propuso veranear en La Colorada, dijo inmediatamente que sí, no porque le gustara el campo sino por natural complacencia y porque no buscó razones válidas para decir que no.[2]

sucedió *took place*
partido *township*

porteños *from Buenos Aires*
rasgos *characteristics*

discutir *to argue*

azares *risks*

perezosa *lazy (undirected)*
rendir una materia *to pass a course*

No... coraje *He was not lacking in courage*
ira *anger*
puñetazos *punches*

Abundaba... en *He was full of*
discutibles *questionable*

usamos plumas *we wear feathers (we are Indians)*
menospreciaba *he scorned*
tenía en poco *he despised, thought little of*
jinetes *riders*
cuchillas *mountains*

45   El casco de la estancia era grande y un poco abandonado; las dependencias del capataz, que se llamaba Gutre, estaban muy cerca. Los Gutres eran tres: el padre, el hijo, que era singularmente tosco, y una muchacha de incierta paternidad. Eran altos, fuertes, 50 huesudos, de pelo que tiraba a rojizo y de caras aindiadas. Casi no hablaban. La mujer del capataz había muerto hace años.

    Espinosa, en el campo, fue aprendiendo 55 cosas que no sabía y que no sospechaba. Por ejemplo, que no hay que galopar cuando uno se está acercando a las casas y que nadie sale a andar a caballo sino para cumplir con una tarea. Con el tiempo llegaría a distinguir los 60 pájaros por el grito.

    A los pocos días, Daniel tuvo que ausentarse a la capital para cerrar una operación de animales. A lo sumo, el negocio le tomaría una semana. Espinosa, que ya 65 estaba un poco harto de las *bonnes fortunes* de su primo y de su infatigable interés por las variaciones de la sastrería, prefirió quedarse en la estancia, con sus libros de texto. El calor apretaba y ni siquiera la noche traía un 70 alivio. En el alba, los truenos lo despertaron. El viento zamarreaba las casuarinas. Espinosa oyó las primeras gotas y dio gracias a Dios. El aire frío vino de golpe. Esa tarde, el Salado se desbordó.

75   Al otro día, Baltasar Espinosa, mirando desde la galería los campos anegados, pensó que la metáfora que equipara la pampa[3] con el mar no era por lo menos esa mañana, del todo falsa, aunque Hudson[4] había dejado 80 escrito que el mar nos parece más grande, porque lo vemos desde la cubierta del barco y no desde el caballo o desde nuestra altura. La lluvia no cejaba; los Gutres, ayudados o incomodados por el pueblero, salvaron buena 85 parte de la hacienda, aunque hubo muchos animales ahogados. Los caminos para llegar a La Colorada eran cuatro: a todos los cubrieron las aguas. Al tercer día, una gotera amenazó

casco *main house*
dependencias *quarters*
capataz *foreman*

tosco *uncouth*

huesudos *bony, big-boned*
que... rojizo *which had a reddish tinge*
aindiadas *Indian-looking*

grito *cry, call*

operación *deal*
A lo sumo *At most*
harto *tired, fed up*
bonnes fortunes *good fortune (with women)*
sastrería *men's fashions*
apretaba *was oppressive*
alivio *respite, relief*
zamarreaba las casuarinas *shook the Australian pines*
de golpe *suddenly*
el Salado *the Salado ("Salty") River*
se desbordó *overflowed*
anegados *flooded*
equipara *compares*

cubierta *deck*

cejaba *let up*
pueblero *city man*
hacienda *herd*
ahogados *drowned*

gotera *leak*

la casa del capataz; Espinosa les dio una
90 habitación que quedaba en el fondo, al lado
del galpón de las herramientas. La mudanza
los fue acercando; comían juntos en el gran
comedor. El diálogo resultaba difícil; los
Gutres, que sabían tantas cosas en materia de
95 campo, no sabían explicarlas. Una noche,
Espinosa les preguntó si la gente guardaba
algún recuerdo de los malones, cuando la
comandancia estaba en Junín. Le dijeron que
sí, pero lo mismo hubieran contestado a una
100 pregunta sobre la ejecución de Carlos Primero.
Espinosa recordó que su padre solía decir que
casi todos los casos de longevidad que se dan
en el campo son casos de mala memoria o de
un concepto vago de las fechas. Los gauchos
105 suelen ignorar por igual el año en que
nacieron y el nombre de quien los
engendró.

En toda la casa no había otros libros
que una serie de la revista *La Chacra*, un
110 manual de veterinaria, un ejemplar de lujo de
Tabaré, una *Historia del Shorthorn en la
Argentina*, unos cuantos relatos eróticos o
policiales y una novela reciente: *Don Segundo
Sombra*.[5] Espinosa, para distraer de algún
modo la sobremesa inevitable, leyó un par de
115 capítulos a los Gutres, que eran analfabetos.
Desgraciadamente, el capataz había sido
tropero y no le podían importar las andanzas
de otro. Dijo que ese trabajo era liviano, que
llevaban siempre un carguero con todo lo que
120 se precisa y que, de no haber sido tropero, no
habría llegado nunca hasta la Laguna de
Gómez, hasta el Bragado y hasta los campos
de los Núñez, en Chacabuco. En la cocina
había una guitarra; los peones, antes de los
125 hechos que narro, se sentaban en rueda;
alguien la templaba y no llegaba nunca a
tocar. Esto se llamaba una guitarreada.

Espinosa, que se había dejado crecer la
barba, solía demorarse ante el espejo para
130 mirar su cara cambiada y sonreía al pensar

---

galpón de las herramientas *tool shed*

La... acercando *The move brought them closer together*

guardaba *held, kept*

malones *Indian raids*

comandancia *frontier command*

chacra *farm*

de lujo *deluxe*

sobremesa *after-dinner conversation*

analfabetos *illiterate*

tropero *cattle driver*

andanzas *doings, activities*

carguero *packhorse*

en rueda *in a circle*

templaba *tuned*

guitarreada *guitarfest*

demorarse *linger, stop*

que en Buenos Aires aburriría a los muchachos
con el relato de la inundación del Salado.
Curiosamente, extrañaba lugares a los que no
iba nunca y no iría: una esquina de la calle
135   Cabrera en la que hay un buzón, unos leones
de mampostería en un portón de la calle
Jujuy, a unas cuadras del Once, un almacén
con piso de baldosa que no sabía muy bien
dónde estaba. En cuanto a sus hermanos y a
140   su padre, ya sabrían por Daniel que estaba
aislado —la palabra, etimológicamente, era
justa[6]— por la creciente.

      Explorando la casa, siempre cercada por
las aguas, dio con una Biblia en inglés. En las
145   páginas finales los Guthrie —tal era su
nombre genuino— habían dejado escrita su
historia. Eran oriundos de Inverness, habían
arribado a este continente, sin duda como
peones, a principios del siglo diecinueve, y se
150   habían cruzado con indios. La crónica cesaba
hacia mil ochocientos setenta y tantos; ya no
sabían escribir. Al cabo de unas pocas
generaciones habían olvidado el inglés; el
castellano, cuando Espinosa los conoció, les
155   daba trabajo. Carecían de fe, pero en su
sangre perduraban, como rastros oscuros, el
duro fanatismo del calvinista[7] y las
supersticiones del pampa. Espinosa les habló
de su hallazgo y casi no escucharon.

160   Hojeó el volumen y sus dedos lo
abrieron en el comienzo del Evangelio según
Marcos. Para ejercitarse en la traducción y
acaso para ver si entendían algo, decidió
leerles ese texto después de la comida. Le
165   sorprendió que lo escucharan con atención y
luego con callado interés. Acaso la presencia
de las letras de oro en la tapa le diera más
autoridad. Lo llevan en la sangre, pensó.
También se le ocurrió que los hombres, a lo
170   largo del tiempo, han repetido siempre dos
historias: la de un bajel perdido que busca
por los mares mediterráneos una isla querida,
y la de un dios que se hace crucificar en

---

mampostería *concrete*

portón *gateway*

almacén *store*

baldosa *tile*

creciente *floodwaters*

dio con *he came across*

oriundos *natives*

Al cabo de *After*

perduraban *survived, remained*

pampa *(m) pampa Indian*

Hojeó *He leafed through*

tapa *cover*

a lo largo del *throughout*

bajel *ship*

175 Gólgota.[8] Recordó las clases de elocución en
Ramos Mejía y se ponía de pie para predicar
las parábolas.

Los Gutres despachaban la carne asada
y las sardinas para no demorar el Evangelio.

180 Una corderita que la muchacha mimaba
y adornaba con una cintita celeste se lastimó
con un alambrado de púa. Para parar la
sangre, querían ponerle una telaraña;
Espinosa la curó con unas pastillas. La
gratitud que esa curación despertó no dejó de

185 asombrarlo. Al principio, había desconfiado
de los Gutres y había escondido en uno de sus
libros los doscientos cuarenta pesos que
llevaba consigo; ahora, ausente el patrón, él
había tomado su lugar y daba órdenes

190 tímidas, que eran inmediatamente acatadas.
Los Gutres lo seguían por las piezas y por el
corredor, como si anduvieran perdidos.
Mientras leía, notó que le retiraban las migas
que él había dejado sobre la mesa. Una tarde

195 los sorprendió hablando de él con respeto y
pocas palabras. Concluido el Evangelio según
Marcos, quiso leer otro de los tres que
faltaban; el padre le pidió que repitiera el que
ya había leído, para entenderlo bien. Espinosa

200 sintió que eran como niños, a quienes la
repetición les agrada más que la variación o
la novedad. Una noche soñó con el Diluvio, lo
cual no es de extrañar; los martillazos de la
fabricación del area lo despertaron y pensó

205 que acaso eran truenos. En efecto, la lluvia,
que había amainado, volvió a recrudecer. El
frío era intenso. Le dijeron que el temporal
había roto el techo del galpón de las
herramientas y que iban a mostrárselo cuando

210 estuvieran arregladas las vigas. Ya no era un
forastero y todos lo trataban con atención y
casi lo mimaban. A ninguno le gustaba el
café, pero había siempre una tacita para él,
que colmaban de azúcar.

215 El temporal ocurrió un martes. El jueves
a la noche lo recordó un golpecito suave en la

---

predicar las parábolas *preach the parables*

despachaban *gulped down, dispatched*

corderita *lamb*

mimaba *pampered*

cintita celeste *light blue little ribbon*

un... púa *strand of barbed wire*

telaraña *cobweb*

pastillas *pills*

desconfiado *distrusted*

acatadas *obeyed*

migas *crumbs*

el Diluvio *the (biblical) Flood*

no es de extrañar *is not surprising*

martillazos *hammer blows*

acaso *maybe*

amainado *let up*

recrudecer *fall harder*

arregladas *fixed*

vigas *beams*

forastero *stranger*

colmaban de *(they) heaped with*

recordó *awakened*

puerta que, por las dudas, él siempre cerraba
con llave. Se levantó y abrió: era la
muchacha. En la oscuridad no la vio, pero por

220 los pasos notó que estaba descalza y después,
en el lecho, que había venido desde el fondo,
desnuda. No lo abrazó, no dijo una sola
palabra; se tendió junto a él y estaba
temblando. Era la primera vez que conocía a

225 un hombre. Cuando se fue, no le dio un beso;
Espinosa pensó que ni siquiera sabía cómo se
llamaba. Urgido por una íntima razón que no
trató de averiguar, juró que en Buenos Aires
no le contaría a nadie esa historia.

230   El día siguiente comenzó como los
anteriores, salvo que el padre habló con
Espinosa y le preguntó si Cristo se dejó matar
para salvar a todos los hombres. Espinosa, que
era librepensador pero que se vio obligado a

235 justificar lo que les había leído, le contestó:
    —Sí. Para salvar a todos del infierno.
    Gutre le dijo entonces:
    —¿Qué es el infierno?
    —Un lugar bajo tierra donde las ánimas

240 arderán y arderán.
    —¿Y también se salvaron los que le
clavaron los clavos?
    —Sí —replicó Espinosa, cuya teología
era incierta.

245   Había temido que el capataz le exigiera
cuentas de lo ocurrido anoche con su hija.
Después del almuerzo, le pidieron que
releyera los últimos capítulos.
    Espinosa durmió una siesta larga, un

250 leve sueño interrumpido por persistentes
martillos y por vagas premoniciones. Hacia el
atardecer se levantó y salió al corredor. Dijo
como si pensara en voz alta:
    —Las aguas están bajas. Ya falta poco.

255   —Ya falta poco —repitió Gutre, como
un eco.
    Los tres lo habían seguido. Hincados
en el piso de piedra le pidieron la bendición.
Después lo maldijeron, lo escupieron y

---

pasos *footsteps*
lecho *bed*
fondo *back (of the house)*

Urgido *Motivated*

ánimas *souls*
arderán *will burn*
le... clavos *hammered in the nails*

le... ocurrido *would demand an accounting from him of what had taken place*

Ya falta poco *It won't be long now*

Hincados *Kneeling*

260	lo empujaron hasta el fondo. La muchacha lloraba. Espinosa entendió lo que le esperaba del otro lado de la puerta. Cuando la abrieron, vio el firmamento. Un pájaro gritó; pensó: Es un jilguero. El galpón estaba sin techo; habían arrancado las vigas para construir la Cruz.	lo... empujaron *they cursed him, spat on him, and shoved him* jilguero *goldfinch* galpón *shed* arrancado *pulled down*
265		

El informe de Brodie, 1970.

Notas culturales

[1] *Herbert Spencer (1820–1903), filósofo inglés, fundador de la filosofía evolucionista. Postuló el concepto del darwinismo social, la sobrevivencia del más apto. Influido por Spencer, el filósofo francés Henri Bergson sugirió que ciertos mitos o ideas pueden perdurar en la sangre, en la raza. El hecho de que el fanatismo calvinista perdura en la sangre de los Gutres confirma las ideas de Bergson.*

[2] *Normalmente los dueños de las grandes estancias viven en Buenos Aires y visitan sus estancias sólo de vez en cuando. Aparentemente Daniel y Baltasar tenían esa costumbre.*

[3] *La pampa es un llano enorme, parecida a los «Great Plains» de los Estados Unidos. El gaucho se parece al «cowboy» norteamericano.*

[4] *William Henry Hudson (1840–1922) escribió su obra en inglés, pero es famoso en la Argentina por la evocación nostálgica de la pampa bonaerense, escenario de los relatos y las obras autobiográficas del autor. Hudson nació en la pampa y pasó su infancia y su adolescencia allí.*

[5] *Esta lista de obras es típica de la técnica de Borges de vincular la «realidad» de la trama con la del mundo de las ideas. Cinco de las obras se relacionan con el ambiente de la pampa y la estancia, y reflejan varias actitudes hacia ese ambiente: la revista La Chacra refleja las actitudes y preocupaciones del estanciero; el manual de veterinaria, las actitudes de los científicos; Tabaré de Juan Zorrilla de San Martín, el punto de vista romántico, con su característico fatalismo; la Historia del Shorthorn en la Argentina, la perspectiva de los historiadores; y Don Segundo Sombra de Ricardo Güiraldes, la evocación del gaucho ideal.*

[6] *La etimología de «aislado» sugiere la idea de «isla» y describe el estado del casco de la estancia después del diluvio.*

[7] *Calvinista es el que acepta la teología de Jean Calvin (1509-1564), teólogo francés que mantuvo que la Biblia es la única fuente verdadera de la ley de Dios y que el deber del hombre es interpretarla y mantener el orden en el mundo. Según Calvin, sólo los elegidos de Dios pueden redimirse: la redención no puede ganarse por buenas obras. En el cuento, los Gutres aceptan al pie de la letra lo que dice la Biblia y creen que Espinosa es un elegido de Dios.*

[8]Las dos historias son: la Odisea de Homero, modelo de toda la poesía épica posterior, que sugiere la idea de la búsqueda del hombre; y la historia de Cristo, que se hace crucificar en el monte Gólgota para redimir a la humanidad, y que constituye, desde entonces, el ejemplo y prototipo ideal del hombre que se sacrifica por los demás.

Comprensión

1. ¿Dónde y cuándo tienen lugar los sucesos del cuento?   **2.** ¿Qué actitudes básicas de los padres de Baltasar Espinosa influyeron en su formación intelectual?   **3.** ¿Por qué viajó Espinosa a la estancia?   **4.** ¿Cómo eran los Gutres?   **5.** ¿Cómo llegó a aislarse la estancia?   **6.** ¿Por qué se mudaron los Gutres a la habitación que quedaba al lado del galpón de las herramientas?   **7.** ¿Qué sabían los Gutres de su pasado?   **8.** ¿Qué clase de libros y revistas había en la casa?   **9.** ¿Qué encontró Espinosa en las páginas finales de la Biblia de los Guthrie?   **10.** ¿Qué clase de creencia religiosa tenían los Gutres?   **11.** ¿Cómo reaccionaron los Gutres cuando Espinosa les leyó el Evangelio según Marcos?   **12.** ¿Cómo cambió la relación entre los Gutres y Espinosa?   **13.** ¿Qué pasó el jueves por la noche?   **14.** ¿Qué preguntas le hizo el padre de los Gutres a Espinosa al día siguiente?   **15.** ¿Qué le hicieron los Gutres a Espinosa cuando salió después de dormir la siesta?   **16.** ¿Qué le esperaba a Espinosa en el galpón?

Expansión

I. Análisis literario

1. Con frecuencia, Borges indica en sus cuentos que las ideas que se expresan en un libro son capaces de cambiar el mundo real. ¿Refleja este cuento tal concepto?   **2.** ¿Cómo influyeron en las acciones de los Gutres los rastros del «duro fanatismo del calvinista y las supersticiones del pampa» que perduraban en su sangre?   **3.** Comente Ud. los paralelos que pueden establecerse entre la vida de Espinosa y la de Cristo.   **4.** Contraste Ud. la actitud religiosa de Espinosa con la de los Gutres.   **5.** ¿Cuál es el tema principal del cuento?

II. Reportaje

Ud. es periodista de Buenos Aires. Acaba de entrevistar a los Gutres sobre la muerte de Espinosa. Escriba un reportaje sobre lo que pasó, incluyendo:

1. una descripción de los Gutres.
2. cómo reaccionaron los Gutres al comienzo, cuando conocieron a Espinosa por primera vez.
3. por qué llegaron a respetar a Espinosa.

4. el «milagro» que vieron.

5. qué hicieron después de ver el milagro.

6. por qué el padre le hizo a Espinosa la pregunta sobre los que le clavaron los clavos a Cristo.

7. qué hicieron después de la siesta el día de la muerte de Espinosa.

8. cómo reaccionó Ud., como periodista y como ciudadano *(citizen)* frente a los hechos que acaba de describir.

III. Minidrama

Presenten Ud. y otra(s) persona(s) de la clase un breve drama que se relacione con el tema del cuento de Borges. Algunos temas posibles son:

1. En vez de decir que «sí», Espinosa contesta «no» cuando el padre de los Gutres le pregunta si los que le clavaron los clavos a Cristo también se salvaron. ¿Qué pasará después?

2. El primo de Espinosa, Daniel, vuelve inesperadamente en el momento cuando van a crucificar a Espinosa.

3. Una familia que siempre ha vivido en un lugar remotísimo de Alaska, sin ninguna comunicación con el mundo exterior, toma al pie de la letra algo que un explorador le cuenta.

IV. Opiniones y actitudes

Escriba Ud. un párrafo sobre uno de los temas siguientes o explíqueselo a la clase.

1. El libro que más le ha gustado o que más ha influido en Ud.

2. Una idea que ha cambiado el mundo

3. Un fenómeno sicológico que le interesa

V. Situación

Con un(a) compañero(a) de clase, presente Ud. un diálogo entre dos personas. Una de las personas tiene un(a) hermano(a) gemelo(a) *(twin),* o conoce unos gemelos. La otra persona le hace preguntas sobre ciertos fenómenos sicológicos que se han asociado con hermanos gemelos. Algunas preguntas posibles son: ¿Son idénticos(as) físicamente? ¿Tienen igual capacidad intelectual? ¿Se interesan por las mismas cosas o por cosas distintas? ¿Ha habido alguna clase de comunicación telepática entre Uds. o entre ellos? ¿Qué pasó en esas ocasiones? ¿Cree que los dos comparten *(share)* ciertas ideas o preferencias? Es decir, ¿cree que esas ideas o preferencias están en la sangre?

Francisco de Goya y Lucientes

Algunos creadores —músicos, pintores, escritores— producen sus mejores obras en su juventud y después repiten lo ya expresado o presentan obras de calidad inferior. Otros, en cambio, crean sus mejores obras en los últimos años de su vida: Shakespeare, Goethe, Beethoven, Verdi y El Greco, para citar sólo algunos ejemplos. A este grupo pertenece uno de los artistas más extraordinarios de todos los tiempos: **Francisco de Goya y Lucientes** (1746–1828).

Las primeras décadas de la vida de Goya son años de aprendizaje. Estudia con artistas conocidos, copia la obra de grandes pintores del pasado, viaja a Madrid y a Roma, se hace conocer entre la gente más influyente de la capital y recibe algunas comisiones que lo establecen como pintor de cierta importancia. En esta época su obra es esencialmente convencional y armoniza con la perspectiva de la realidad del siglo XVIII. Sin embargo, su continuo esfuerzo le hace ganar una competencia ante el rey, y Goya se convierte en el retratista de las personas más importantes de la corte. Aunque llega a recibir todos los favores de la corte real, no se deja intimidar por el rango social de las personas que pinta: las retrata así como las ve su ojo penetrante y agudo. Lo curioso es que sus protectores no se dan por ofendidos y nunca le niegan su amparo, tal vez porque reconocen su genio.

Durante algunos años Goya vive como un típico cortesano, pero luego dos acontecimientos le transforman la vida: estalla la Revolución Francesa en 1789, y en 1792 una enfermedad inesperada por poco lo mata y lo deja sordo. Su obra, entonces, refleja el cambio producido por estos sucesos: en el futuro ya no será el pintor burgués de la corte sino el pintor del pueblo español. Así, ha sabido representar mejor que nadie los mitos y supersticiones y también comunicar la decadencia de una sociedad junto al tremendo sufrimiento del pueblo. Goya vuelve a sus raíces campesinas aragonesas para pintar lo español y lo universal.

En los últimos años de su vida Goya produce las obras que han de asegurarle su inmortalidad. En 1799 publica los famosos *Caprichos*, una serie de grabados cuyos temas son las supersticiones, la brujería, la corrupción y las pasiones diabólicas del pueblo. Cuando ya tiene más de setenta años, el artista da a conocer otra serie de grabados igualmente fuertes, los *Disparates*. En varias pinturas y en otra serie de grabados, *Los desastres de la guerra*, publicados en 1820, Goya muestra su reacción hacia la invasión de España por Napoleón en 1808. Su denuncia de la guerra, de un realismo horripilante, es la mejor expresión de la crueldad y del sufrimiento humanos. En los mismos años de su vida, su angustia personal le hace pintar en su casa del campo (Quinta del Sordo) una serie de «pinturas negras» en las que expresa todo el pesimismo, el nihilismo y lo absurdo en la vida del hombre. En todas estas obras, fruto de su vejez, Goya mejora su técnica y logra expresarse con una fuerza y originalidad incomparables.

Giraudon/Art Resource.

La familia de Carlos IV (1800)

En esta pintura Goya logra captar la esencia de la personalidad de cada uno de los miembros de la familia real. Por ejemplo, la reina María Luisa domina la pintura, así como supo dominar a su familia y a su país durante su vida. El rey, al contrario, se presenta como un hombre banal y su retrato casi es una caricatura. Como Velázquez en su pintura *Las Meninas,* Goya se incluye a sí mismo, a la izquierda del cuadro. El autorretrato del artista está en la sombra, para que los espectadores no lo confundan con la familia real. La pintura es extraordinaria, no sólo por su composición, sino también por la brillantez y la armonía de los colores.

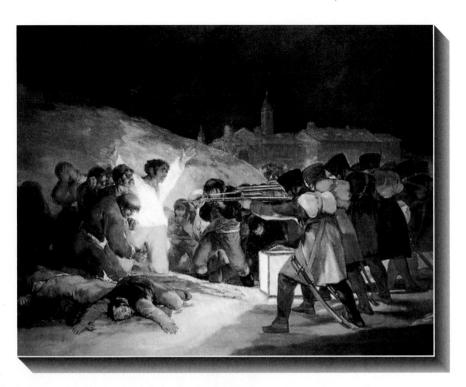

Scala/Art Resource.

El tres de mayo de 1808 en Madrid (circa 1814)

Tal vez no existe mayor protesta contra la crueldad de la guerra que esta pintura de Goya. El dos de mayo hubo rebelión en Madrid contra las tropas de Murat, y la noche del tres de mayo las fuerzas francesas ejecutaron a muchos prisioneros rebeldes. Se cree que Goya fue testigo de lo que pasó el tres de mayo. En la pintura se presentan varias reacciones y movimientos de los rebeldes que están para morir. El horror es aumentado por las expresiones de los que esperan su turno y por la presencia de los cadáveres de los ya ejecutados. Al no mostrar la cara de los soldados franceses y al unificar el ritmo de sus cuerpos, Goya hace que el horror sea más impersonal e inhumano.

Scala/Art Resource.

Saturno devorando a uno de sus hijos (1819–1823)

Esta pintura representa el mito romano de Saturno que devora a sus hijos. Saturno simboliza el Tiempo. En este cuadro su crueldad es obvia. ¿A quién devora el Tiempo? ¿Se puede decir que la pintura tiene valor alegórico? ¿Cuál sería la actitud del viejo Goya hacia el tiempo y hacia la muerte?

Para comentar

1. Refiriéndose a la pintura *El tres de mayo de 1808 en Madrid,* describa Ud. la diferencia entre las reacciones de las personas que están para morir o que esperan su turno. ¿Cómo reaccionaría Ud. en tales circunstancias?

2. Picasso admiraba mucho la pintura *El tres de mayo de 1808 en Madrid.* Busque Ud. una foto de la pintura *Guernica* de Picasso y compárela con la pintura de Goya. Por ejemplo, ¿cómo logra Picasso mostrar el horror impersonal de la guerra?

3. Escriba Ud. un ensayo breve sobre uno de los temas siguientes.

   a. La crueldad y el horror de la guerra en los grabados *(engravings)* de *Los desastres de la guerra* de Goya. Busque ejemplos de esos grabados en la biblioteca o en Internet e incluya fotocopias de los grabados que Ud. va a comentar.

   b. Como lo hizo Goya, muchos artistas y escritores han criticado la sociedad y han tratado de reformarla o cambiarla por medio de sus obras. ¿Conoce Ud. a un artista o escritor que haya hecho algo así? ¿Qué criticó?

UNIDAD 7

Aspectos económicos de Hispanoamérica

Los habitantes de muchos barrios pobres de Lima, Perú, son campesinos que se han mudado a la capital en busca de mejores condiciones económicas. Con frecuencia no encuentran trabajo y se ven forzados a vivir en barrios donde no hay ni electricidad ni agua. Pensando en este hecho, describa Ud. lo que hace la niña de la carretilla (wheelbarrow) de la foto.

Enfoque

Hispanoamérica es riquísima en materias primas. Sin embargo, por varias razones históricas, hay muchos problemas económicos que todavía no se han resuelto y que siguen amenazando la estabilidad de muchas regiones.

Uno de los problemas más obvios es el de la pobreza. Este problema se manifiesta en lo que el antropólogo Oscar Lewis ha descrito como la «cultura de la pobreza», cultura que tiene ciertas características comunes y que se encuentra en casi todos los centros metropolitanos. La misma pobreza se encuentra en muchas regiones rurales, donde su efecto sobre el individuo no es menos desastroso.

Los factores que pueden explicar la pobreza de la gente del campo son diversos: la falta de tierra cultivable, la concentración de la tierra en manos de unos pocos propietarios, las adversas condiciones climáticas, la falta de educación de los campesinos, la poca variedad agrícola, la falta de capital para comprar maquinarias, los malos gobiernos, etc. El hecho es que, con pocas excepciones, el campesino todavía sufre la misma pobreza que sus padres y su situación de miseria provee campo fértil para los que proponen soluciones revolucionarias.

En México, el problema de la pobreza rural se hizo evidente en la Revolución de 1910, cuando los campesinos, especialmente los peones que siguieron a Emiliano Zapata, se rebelaron en favor de «pan y tierra». Esta lucha no terminó con la Revolución: todavía se presentan nuevos planes para distribuir la tierra y mejorar la condición de los hombres que viven en ella. Pero muchos campesinos, desilusionados ante la miseria que caracteriza la vida rural, han abandonado sus campos para ir a la ciudad (en donde, irónicamente, muchos han encontrado condiciones aún peores). Así es que la creación de una política que pueda aliviar la pobreza del campesino todavía es uno de los problemas que afrontan México y otros países de la América Hispana.

En México, primer país que en este siglo produjo una verdadera revolución social, los intelectuales se han dedicado a la investigación de las raíces de los problemas económicos y sociales y a la representación literaria y pictórica de las condiciones actuales. Buscan en el pasado la explicación del presente. El resultado ha sido la creación de una literatura y un arte principalmente dedicados al mejoramiento de la condición del obrero y del campesino. Su gran calidad y originalidad han merecido el aplauso universal.

Como ejemplos de esta labor extraordinaria se han seleccionado un cuento de Juan Rulfo que trata del tema de la pobreza y varios ejemplos de las pinturas murales de Diego Rivera, fecundo creador de la conciencia nacional mexicana.

♥ocabulario útil

Estudie Ud. estas palabras.

Verbos

abrazar   *to embrace, to hug*
despertarse (ie)   *to wake up, to awaken*
entretenerse   *to entertain oneself*
llevarse   *to carry away, to carry off*
regalar   *to give (a present)*

Sustantivos

la cama   *bed*
la cuenta   *account*
el cuerno   *horn (of an animal)*
la gallina   *hen*
la inundación   *flood*
la madrugada   *dawn*
la oreja   *ear*

lo orilla   *bank (of a river, sea)*
la pata   *foot (of an animal)*
la raíz   *root*
el ruido   *noise*
el seno   *breast*
el sonido   *sound*
el sueño   *sleep*
el vestido   *dress*

Otras palabras y expresiones

cumplir... años   *to turn . . . (years old)*
darse cuenta de   *to realize*
de repente   *suddenly*
poco a poco   *little by little*

Anticipación

I. Complete Ud. el siguiente diálogo, usando la forma correcta de palabras del **Vocabulario útil.**

PEPE   ¿Y cuándo supiste que hubo una inundación?
TACHA   Acababa de _____ diez años. Muy temprano por la mañana, a la _____, algo me despertó. También _____ mi hermano.
PEPE   ¿Qué te despertó?
TACHA   Era el _____ del agua del río. Mi hermano y yo _____ de que no era el sonido de siempre.
PEPE   ¿Qué hicieron Uds.?
TACHA   Saltamos de la _____ y fuimos a la _____ del río. Las _____ de mi tía habían desaparecido y desde la orilla vi las _____ de un animal que era llevado por la corriente. No le vi los _____ ni las _____ ni otra parte de la cabeza: solamente las _____. Mañana _____ doce años y creo que mi padre me va a _____ una vaca. ¡Ojalá que a ella no le pase lo mismo!

II. En el siguiente párrafo las palabras subrayadas indican el orden de los acontecimientos. Sin entender lo que significan esas palabras, sería difícil comprender correctamente lo que pasa. Lea Ud. el párrafo y después de la lista que se presenta a continuación, sustituya con un sinónimo cada palabra subrayada.

Sinónimos

de pronto	inmediatamente	primero
después	luego	un rato después
en aquel momento	mientras	tan pronto como
finalmente	por un rato	

Me desperté a las cinco de la mañana. <u>En aquel instante</u> (1) estaba soñando con mi tía, que murió la semana pasada. <u>Unos minutos después</u> (2) salí a la calle. Estaba oscuro; no se veía nada. <u>Luego que</u> (3) se acostumbraron mis ojos a la oscuridad, vi a algunos hombres que parecían buscar algo. <u>Al mismo tiempo que</u> (4) los miraba, me di cuenta de que alguien me hablaba. Reconocí la voz <u>en seguida</u> (5): era mi hermana. Me dijo que había desaparecido la vaca que mi padre le regaló para su cumpleaños. <u>Al comienzo</u> (6), no sabíamos qué hacer. <u>Entonces</u> (7) empezamos a buscarla en todas partes. <u>Por último</u> (8) llegamos a la orilla del río. <u>De repente</u> (9) mi hermana se puso a gritar: había visto la vaca en las aguas del río. Estaba muerta. <u>Por algún tiempo</u> (10) nos quedamos allí, abrazados, mirando las aguas sucias. <u>Más tarde</u> (11) volvimos a casa.

1. _____	5. _____	9. _____
2. _____	6. _____	10. _____
3. _____	7. _____	11. _____
4. _____	8. _____	

III. Complete Ud. las frases siguientes expresando su opinión personal.

1. En los Estados Unidos, la pobreza se nota más...
2. La causa más importante de la pobreza es...
3. Uno de los aspectos de la pobreza es que...
4. Para aliviar (*alleviate*) la pobreza en nuestro país debemos...
5. En cuanto a los problemas económicos de los países del Tercer Mundo, creo que...

Es que somos muy pobres[1]

Juan Rulfo (1918–1986), nació durante la Revolución mexicana, y de niño vivió en el pueblo de San Gabriel, estado de Jalisco. En la época colonial San Gabriel había gozado de alguna prosperidad, pero después empezó a decaer. Este proceso, visible también en muchos pueblos de la misma región, se aceleró después de la Revolución. Rulfo indica que la región en que está San Gabriel es árida y desolada. La mayoría de la gente de esa región ha emigrado y la que todavía vive en los pequeños pueblos es gente pobre que se ha quedado para acompañar a sus muertos.

Uno de sus primeros recuerdos de niño fue una rebelión campesina (1926–1928) en la que murió su padre. Habían mandado al niño a Guadalajara para hacer sus estudios primarios. Seis años después, cuando murió su madre, lo enviaron a un orfanato donde pasó varios años. Después de terminar sus estudios primarios, Rulfo estudió contabilidad, pero su progreso en esta carrera quedó interrumpido por una huelga general que clausuró las escuelas. Entonces, Rulfo tuvo que trasladarse a México (1933) para continuar sus estudios. Los dos años siguientes fueron difíciles. Sin dinero y sin nadie que lo ayudara, Rulfo vivía en la pobreza. Manteniéndose lo mejor que podía, estudió jurisprudencia y literatura. Finalmente, consiguió un empleo en el Departamento de Inmigración, puesto que ocupó hasta 1947, cuando pasó a la oficina de ventas de Goodrich Rubber. Después Rulfo trabajó para el gobierno, la televisión y el cine, hasta conseguir empleo en el Instituto Nacional Indigenista.

La obra literaria de Rulfo empezó en 1940, cuando escribió una novela extensa sobre la vida en la capital. El lenguaje retórico de la novela no le gustó y resolvió destruirla. Entonces se dedicó a crear un estilo simple, libre de afectación literaria. El resultado fue la colección de cuentos que publicó en 1953, *El llano en llamas*. El escenario de los cuentos es Jalisco, con todo su calor, aridez y soledad. Los personajes son la gente que recuerda Rulfo de su niñez, gente que conocía el sufrimiento, el amor, la violencia y la pobreza. Rulfo describe con profunda comprensión y compasión su lucha perpetua contra la pobreza y la humillación.

1 Aquí todo va de mal en peor. La semana
pasada se murió mi tía Jacinta, y el sábado,
cuando ya la habíamos enterrado y comenzaba
a bajársenos la tristeza, comenzó a llover
5 como nunca. A mi papá eso le dio coraje,
porque toda la cosecha de cebada estaba
asoleándose en el solar. Y el aguacero llegó de
repente, en grandes olas de agua, sin darnos
tiempo ni siquiera a esconder aunque fuera
10 un manojo; lo único que pudimos hacer,
todos los de mi casa, fue estarnos arrimados
debajo del tejabán, viendo cómo el agua fría
que caía del cielo quemaba aquella cebada
amarilla tan recién cortada.

15 　　Y apenas ayer, cuando mi hermana
Tacha acababa de cumplir doce años, supimos
que la vaca que mi papá le regaló para el día
de su santo se la había llevado el río.

　　El río comenzó a crecer hace tres
20 noches, a eso de la madrugada. Yo estaba
muy dormido y, sin embargo, el estruendo
que traía el río al arrastrarse me hizo despertar
en seguida y pegar el brinco de la cama con
mi cobija en la mano, como si hubiera creído
25 que se estaba derrumbando el techo de mi
casa. Pero después me volví a dormir, porque
reconocí el sonido del río y porque ese sonido
se fue haciendo igual hasta traerme otra vez
el sueño.

30 　　Cuando me levanté, la mañana estaba
llena de nublazones y parecía que había
seguido lloviendo sin parar. Se notaba en que
el ruido del río era más fuerte y se oía más
cerca. Se olía, como se huele una quemazón,
35 el olor a podrido del agua revuelta.

　　A la hora en que me fui a asomar, el río
ya había perdido sus orillas. Iba subiendo
poco a poco por la calle real, y estaba
metiéndose a toda prisa en la casa de esa
40 mujer que le dicen *La Tambora*. El chapaleo
del agua se oía al entrar por el corral y al
salir en grandes chorros por la puerta. *La
Tambora* iba y venía caminando por lo que era

---

de mal en peor *from bad to worse*

comenzaba... tristeza *our sadness was beginning to go away*

le dio coraje *made him mad*

aunque... manojo *even a handful*

estarnos arrimados *take shelter together*

tejabán *roof*

el día de su santo *patron saint's day*

crecer *rise*

estruendo *clamor*

al arrastrarse *as it dragged by*

pegar el brinco *jump, leap*

cobija *blanket*

derrumbando *falling in*

nublazones *big, dark clouds*

quemazón *fire*

el... podrido *the rotten smell*

revuelta *stirred up*

asomar *take a look*

perdido sus orillas *overflowed its banks*

real *main*

a toda prisa *rapidly*

tambora *bass drum*

chapaleo *splashing*

chorros *streams*

45 ya un pedazo de río, echando a la calle sus
gallinas para que se fueran a esconder a
algún lugar donde no les llegara la corriente.

 Y por el otro lado, por donde está el
recodo, el río se debía de haber llevado, quién   recodo *bend*
sabe desde cuándo, el tamarindo que estaba   tamarindo *tamarind tree*
50 en el solar de mi tía Jacinta, porque ahora ya
no se ve ningún tamarindo. Era el único que
había en el pueblo, y por eso nomás la gente   por eso nomás *from that alone*
se da cuenta de que la creciente esta que   la creciente esta *this flood*
vemos es la más grande de todas las que ha
55 bajado el río en muchos años.

 Mi hermana y yo volvimos a ir por la
tarde a mirar aquel amontonadero de agua   amontonadero *enormous pile,*
que cada vez se hace más espesa y oscura y   *hoard*
que pasa ya muy por encima de donde debe   espesa *thick*
60 estar el puente. Allí nos estuvimos horas y   muy... de *high above*
horas sin cansarnos viendo la cosa aquella.
Despúes nos subimos por la barranca, porque   barranca *ravine*
queríamos oír bien lo que decía la gente, pues
abajo, junto al río, hay un gran ruidazal y   ruidazal *roaring*
65 sólo se ven las bocas de muchos que se abren
y se cierran y como que quieren decir algo;
pero no se oye nada. Por eso nos subimos por
la barranca, donde también hay gente
mirando el río y contando los perjuicios que   perjuicios *damage*
70 ha hecho. Allí fue donde supimos que el río
se había llevado a *la Serpentina,* la vaca esa
que era de mi hermana Tacha porque mi papá
se la regaló para el día de su cumpleaños y
que tenía una oreja blanca y otra colorada y
75 muy bonitos ojos.

 No acabo de saber por qué se le   No... saber *I still don't know*
ocurriría a *la Serpentina* pasar el río este,
cuando sabía que no era el mismo río que ella
conocía de a diario. *La Serpentina* nunca fue   de a diario *from everyday life*
80 tan atarantada. Lo más seguro es que ha de   atarantada *silly*
haber venido dormida para dejarse matar así   así... nomás *just like that*
nomás por nomás. A mí muchas veces me   me tocó *it was my lot, I had to*
tocó despertarla cuando le abría la puerta del
corral, porque si no, de su cuenta, allí se   de su cuenta *on her own*
85 hubiera estado el día entero con los ojos
cerrados, bien quieta y suspirando, como se   quieta *still*
oye suspirar a las vacas cuando duermen.   suspirando *sighing*

Y aquí ha de haber sucedido eso de que
se durmió. Tal vez se le ocurrió despertar al
90 sentir que el agua pesada le golpeaba las
costillas. Tal vez entonces se asustó y trató
de regresar; pero al volverse se encontró
entreverada y acalambrada entre aquella agua
negra y dura como tierra corrediza. Tal vez
95 bramó pidiendo que la ayudaran. Bramó como
sólo Dios sabe cómo.

    Yo le pregunté a un señor que vio
cuando la arrastraba el río si no había visto
también al becerrito que andaba con ella.
100 Pero el hombre dijo que no sabía si lo había
visto. Sólo dijo que la vaca manchada pasó
patas arriba muy cerquita de donde él estaba
y que allí dio una voltereta y luego no volvió
a ver ni los cuernos ni las patas ni ninguna
105 señal de vaca. Por el río rodaban muchos
troncos de árboles con todo y raíces y él
estaba muy ocupado en sacar leña, de modo
que no podía fijarse si eran animales o
troncos los que arrastraba.

110   Nomás por eso, no sabemos si el becerro
está vivo, o si se fue detrás de su madre río
abajo. Si así fue, que Dios los ampare a los dos.

    La apuración que tienen en mi casa es
lo que pueda suceder el día de mañana, ahora
115 que mi hermana Tacha se quedó sin nada.
Porque mi papá con muchos trabajos había
conseguido a *la Serpentina,* desde que era una
vaquilla, para dársela a mi hermana, con el
fin de que ella tuviera un capitalito y no se
120 fuera a ir de piruja como lo hicieron mis otras
dos hermanas las más grandes.

    Según mi papá, ellas se habían echado a
perder porque éramos muy pobres en mi casa
y ellas eran muy retobadas. Desde chiquillas
125 ya eran rezongonas. Y tan luego que
crecieron les dio por andar con hombres de lo
peor, que les enseñaron cosas malas. Ellas
aprendieron pronto y entendían muy bien los
chiflidos, cuando las llamaban a altas horas
130 de la noche. Después salían hasta de día. Iban

Y... durmió. *And what must have happened is that she fell asleep.*

costillas *ribs*

se asustó *she got scared*

entreverada y acalambrada *bogged down and with a cramp*

corrediza *moving*

bramó *(she) bellowed*

becerrito *little calf*

manchada *spotted*

patas arriba *legs up*

dio una voltereta *it turned over*

rodaban *rolled*

con... raíces *roots and all*

leña *firewood*

Nomás por eso *Just for that reason*

ampare *protect*

apuración *concern*

vaquilla *heifer*

capitalito *little bit of money*

ir de piruja *go out as a prostitute*

se... perder *they had become bad, were ruined*

retobadas *wild*

rezongonas *sassy*

les dio por andar *they took to going around*

chiflidos *whistles*

altas *late*

cada rato por agua al río y a veces, cuando
uno menos se lo esperaba, allí estaban en el
corral, revolcándose en el suelo, todas | revolcándose *rolling*
encueradas y cada una con un hombre | encueradas *naked*
135 trepado encima. | trepado encima *mounted on top*
  Entonces mi papá las corrió a las dos. | las corrió *chased them away*
Primero les aguantó todo lo que pudo; pero
más tarde ya no pudo aguantarlas más y les | les... calle *he chased them down*
dio carrera para la calle. Ellas se fueron para | *the street*
140 Ayutla o no sé para dónde; pero andan de | andan de *they are*
pirujas.
  Por eso le entra la mortificación a mi
papá, ahora por la Tacha, que no quiere vaya
a resultar como sus otras dos hermanas, al
145 sentir que se quedó muy pobre viendo la falta
de su vaca, viendo que ya no va a tener con | con... crecer *anything to occupy*
qué entretenerse mientras le da por crecer y | *herself with while she grows*
pueda casarse con un hombre bueno, que la | *up*
pueda querer para siempre. Y eso ahora va a
150 estar difícil. Con la vaca era distinto, pues no
hubiera faltado quién se hiciera el ánimo de | se... de *would be willing to*
casarse con ella, sólo por llevarse también
aquella vaca tan bonita.
  La única esperanza que nos queda es
155 que el becerro esté todavía vivo. Ojalá no se
le haya ocurrido pasar el río detrás de su
madre. Porque si así fue, mi hermana Tacha
está tantito así de retirado de hacerse piruja. | tantito... retirado *just this far*
Y mamá no quiere. | *away*
160   Mi mamá no sabe por qué Dios la ha
castigado tanto al darle unas hijas de ese | castigado *punished*
modo, cuando en su familia, desde su
abuela para acá, nunca ha habido gente
mala. Todos fueron criados en el temor de
165 Dios y eran muy obedientes y no le
cometían irreverencias a nadie. Todos fueron
por el estilo. Quién sabe de dónde les | por el estilo *that way*
vendría a ese par de hijas suyas aquel mal
ejemplo. Ella no se acuerda. Le da vuelta a | Le da vuelta a *She turns over*
170 todos sus recuerdos y no ve claro dónde
estuvo su mal o el pecado de nacerle una
hija tras otra con la misma mala costumbre.
No se acuerda. Y cada vez que piensa en

175 ellas, llora y dice: «Que Dios las ampare a
las dos».

Pero mi papá alega que aquello ya no
tiene remedio. La peligrosa es la que queda
aquí, la Tacha, que va como palo de ocote
180 crece y crece y que ya tiene unos comienzos
de senos que prometen ser como los de sus
hermanas: puntiagudos y altos y medio
alborotados para llamar la atención.

—Sí —dice—, llenará los ojos a
cualquiera donde quiera que la vean. Y
185 acabará mal; como que estoy viendo que
acabará mal.

Ésa es la mortificación de mi papá.

Y Tacha llora al sentir que su vaca no
volverá porque se la ha matado el río. Está
190 aquí, a mi lado, con su vestido color de rosa,
mirando el río desde la barranca y sin dejar
de llorar. Por su cara corren chorretes de agua
sucia como si el río se hubiera metido dentro
de ella.

195 Yo la abrazo tratando de consolarla,
pero ella no entiende. Llora con más ganas.
De su boca sale un ruido semejante al que se
arrastra por las orillas del río, que la hace
temblar y sacudirse todita, y, mientras, la
200 creciente sigue subiendo. El sabor a podrido
que viene de allá salpica la cara mojada de
Tacha y los dos pechitos de ella se mueven de
arriba abajo, sin parar, como si de repente
comenzaran a hincharse para empezar a
205 trabajar por su perdición.[2]

El llano en llamas, 1953.

Glosas:

alega *affirms, maintains*

va... crece *keeps right on
growing like a pine tree*

puntiagudos *pointed*
alborotados *stirred up*

acabará *she'll wind up*

chorretes *little streams*
metido *entered*

semejante... arrastra *similar to
the sound which drags*
sacudirse *tremble*
sabor a podrido *rotten taste*
salpica *splashes*
mojada *wet*

hincharse *swell*

Notas culturales

[1] *En las «culturas de la pobreza», como las que existen en México y otros países, una de las posibles reacciones del pueblo es aceptar como inevitable lo que no pueden cambiar. Muchos mexicanos, ante una realidad que les parece poco flexible, adoptan una actitud fatalista. En este cuento, la expresión «Es que...»*

del título sugiere cierto fatalismo: parece decir que «Así es la vida. No hay nada que hacer». En los Estados Unidos, tal vez por tradición cultural y especialmente por las mejores condiciones económicas, no se nota tanto esta actitud. Históricamente siempre se ha creído en el progreso y se ha expresado la creencia en la eficacia del esfuerzo del individuo para superar sus circunstancias económicas y sociales.

[2]*Es notable también en este cuento la relación que existe entre el individuo y las cosas, entre la persona y sus posesiones: el destino de Tacha está tan unido a la vida de su vaca y su becerro que se puede decir que está determinado por ellos. Inclusive los pechitos de Tacha la amenazan, porque inexorablemente la conducirán a la prostitución. Su tragedia, que se vincula a las fuerzas ciegas de la naturaleza, parece inevitable y Tacha no tendrá más remedio que resignarse a su destino.*

Comprensión

1. ¿Cuántos años tiene Tacha?   **2.** ¿Cómo llegó Tacha a recibir la vaca?   **3.** ¿Qué le ha pasado a la vaca?   **4.** ¿Qué olor tiene el agua del río?   **5.** ¿Adónde fueron el narrador y su hermana para mirar el río?   **6.** ¿Por qué no podían entender lo que decía la gente?   **7.** ¿Se sabe lo que le pasó al becerro?   **8.** ¿Qué dice el narrador al pensar en los dos animales muertos?   **9.** ¿Por qué le dio su padre la vaca a Tacha?   **10.** ¿Qué les había pasado a las dos hermanas mayores?   **11.** ¿Cuál fue la actitud del padre ante lo que habían hecho las dos hermanas?   **12.** ¿De qué tiene miedo el padre ahora que se ha perdido la vaca?   **13.** ¿Qué esperanza les queda?   **14.** ¿Entiende la madre por qué le han resultado tan malas las dos hijas?   **15.** ¿Qué dice al pensar en ellas?   **16.** ¿Por qué es peligroso para Tacha su propio cuerpo?   **17.** ¿Cuál es la reacción de Tacha al sentir que su vaca no volverá?   **18.** ¿Cómo describe el narrador las lágrimas de ella?   **19.** ¿Qué tipo de ruido hace Tacha al llorar?   **20.** ¿Por qué menciona Rulfo los pechitos de Tacha al final?

Expansión

I. Análisis literario

1. Con frecuencia, Rulfo, imitando el uso popular, coloca el adjetivo demostrativo después del sustantivo a que se refiere. Dice, por ejemplo, «la creciente esta» en vez de «esta creciente». Busque Ud. dos ejemplos más de ese uso.   **2.** En el primer párrafo, ¿qué importancia tiene la muerte de la tía Jacinta en comparación con otras pérdidas que ocurrieron esa misma semana?   **3.** Describa Ud. el río y el proceso de la inundación.   **4.** Al comentar la pérdida de la vaca y su becerro, dice el narrador: «Si así fue, que Dios los ampare a los dos». ¿Quién repite casi la misma frase?   **5.** El río arrastra los animales. ¿Qué arrastra a las hermanas?   **6.** Al final del cuento, ¿cómo se unen la descripción de Tacha y la de la naturaleza?   **7.** Aunque este cuento trata de una situación regionalista, ¿tiene aspectos o ideas universales? ¿Cuáles son?

II. Composición

Escriba Ud. un párrafo que se relacione con el cuento «Es que somos muy pobres» o con alguna parte del cuento. Use por lo menos cinco de las palabras o expresiones siguientes.

antes	en seguida	poco después
de pronto	luego	primero
después	mientras	tan pronto como
en cuanto		

III. Minidrama

Presenten Ud. y otra(s) persona(s) de la clase un breve drama sobre el tema de la pobreza. Algunos temas posibles son:

1. Varios jóvenes discuten el efecto de la pobreza en sus familias.
2. Tacha y su familia: diez años después de la pérdida de la vaca.
3. Tacha y su familia están discutiendo la pérdida de la vaca cuando llega un tío de Tacha con buenas noticias: ¡el padre de Tacha se ha ganado la lotería nacional!

IV. Opiniones y actitudes

Escriba Ud. un párrafo sobre uno de los temas siguientes o explíqueselo a la clase.

1. Los problemas económicos que enfrentamos hoy día
2. El efecto de la pobreza en nuestras ciudades
3. Cómo se debe reformar la asistencia social *(welfare)*

V. Situación

Preséntele Ud. a la clase el diálogo siguiente: Ud. y un(a) compañero(a) de clase discuten lo que piensan hacer después de graduarse. Algunas preguntas que posiblemente Uds. se pueden hacer: ¿Qué tipo de trabajo vas a buscar? ¿Es difícil encontrar la clase de empleo que vas a buscar? ¿Hay mucha competencia para puestos? ¿Tienes experiencia en ese tipo de trabajo? ¿Cuánto esperas ganar? ¿Cuál es tu meta *(goal)* profesional? ¿Es necesario vivir en cierta región del país si encuentras ese tipo de empleo? ¿Te gustaría vivir allí?

Diego Rivera

Diego Rivera (1887–1957) es uno de los artistas mexicanos más famosos de la época de la Revolución de 1910. La revolución influyó mucho en los artistas de este tiempo y provocó un gran cambio en las artes. Los líderes de la revolución utilizaron el arte pictórico para ponerse en contacto con un pueblo que en su mayoría era analfabeto. De ese modo podían hablar con el pueblo, ofrecerles su ayuda en la lucha, indicarles sus metas y hacerlos conscientes de su valor como ciudadanos de una gran nación. Los temas del arte de esta época son sociales y revolucionarios: la pobreza, las condiciones de trabajo, la reforma agraria y los problemas de la gente común —el obrero, el indio y el campesino.

La expresión más típica de este arte se encuentra en las pinturas murales de los edificios públicos de México, pinturas grandes y, por lo general, realistas. La creación de estas obras ha sido apoyada desde 1922 por el gobierno. En ese año, David Alfaro Siqueiros, otro gran muralista mexicano, dijo que la misión de la pintura social en México era crear obras de gran tamaño y de un realismo absoluto, con nuevas técnicas para atraer la atención del pueblo.

Diego Rivera es tal vez el artista que mejor cumplió con la misión social de los muralistas. En su juventud, el entusiasmo de Rivera por la revolución le inspiró un profundo interés por conocer la historia de su pueblo. Viajó a todas partes, estudiando todos los aspectos de su patria: sus maravillosos monumentos y artefactos precolombinos; su historia; sus mitos, leyendas y tradiciones; su flora y fauna y, sobre todo, su gente. Rivera vio a sus compatriotas con los ojos de un humanista que quería dar expresión tanto al sufrimiento y al dolor de entonces, como a la grandeza del pasado prehispánico. También vivió en Europa, donde pasó unos quince años estudiando la larga tradición del arte europeo. El resultado de su ardua labor se manifestó en las grandes obras que produjo entre 1922 y 1957. Su obra maestra es una serie de pinturas murales en el Palacio Nacional de México, cuyo tema es el conflicto entre el indio y el español. Por primera vez en la historia del arte un artista buscó representar la épica mexicana, y al hacerlo Rivera dejó a la pintura posterior un estilo original, compuesto de lo mexicano y lo moderno, de lo tradicional y lo experimental. No sólo logró comunicar el mensaje de la revolución, sino que estableció la importancia del muralismo mexicano en la historia del arte.

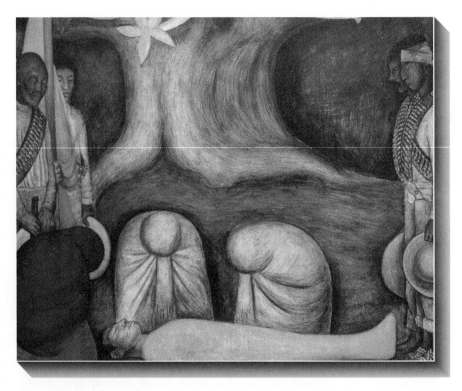

*Escuela Nacional de Agricultura en Chapingo, México.
Photo courtesy of OAS.*

Florecimiento de la Revolución

Entre 1926 y 1927 pintó Rivera más de cuarenta pinturas murales en la capilla de la Escuela Nacional de Agricultura en Chapingo. Todas representan, en forma simbólica, el concepto del mundo del artista e incluyen un comentario sobre la revolución social.

En esta pintura se ve que la muerte del joven revolucionario hace florecer el árbol que está en el fondo. Es decir, el sacrificio del joven libera la tierra de sus opresores. ¿Qué piensa Ud. de tales sacrificios? ¿Se puede justificarlos a veces? ¿Cuándo?

Escuela Nacional de Agricultura en Chapingo, México. Photo courtesy of OAS.

El triunfo de la Revolución

Los peones que siguieron a Emiliano Zapata durante la Revolución mexicana se rebelaron a favor de «pan y tierra». Después de la Revolución empezaron a distribuir la tierra y las cosechas, como se puede ver en esta pintura de Rivera.

¿Cómo se visten los campesinos? ¿Se visten igual los hombres que están más cerca de la mesa? Descríbalos.

Diego Rivera, Open Air School, *1932. Lithograph, printed in black. Comp: 12½″ × 16⅜″. Collection, The Museum of Modern Art, New York. Gift of Abby Aldrich Rockefeller.*

Escuela al aire libre

Una de las metas de la Revolución era combatir la pobreza y el analfabetismo mediante la educación. Los primeros ejemplos del arte mural y algunas de las mejores obras posteriores se hallan en instituciones educativas. Ya que la mayoría de la población de México no vivía en las ciudades, se reconocía la necesidad de llevar la educación al campo. En este cuadro vemos a una de las maestras rurales que enseñaban a los campesinos allí donde se encontraban: al aire libre, en el campo.

¿Quiénes son los alumnos de la escuela? ¿Cuántas generaciones se pueden observar en este cuadro?

Para comentar

1. Según lo que hemos visto en las pinturas de Rivera, ¿cuáles son algunos de los problemas que existen en el campo mexicano? ¿Qué soluciones ofrece el pintor?

2. ¿Cómo se puede comparar el tema de «Es que somos muy pobres» con la temática de una de las pinturas de Rivera?

3. La esposa de Rivera, Frida Kahlo, también era artista muy importante que se interesaba mucho por el concepto de la mexicanidad. Su obra también refleja los dolores físicos que sufrió en la vida, así como su actitud hacia la muerte. Busque Ud. informes sobre ella en Internet y prepare un informe para presentar en la clase.

4. En México, la sociedad influye muchísimo en el arte y la literatura. Comente esta observación, refiriéndose a las obras que ha estudiado.

5. Escriba Ud. un ensayo breve sobre uno de los temas siguientes.

   a. Una película que critica algún aspecto —racial, social, político, económico— de nuestra sociedad.

   b. La responsabilidad social del artista o del escritor. (¿Basta el arte por el arte o debe tener el artista o el escritor una misión social?)

   c. Lo que se debe hacer para mejorar las condiciones económicas en nuestro país.

UNIDAD 8

Los movimientos revolucionarios del siglo XX

La manifestación política es un arma que el pueblo emplea a veces para protestar contra la injusticia. Describa Ud. la manifestación que se ve aquí. ¿Ha habido manifestaciones políticas en los Estados Unidos? ¿Cuándo? ¿Por qué?

Enfoque

La pobreza, la injusticia y la desesperanza son condiciones que pueden producir conflictos y rebelión. Las grandes revoluciones hispanoamericanas del siglo XX —la mexicana en 1910, la boliviana en 1952 y la cubana en 1959— tuvieron una base popular, compuesta de gente que creía que el gobierno no representaba sus intereses. En la revolución mexicana de 1910, por ejemplo, Pancho Villa y Emiliano Zapata fueron apoyados por peones que buscaban escapar de la pobreza en que vivían. En nuestros días los líderes todavía necesitan el apoyo de la gente de las clases obreras si quieren producir verdaderos cambios revolucionarios.

Los medios de comunicación han llevado a la atención de las clases bajas la existencia de una enorme diferencia entre su nivel de vida y el de las clases media y alta. Han aumentado las expectativas tanto del obrero como del campesino. Puesto que pocos gobiernos han podido satisfacer estas expectativas, la posibilidad de una reacción violenta ha aumentado todavía más. Esta situación tiene su aspecto irónico, ya que los gobiernos han entendido bien la importancia de los medios de comunicación y los han utilizado para conseguir el apoyo o, por lo menos, la aceptación del pueblo.

La literatura ha ayudado a atacar las malas condiciones sociales y económicas y a describir la violencia que puede resultar de situaciones intolerables. El cuento que se incluye aquí, «Un día de estos», del escritor colombiano Gabriel García Márquez, ejemplifica las posibilidades literarias del tema de la violencia. A continuación, en la obra de los grandes pintores Orozco y Siqueiros, se verá cómo se desarrolla el mismo tema en la pintura mural de México.

Vocabulario útil

Estudie Ud. estas palabras.

Verbos
afeitar   *to shave*
pedalear   *to pedal*
pulir   *to polish*
sacar   *to take out*
servirse de (i)   *to use*

Sustantivos
el alcalde   *mayor*
la barba   *beard*
el brazo   *arm*

el diente   *tooth*
la escupidera   *spittoon*
la fresa   *drill*
el gabinete   *office*
la gaveta   *drawer*
la lágrima   *tear*
la mandíbula   *jaw*
la muela   *molar*
el olor   *odor*
la silla   *chair*
el sillón   *chair, armchair*

Adjetivos

anterior   *previous*

Otras palabras y expresiones

pegar un tiro   *to shoot*

la sala de espera   *waiting room*

Anticipación

I. Complete Ud. con la forma apropiada de una palabra del **Vocabulario útil.**

EMILIO   ¿Cómo fue tu visita al dentista?

CLARA   Bueno, llegué un poco antes de las ocho y tuve que esperar en la
_____. Me dijo la recepcionista que el
_____ había llegado inesperadamente. Tenía la
_____ toda hinchada *(swollen)* porque tenía una
_____ dañada *(infected)*.

EMILIO   ¿Lo viste entonces?

CLARA   En ese momento, no, pero la señorita me dijo que el dentista no
quería recibirlo, pero el alcalde le dijo que si no lo recibía, le iba
a _____.

EMILIO   ¡Qué barbaridad!

CLARA   Tú sabes cómos es. Además, todo el mundo sabe que el dentista
y él son enemigos políticos.

EMILIO   Sí. Me han dicho que el dentista le tiene miedo y por eso tiene
un revólver en la _____ de una mesa en su
_____. Ha dicho el dentista que _____ del
revólver si fuera necesario.

CLARA   Es verdad. Pero en esa ocasión no pasó nada. Después de un
rato salió el alcalde. Era obvio que no se había _____
por varios días, porque tenía la _____ muy larga. El
dentista le había _____ la muela y el pobre tenía
_____ en los ojos. No dijimos nada y él salió en
seguida. Creo que tenía vergüenza *(he was ashamed)*.

II. Para aprender a leer más rápido, es importante tratar de adivinar *(guess)* lo
que significa una palabra desconocida, según el contexto en que aparece.
Pensando en el contexto, trate de adivinar el significado de las palabras subrayadas.

1. Don Aurelio nunca estudió en la universidad y por eso era dentista sin
<u>título.</u>
   a. *title*   **b.** *document*   **c.** *degree*
2. Parecía no pensar en lo que hacía, pero trabajaba con obstinación, pedaleando en la fresa <u>incluso</u> cuando no se servía de ella.
   a. *even*   **b.** *including*   **c.** *inclusive*

3. El dentista abrió por completo la gaveta <u>inferior</u> de la mesa. Allí estaba el revólver.
    a. *inferior*   **b.** *lower*   **c.** *middle*

4. Movió el sillón hasta quedar <u>de frente a</u> la puerta, esperando a su enemigo.
    a. *back to*   **b.** *facing*   **c.** *with his front to*

5. El dentista le movió la mandíbula con una cautelosa <u>presión</u> de los dedos.
    a. *apprehension*   **b.** *pension*   **c.** *pressure*

6. El alcalde vio la muela <u>a través de</u> las lágrimas.
    a. *crossing*   **b.** *through*   **c.** *traversing*

7. El buscó su dinero en el <u>bolsillo</u> del pantalón.
    a. *pocket*   **b.** *purse*   **c.** *bag*

III. Complete las siguientes frases para indicar cómo reacciona Ud. cuando tiene que visitar al dentista.

1. Si tengo que esperar mucho tiempo en la sala de espera....
2. Cuando se acerca el dentista con la fresa en la mano....
3. A veces el dentista quiere charlar, pero es difícil contestar porque...
4. Para distraerme *(distract myself)*, trato de pensar en...
5. Al salir del gabinete siempre me siento...

Un día de estos

Gabriel García Márquez nació en 1928 en Aracataca, un pueblo pequeño en la costa del Caribe, en Colombia. Allí vivió unos ocho años, en la casa de sus abuelos, mientras sus padres vivían en otra parte. Muchos años más tarde, el autor había de recordar esos años como la época más importante de su vida. Su abuelo le contaba historias de la Guerra de los Mil Días (1899–1902) y del legendario General Uribe Uribe, historias que el escritor utilizaría después en su famosísima novela *Cien años de soledad,* donde el General se transformaría en la figura del Coronel Aureliano Buendía. Su abuela le contaba muchas cosas sobrenaturales, pero siempre lo hacía en un tono ordinario, como si lo irreal fuera natural. Así de ella aprendió el niño una técnica para narrar cosas que ya de adulto caracterizaría varias de sus obras literarias. La cultura de Aracataca refleja la de la costa: en parte es africana y en parte es hispánica, una mezcla que hace que sea única y exótica. Allí lo real parece ser fantástico y lo fantástico se acepta a veces como real, de modo que muchas de las percepciones de García Márquez en sus novelas se basan en una realidad vívida, ya que son parte de la cultura que lo rodeaba de niño.

Después de la muerte de su abuelo, sus padres mandaron al joven a Barranquilla y después a Zipaquirá, un pueblo cerca de Bogotá, para su educación secundaria. Después estudió leyes, primero en Bogotá y después en Cartagena. Pero en esos años empezó a escribir cuentos y a leer vorazmente, especialmente obras de Kafka y Faulkner. También se hizo periodista, escribiendo primero para *El Universal* de Cartagena y, después, para *El Heraldo* de Barranquilla y *El Espectador* de Bogotá. En 1955 el gobierno hizo que se cerrara *El Espectador.* García Márquez se encontraba en Europa, donde era corresponsal del periódico. Sin fondos ni empleo, se quedó tres años en Europa, escribiendo dos novelas en París y haciendo varios viajes. En 1958 volvió a Colombia y se casó. Después de la revolución cubana en 1959, trabajó para la *Prensa Latina* de Cuba en Bogotá, La Habana y Nueva York.

Durante esos años, García Márquez publicó tres novelas *(La hojarasca, La mala hora* y *El coronel no tiene quien le escriba)* y los cuentos que se incluyen en la colección *Los funerales de la Mamá Grande.*

En 1961 se estableció en México, donde en los años siguientes escribió guiones para cine con el famoso escritor mexicano Carlos Fuentes. En enero de 1965 cuando salía para Acapulco con su familia de vacaciones, se le ocurrió cómo contar *Cien años de soledad.* Volvió a México y durante dos años se dedicó completamente a la creación de esa novela.

La publicación de *Cien años de soledad* en 1967 constituyó un fenómeno extraordinario. En seguida la novela se hizo popular, tanto entre los críticos como entre los lectores generales. Ya han aparecido casi cincuenta ediciones en español y se ha traducido la novela a casi todos los idiomas del mundo. García Márquez recibió el Premio Nobel en literatura (1982), pero no le ha gustado mucho el renombre, ya que esencialmente es un hombre modesto y tímido. Es una novela que tiene muchos niveles de interpretación: se puede estudiar como síntesis de la cultura occidental, como resumen de la historia hispanoamericana o como novela regional. Casi todos los críticos han indicado que es la novela más importante que ha aparecido en Hispanoamérica.

En años recientes, García Márquez ha publicado otras novelas (*El otoño del patriarca, Crónica de una muerte anunciada, El amor en los tiempos del cólera, El general en su laberinto* y *Del amor y otros demonios*), dos volúmenes de cuentos (*La increíble y triste historia de la cándida Eréndira y de su abuela desalmada,* y *Doce cuentos peregrinos*) y varios libros de reportaje y de ensayos.

El cuento que se incluye aquí, «Un día de estos», fue publicado en 1962, en *Los funerales de la Mamá Grande.* La acción tiene lugar en Macondo, pueblo imaginario que también es el pueblo de *Cien años de soledad.* Es un cuento que refleja tanto el humor sardónico del autor, como su preocupación por la violencia que, desgraciadamente, ha caracterizado varias épocas de la historia colombiana.

1 El lunes amaneció tibio y sin lluvia. Don
Aurelio Escovar, dentista sin título y buen
madrugador, abrió su gabinete a las seis. Sacó
de la vidriera una dentadura postiza montada
5 aún en el molde de yeso y puso sobre la mesa
un puñado de instrumentos que ordenó de
mayor a menor, como en una exposición.
Llevaba una camisa a rayas, sin cuello,
cerrada arriba con un botón dorado, y los
10 pantalones sostenidos con cargadores
elásticos. Era rígido, enjuto, con una mirada
que raras veces correspondía a la situación,
como la mirada de los sordos.
        Cuando tuvo las cosas dispuestas sobre
15 la mesa rodó la fresa hacia el sillón de resortes
y se sentó a pulir la dentadura postiza.
Parecía no pensar en lo que hacía, pero
trabajaba con obstinación, pedaleando en la
fresa incluso cuando no se servía de ella.
20   Después de las ocho hizo una pausa para
mirar el cielo por la ventana y vio dos

tibio *warm*

madrugador *early riser*
vidriera *glass case*
dentadura postiza *set of false
    teeth*
yeso *plaster*
puñado *handful*
exposición *display*
a rayas *striped*
dorado *golden*
sostenidos... elásticos *held up
    by suspenders*
enjuto *skinny*
sordos *deaf people*
dispuestas *arranged*
rodó *pushed, moved*
sillón de resortes *(fig.) dental
    chair*

gallinazos pensativos que se secaban al sol en
el caballete de la casa vecina. Siguió trabajando
con la idea de que antes del almuerzo volvería
25 a llover. La voz destemplada de su hijo de once
años lo sacó de su abstracción.

—Papá.

—Qué.

—Dice el alcalde que si le sacas una
30 muela.

—Dile que no estoy aquí.

Estaba puliendo un diente de oro. Lo
retiró a la distancia del brazo y lo examinó
con los ojos a medio cerrar. En la salita de
35 espera volvió a gritar su hijo.

—Dice que sí estás porque te está
oyendo.

El dentista siguió examinando el diente.
Sólo cuando lo puso en la mesa con los
40 trabajos terminados, dijo:

—Mejor.

Volvió a operar la fresa. De una cajita
de cartón donde guardaba las cosas por hacer,
sacó un puente de varias piezas y empezó a
45 pulir el oro.

—Papá.

—Qué.

Aún no había cambiado de expresión.

—Dice que si no le sacas la muela te
50 pega un tiro.

Sin apresurarse, con un movimiento
extremadamente tranquilo, dejó de pedalear
en la fresa, la retiró del sillón y abrió por
completo la gaveta inferior de la mesa. Allí
55 estaba el revólver.

—Bueno —dijo—. Dile que venga a
pegármelo.

Hizo girar el sillón hasta quedar de
frente a la puerta, la mano apoyada en el
60 borde de la gaveta. El alcalde apareció en el
umbral. Se había afeitado la mejilla izquierda,
pero en la otra, hinchada y dolorida, tenía
una barba de cinco días. El dentista vio en
sus ojos marchitos muchas noches de

gallinazos *buzzards*
se secaban *were drying them-
selves*
caballete *ridge of a roof*
destemplada *shrill*

a medio cerrar *half closed*

cajita de cartón *small cardboard
box*

Sin apresurarse *Without hurry-
ing*

Hizo girar *He rolled*

borde *edge*

hinchada y dolorida *swollen
and painful*

65　desesperación. Cerró la gaveta con la punta
　　de los dedos y dijo suavemente:
　　　　—Siéntese.
　　　　—Buenos días —dijo el alcalde.
　　　　—Buenos —dijo el dentista.
70　　　　Mientras hervían los instrumentos, el
　　alcalde apoyó el cráneo en el cabezal de la silla
　　y se sintió mejor. Respiraba un olor glacial. Era
　　un gabinete pobre: una vieja silla de madera,
　　la fresa de pedal, y una vidriera con pomos de
75　loza. Frente a la silla, una ventana con un
　　cancel de tela hasta la altura de un hombre.
　　Cuando sintió que el dentista se acercaba, el
　　alcalde afirmó los talones y abrió la boca.
　　　　Don Aurelio Escovar le movió la cara
80　hacia la luz. Después de observar la muela
　　dañada, ajustó la mandíbula con una
　　cautelosa presión de los dedos.
　　　　—Tiene que ser sin anestesia —dijo.
　　　　—¿Por qué?
85　　　　—Porque tiene un absceso.
　　El alcalde lo miró en los ojos.
　　　　—Está bien —dijo, y trató de sonreír. El
　　dentista no le correspondió. Llevó a la mesa
　　de trabajo la cacerola con los instrumentos
90　hervidos y los sacó del agua con unas pinzas
　　frías, todavía sin apresurarse. Después rodó la
　　escupidera con la punta del zapato y fue a
　　lavarse las manos en el aguamanil. Hizo todo
　　sin mirar al alcalde. Pero el alcalde no lo
95　perdió de vista.
　　　　Era una cordal inferior. El dentista abrió
　　las piernas y apretó la muela con el gatillo
　　caliente. El alcalde se aferró en las barras de
　　la silla, descargó toda su fuerza en los pies y
100　sintió un vacío helado en los riñones, pero no
　　soltó un suspiro. El dentista sólo movió la
　　muñeca. Sin rencor, más bien con una amarga
　　ternura, dijo:
　　　　—Aquí nos paga veinte muertos,
105　teniente.
　　　　El alcalde sintió un crujido de huesos en
　　la mandíbula y sus ojos se llenaron de

hervían were boiling
cráneo skull
cabezal headrest

pomos de loza ceramic bottles

cancel de tela cloth curtain

afirmó los talones dug in his heels

dañada infected
presión pressure

no le correspondió did not answer him in kind
cacerola basin
pinzas forceps, tweezers
punta tip
aguamanil washbasin
no... vista didn't take his eyes off him

cordal wisdom tooth
apretó grasped
gatillo forceps
se aferró... barras clasped the arms
descargó... pies pushed down on his feet with all his strength
vacío helado icy void
riñones kidneys
no... suspiro didn't even emit a sigh
amarga ternura bitter tenderness
crujido de huesos crunch of bones

lágrimas. Pero no suspiró hasta que no sintió
salir la muela. Entonces la vio a través de las
110 lágrimas. Le pareció tan extraña a su dolor,   extraña *alien, foreign*
que no pudo entender la tortura de sus cinco
noches anteriores. Inclinado sobre la
escupidera, sudoroso, jadeante, se desabotonó   sudoroso, jadeante *sweating,*
la guerrera y buscó a tientas el pañuelo en el   *panting*
115 bolsillo del pantalón. El dentista le dio un   guerrera *tunic*
trapo limpio.   buscó... pañuelo *felt for his*
      —Séquese las lágrimas —dijo.   *handkerchief*
      El alcalde lo hizo. Estaba temblando.   trapo *rag*
Mientras el dentista se lavaba las manos, vio
120 el cielorraso desfondado y una telaraña   cielorraso *ceiling*
polvorienta con huevos de araña e insectos   desfondado *crumbling*
muertos. El dentista regresó secándose las   telaraña... araña *dusty cobweb*
manos. —Acuéstese —dijo— y haga buches   *with spider's eggs*
de agua de sal—. El alcalde se puso de pie, se   haga... sal *gargle with salt water*
125 despidió con un displicente saludo militar, y   displicente *peevish*
se dirigió a la puerta estirando las piernas,
sin abotonarse la guerrera.
      —Me pasa la cuenta —dijo.   Me... cuenta *Send me the bill*
      —¿A usted o al municipio?
130 El alcalde no lo miró. Cerró la puerta, y
dijo, a través de la red metálica.   red metálica *screen*
      —Es la misma vaina.   vaina *thing*

Nota cultural

«Un día de estos» se publicó en 1962 en la colección de cuentos Los funerales de la Mamá Grande.
El ambiente del cuento refleja las guerras fratricidas que caracterizaron las luchas entre liberales y con-
servadores en Colombia entre 1948 y 1958. «La Violencia», como dicen los colombianos al referirse a
esas guerras, tuvo un efecto profundo en todo el país, aun en los pueblos más pequeños, como vemos en
este cuento de García Márquez.

Comprensión

1. ¿A qué hora abrió don Aurelio su gabinete?   **2.** ¿Qué hizo después de arreglar sus instrumentos?   **3.** ¿Qué anuncia el hijo de don Aurelio?   **4.** ¿Cómo
reacciona el dentista al saber que el alcalde ha llegado?   **5.** ¿De qué sufre el

alcalde? **6.** ¿Cómo amenaza *(threatens)* el alcalde al dentista? **7.** ¿Qué busca el dentista antes de dejar entrar al alcalde? **8.** Después de sentarse, el alcalde se siente mejor. Pero ¿cómo reacciona al sentir que se acerca el dentista? **9.** Según el dentista, ¿por qué tiene que sacar la muela sin anestesia? **10.** ¿Qué hace el alcalde mientras el dentista hace los preparativos para sacarle la muela? **11.** ¿Qué dice el dentista justo antes de sacarla? **12.** ¿Cómo reacciona el dentista al ver las lágrimas del otro? **13.** El alcalde trata de esconder la debilidad *(weakness)* que ha mostrado durante la operación. ¿Cómo lo hace? **14.** ¿Cómo sabemos que el alcalde tiene un control absoluto sobre el pueblo?

Expansión

I. Análisis literario

1. El lector puede identificarse fácilmente con las reacciones del alcalde durante su visita al dentista. Mencione Ud. algunas de las reacciones con las cuales Ud. se identifica. **2.** A otro nivel, el cuento puede interpretarse como una lucha política. Indique cómo entra la política en el cuento. **3.** Ud. ya sabe que el machismo es muy importante como fenómeno sociosicológico en el mundo hispánico. ¿Cómo utiliza García Márquez ese concepto en su cuento? **4.** ¿Con cuál de los dos hombres se identifica más el autor? Explique su respuesta. **5.** «Un día de estos» es un cuento en el cual se dice menos de lo que realmente pasa. Es decir, hay cosas que están pasando que no se expresan explícitamente en el texto. Comente Ud. sobre esa observación.

II. Descripción

Escriba dos párrafos sobre cómo reacciona Ud. cuando tiene que visitar al dentista. En el primer párrafo, describa cómo se siente, en qué piensa y lo que hace mientras espera el turno en la sala de espera. En el segundo, describa cómo se siente, en qué piensa y lo que hace mientras el dentista le arregla un diente. También puede indicar cómo reacciona Ud. al salir del gabinete. Aquí tiene Ud. algunas palabras que le pueden ser útiles para su descripción.

agarrar *to grasp*	hacerle daño a uno *to hurt someone*
ahogarse *to choke*	
alivio *relief*	incómodo, -a *uncomfortable*
ayudante *m or f* *assistant*	lengua *tongue*
doler (ue) *to hurt, ache*	nervioso, -a *nervous*
(a tooth, for example)	recepcionista *m or f* *receptionist*
empastar *to fill (a tooth)*	revista *magazine*
empaste *m* *filling*	saliva *saliva*
encía *gum (of the mouth)*	tragar *to swallow*

III. Minidrama

Presenten Ud. y otra(s) persona(s) de la clase un breve drama sobre el tema de una visita al (a la) dentista. Algunos temas posibles son:

1. Mientras el (la) dentista le empasta un diente a una persona, le hace preguntas filosóficas o políticas que no tienen contestación simple. La pobre persona trata de responder.
2. Una persona visita a un(a) dentista por primera vez. El (La) dentista parece ser muy competente y la persona se siente tranquila mientras el (la) dentista le da la anestesia. Pero mientras el (la) dentista le arregla el diente, la persona lo (la) reconoce. Es...
3. Tres personas están sentadas en la sala de espera de un(a) dentista. Empiezan a conversar. Una de las personas es estoica: no siente ningún dolor mientras el (la) dentista le arregla los dientes. Otra, que fue recepcionista de un dentista, menciona cosas terribles que vio en esa época de su vida. La tercera tiene mucho miedo cuando tiene que ir al dentista. En cierto momento, oyen gritar a la persona que está en el gabinete con el (la) dentista.

IV. Opiniones y actitudes

Escriba Ud. un párrafo sobre uno de los temas siguientes o explíqueselo a la clase.

1. Cómo influyen los medios de comunicación en la política
2. Aspectos positivos (negativos) del derecho de la libertad de la palabra en nuestro país
3. La violencia en nuestro país: ¿Es un rasgo de nuestra cultura? ¿Qué causas tiene? ¿Qué podemos hacer para disminuirla (reduce it)?

V. Situación

Con un(a) compañero(a) de clase, presenten Uds. a la clase un diálogo en el cual discuten la cuestión de la libertad de la prensa. Uno de Uds. cree que hay muchos abusos de esa libertad y cita el ejemplo de reportajes (reports) extensos sobre la historia sexual de los políticos, cosa que parece surgir (emerge) en casi todas las campañas políticas hoy día y que refleja nuestra tradición puritana. Él (Ella) cree que se presta demasiada atención a eso, ya que el país enfrenta problemas mucho más graves y la prensa debe interesarse más por esos problemas. El otro, al contrario, cree que es justo hacer caso de ese aspecto de la vida de un político. Para él (ella) no es cuestión de actitudes puritanas. Se debe explorar todo aspecto de la personalidad y del carácter de un candidato, ya que eso puede indicar si se puede tener confianza en la persona. Una persona que es inmoral en su vida personal también puede ser capaz de ser inmoral como político.

José Clemente Orozco y David Alfaro Siqueiros

Las cualidades que se asocian con la obra de **José Clemente Orozco** (1883–1949), uno de los tres grandes pintores del muralismo mexicano, son la austeridad, la soledad y la sobriedad. Presenta un mundo sombrío de drama y de luto, un mundo cruel y caótico. Orozco nació en Jalisco (como Juan Rulfo, autor cuya obra ya se ha visto), uno de los estados más pobres de México. Pasó sus años formativos en la ciudad de México. Durante los agitados años de la revolución Orozco creó una serie de caricaturas en las que criticaba varios aspectos de la revolución que él había observado personalmente cuando luchó en ella con las fuerzas de Carranza. En las décadas siguientes, Orozco se dedicó al muralismo, creando extraordinarias pinturas murales, tanto en los Estados Unidos como en su país.

Hay ciertos temas que se repiten con frecuencia en la obra de Orozco: la desigualdad, la corrupción y la crueldad; la venalidad y la falsedad de muchos líderes del pueblo; la sumisión nada heroica de las masas que sufren o mueren por ideales que no comprenden y la ingratitud de la humanidad para su mesías, sea Cristo o Quetzalcóatl. Sin embargo, su visión no es totalmente pesimista. Así, por ejemplo, el Prometeo de su pintura *Hombre en llamas* sugiere que algún día ha de nacer un hombre nuevo y puro que tal vez justifique la humanidad. Así es que se puede afirmar que Orozco añade al humanismo del muralismo mexicano un aspecto místico que da a su obra una cualidad única.

De los tres grandes pintores del muralismo mexicano, sólo **David Alfaro Siqueiros** (1896–1974) dedicó gran parte de su vida a las luchas políticas y económicas. Participó personalmente en los movimientos sindicales y luchó en favor de las fuerzas revolucionarias, en México y en España. Siendo estudiante de arte fue encarcelado por su participación en una huelga estudiantil violenta en 1910. En los años siguientes el pintor sufrió períodos de encarcelamiento o de destierro (voluntario o forzado) por su participación en actividades políticas controversiales. Se le ha criticado este aspecto de su vida, ya que no hay duda de que la cantidad, si no la calidad, de su producción artística sufrió como resultado. Pero los mismos móviles de las actividades políticas de Siqueiros —su energía, su dinamismo, su entusiasmo y su agresividad— también resultaron en las grandes innovaciones técnicas con que él contribuyó a la pintura mural. Éstas incluyen la proyección de las figuras hacia adelante, contornos que parecen querer salir de la pared; el énfasis en la acción, en el movimiento; el uso simultáneo de diferentes texturas; el uso de equipos de pintores que emplean aparatos y materiales modernos para trabajar; y el uso de colores y formas con vida propia. La temática de Siqueiros es siempre social: el sufrimiento de la clase obrera; el conflicto entre el socialismo y el capitalismo; el conflicto armado provocado por la desesperación del pueblo ante la corrupción y la decadencia de la sociedad burguesa. Para Siqueiros su arte era como un arma que podría utilizarse en favor del progreso de su pueblo y como un grito capaz de hacer rebelar a los que siempre habían sufrido la injusticia y la miseria.

Palacio Nacional de México.

La trinchera (1923–1924)

En esta pintura, que es de la serie que pintó Orozco para la Escuela Preparatoria, el artista retrata la muerte de manera directa, sencilla y austera. Describa Ud. la pintura, indicando el tema y el uso de las formas geométricas que se encuentran en ella.

La cúpula en el Hospicio Cabañas de Guadalajara.

Hombre en llamas (1938–1939)

Aunque el mundo que retrató Orozco en el Hospicio Cabañas de Guadalajara es aparentemente negativo —un mundo en el que triunfan la injusticia, la traición y la corrupción—, en la cúpula del Hospicio representó el pintor una visión puramente espiritual, tremendista, de la creación en las llamas de un hombre nuevo y purificado que tal vez había de justificar la humanidad. El tema se vincula al concepto azteca del hombre que debe ser sacrificado para que siga brillando el sol sobre la humanidad. ¿Cómo describiría Ud. el movimiento de la pintura? ¿Qué relación hay entre la pintura y el edificio?

David Alfaro Siqueiros, The Sob, *1939. Duco on composition board, 48 ½" × 24¾". Collection, The Museum of Modern Art, New York. Given anonymously.*

El sollozo

La angustia y el sufrimiento son temas que aparecen con frecuencia en las obras de Siqueiros. Aquí, el pintor logra captar la esencia de esos sentimientos. En la pintura, ¿qué parte del cuerpo se nota más? ¿Qué otro pintor sabía sugerir la tercera dimensión en sus pinturas?

Para comentar

1. ¿Existe alguna relación entre el tema de una de las pinturas de Orozco y el cuento de García Márquez? ¿Cuál es?

2. Busque Ud. en Internet o en la biblioteca otros ejemplos de las obras de Orozco o de Siqueiros y describa a la clase lo que significan.

3. ¿Conoce Ud. la obra de otro artista que haya contribuido a la innovación técnica como lo hizo Siqueiros? ¿Quién es? ¿Cuál es una de sus innovaciones?

4. ¿Hay algunas pinturas murales en la ciudad donde vive Ud.? ¿Dónde se encuentran? ¿Cómo son?

5. Comente Ud. el uso de temas mitológicos en las diversas pinturas que ha estudiado.

6. Escriba Ud. un ensayo breve sobre uno de los temas siguientes.

   a. El gobierno nacional y las artes (¿Debe el gobierno apoyar las artes? Si las apoya, ¿debe tener el derecho de controlarlas?)

   b. La misión de las artes en la ciudad moderna

   c. El muralismo de Thomas H. Benton (Busque Ud. ejemplos de su muralismo en la biblioteca o en Internet. Describa sus pinturas y su contribución al arte norteamericano.)

UNIDAD 9

La educación en el mundo hispánico

Aquí se ve una clase de un colegio en Buenos Aires. Describa Ud. a los estudiantes. ¿Qué estudiarán?

Enfoque

Aunque hay muchas variaciones en los sistemas de enseñanza en los países hispanoamericanos, se puede dar una idea general de su organización.

Los estudiantes asisten a la escuela primaria desde los seis años hasta los doce. Esta enseñanza es gratuita y obligatoria, y al terminarla se recibe un certificado de sexto grado. Las materias generalmente son: idiomas, matemáticas elementales, estudios sociales, ciencias naturales, ciudadanía, higiene y estética (arte y música). Con frecuencia, también hay cursos de desarrollo moral y social, pero no se incluyen materias como la gimnasia y la práctica de la música o del arte en el programa de estudios. Es necesario aprobar todas las materias para pasar de un año a otro.

La próxima etapa es la de los colegios o liceos. La enseñanza secundaria generalmente se divide en dos ciclos que suman cinco o seis años en total. El primer ciclo termina en el bachillerato elemental o general y el segundo en el bachillerato. Sólo los estudiantes que piensan entrar en la universidad siguen el segundo ciclo, que representa una preparación más especializada para una carrera profesional.

Las universidades se dividen en «facultades» que equivalen más o menos a las «escuelas» profesionales de las universidades norteamericanas, con la diferencia de que se hacen responsables de la enseñanza total del estudiante. Así hay profesores de inglés o castellano en la Facultad de Medicina y otros en la Facultad de Ingeniería. Las universidades principales se sitúan en las capitales de los varios países y como el resto del sistema escolar, se organizan al nivel nacional. A veces las facultades se encuentran en varias partes de la ciudad en vez de tener un centro geográfico donde se encuentran todas las facultades. Pero algunas universidades —la Universidad Nacional Autónoma de México es un caso notable— sí tienen tal centro y en ese sentido se parecen a los «campuses» de las universidades norteamericanas.

En esta unidad se presenta el testimonio de Domitila Barrios de Chungara, cuyas experiencias en la escuela primaria en Bolivia nos permiten entender las dificultades que tienen que enfrentar los niños pobres que quieren asistir a la escuela primaria. En la sección sobre arte se presenta un ensayo sobre la Ciudad Universitaria, sitio de la Universidad Nacional Autónoma de México (UNAM), una de las universidades más espléndidas del mundo. La originalidad y belleza de su arquitectura y el valor artístico de sus numerosos murales son una afirmación de los valores nacionales y una inspiración para los jóvenes que allí se educan.

Vocabulario útil

Estudie Ud. estas palabras.

Verbos

agarrar   *to grasp*
arreglarse   *to take care of oneself*
atender(ie)   *to take care of, to tend to*
cargar   *to carry*
castigar   *to punish*
cocinar   *to cook*
criar   *to raise*
distraer   *to distract*
encender (ie)   *to light*
lavar   *to wash*
pegar   *to hit*
planchar   *to iron*

Sustantivos

el alimento   *food*
la barriga   *belly*

el gerente   *manager*
la pieza   *room*
el rincón   *corner*
el (la) soltero(a)   *single man (woman)*
el trato   *deal, pact*
la vivienda   *house, dwelling*

Adjetivos

deprimido, -a   *depressed*
descalzo, -a   *barefoot*

Otras palabras y expresiones

de (banco) en (banco)   *from (bench) to (bench)*
echar llave a   *to lock*

Anticipación

I. Los siguientes diminutivos aparecen en el trozo de «Si me permiten hablar... » Aunque con frecuencia el diminutivo indica el tamaño o la cantidad de una cosa, también puede expresar cariño, humor, lástima, ironía, etc. ¿Cómo se puede traducir los diminutivos siguientes?

cajoncito	hermanito, -a	pobrecito, -a
corredorcito	otrito, -a	poquito, -a
chiquito, -a	pequeñito, -a	

II. Complete Ud. el siguiente párrafo con la forma apropiada de las palabras o expresiones del **Vocabulario útil** o con la forma correcta de un diminutivo.

Enrique es _____ y nunca se casó. Por eso, dice, él tuvo que
_____ solo y él mismo _____ los alimentos y
_____ y _____ la ropa. Su casa no es grande; al contrario,
es _____ . Sus padres se murieron y vive con Fernando, su
_____ que sólo tiene cinco años. Enrique lo cuida bien y casi nunca lo

_____ . Ya que no tienen dinero, a veces los dos han tenido que ir
_____ casa _____ casa mendigando (begging). Debido a su
pobreza, ninguno de los dos tiene zapatos: andan _____ . *Y por la mañana*
sólo toman café con un _____ *de azúcar.*

III. Si Ud. no está de acuerdo con las siguientes afirmaciones, cámbielas para expresar su opinión personal.

1. En mi ciudad no es necesario echarle llave a la casa antes de salir para pasar el día.
2. Creo que en las escuelas los maestros no deben tener el derecho de pegarles a los alumnos.
3. Si la barriga de un chiquito es grande, eso siempre indica que come demasiado.
4. Me siento deprimido(a) cuando no hay alimentos en casa.
5. Para cruzar la calle, uno debe agarrar al niño por el cabello.
6. En la vivienda de mis padres solamente hay una pieza.

Si me permiten hablar...

Domitila Barrios de Chungara nació en 1937 en un campamento minero en los Andes bolivianos. El campamento se llamaba el Siglo XX. Como otras familias de la región, la familia de ella conocía la opresión política y la pobreza. Barrios de Chungara se crió en Pulacayo, un pueblo pequeño, pero después de casarse volvió al Siglo XX. Allí fundó el Comité de Amas de Casa *(housewives)* del Siglo XX, organización que se dedica a mejorar la vida de las mujeres y sus familias.

El trozo de *Si me permiten hablar...* que se presenta a continuación es parte de una historia oral escrita en colaboración con Moema Viezzer, que conoció a Domitila Barrios de Chungara en 1975 en una tribuna organizada por las Naciones Unidas como parte del Año Internacional de la Mujer. En el trozo, Barrios de Chungara revela cómo tenía que luchar para educarse en la escuela primaria. Es testimonio de una mujer cuyo coraje supo vencer grandes dificultades y nos revela los grandes obstáculos y los prejuicios que han tenido que enfrentar las mujeres en nuestros tiempos.

1   Bueno, en el 54 me fue difícil regresar a la   54 *1954*
escuela después de las vacaciones, porque
nosotros teníamos una vivienda que consistía
en una pieza pequeñita donde no teníamos ni
5   patio y no teníamos dónde ni con quiénes
dejar a las wawas. Entonces consultamos al   wawas *small children, infants*
director de la escuela y él dio permiso para   *(Andean term)*
llevar a mis hermanitas conmigo. El estudio
se hacía por las tardes y por las mañanas. Yo
10 tenía que combinar todo: casa y escuela.
Entonces yo llevaba a la más chiquita cargada   llevaba... cargada *carried*
y a la otra agarrada de la mano y Marina
llevaba las mamaderas y las mantillas y mi   mamaderas *baby bottles*
hermana la otrita llevaba los cuadernos. Y así   mantillas *swaddling clothes*
15 todas nos íbamos a la escuela. En un rincón   cuadernos *notebooks, exercise*
teníamos un cajoncito donde dejábamos a la   *books*
más chiquita mientras seguíamos estudiando.
Cuando lloraba, le dábamos su mamadera. Y
mis otras hermanas allí andaban de banco en
20 banco. Salía de la escuela, tenía que cargarme
la niñita, nos íbamos a la casa y tenía yo que
cocinar, lavar, planchar, atender a las wawas.
Me parecía muy difícil todo eso. ¡Yo deseaba

tanto jugar! Y tantas otras cosas deseaba,
25 como cualquier niña.

Dos años después, ya la profesora no me
dejó llevar a mis hermanitas porque ya
metían bulla. Mi padre no podía pagar a una   *metían bulla* made noise
sirvienta, pues no le alcanzaba su sueldo ni   *no... sueldo* his salary wasn't
30 para la comida y la ropa de nosotras. En la   enough
casa, por ejemplo, yo andaba siempre
descalza, usando los zapatos solamente para
ir a la escuela. Y eran tantas cosas que tenía
que hacer y era tanto el frío que hacía en
35 Pulacayo que se me reventaban las manos y   *se... manos* my hands split open
me salía mucha sangre de las manos y de los
pies. La boca, igual, se me rajaban los labios.   *se... labios* my lips cracked
De la cara también salía sangre. Es que no
teníamos suficientes prendas de abrigo.   *prendas de abrigo* warm cloth-
                                                      ing
40 Bueno, como la profesora no me había
dado aquella orden, entonces yo empecé a
irme sola a la escuela. Echaba llave a la casa
y tenían que quedarse las wawas en la calle,
porque la vivienda era oscura, no tenía
45 ventana y les daba mucho terror cuando se la
cerraba. Era como una cárcel, solamente con
una puerta. Y no había dónde dejar a las
chicas, porque en ese entonces vivíamos en
un barrio de solteros, donde no había
50 familias, puros hombres vivían ahí.   *puros* only

Entonces mi padre me dijo que dejara la
escuela, porque ya sabía leer y leyendo podía
aprender otras cosas. Pero yo no acepté y me   *me puse fuerte* I got stubborn
puse fuerte y seguí yendo a clases.
55 Y resulta que un día la chiquita comió
ceniza de carburo que había en el basurero, ese   *ceniza de carburo* carbide ash
carburo que sirve para encender las lámparas.
Sobre esa ceniza habían echado comida y mi
hermanita, de hambre, creo yo, se fue a comer
60 de allí. Le dio una terrible infección intestinal
y luego se murió. Tenía tres años.

Yo me sentí culpable de la muerte de mi
hermanita y andaba muy muy deprimida. Y
mi padre me decía que esto había ocurrido
65 porque yo no había querido quedarme en casa
con las wawas. Como yo había criado a ésta

mi hermanita desde que nació, eso me causó
un sufrimiento muy grande.

    Y desde entonces comencé a
70 preocuparme mucho más por mis hermanitas.
Mucho más. Cuando hacía mucho frío, y no
teníamos con qué abrigarnos, yo agarraba los
trapos viejos de mi padre y con eso las
abrigaba, les envolvía sus pies, su barriga. Las
75 cargaba, trataba de distraerlas. Me dediqué
completamente a las niñas.

    Mi padre gestionó en la empresa minera
de Pulacayo para que le dieran una vivienda
con patiecito, porque era muy difícil vivir
80 donde estábamos. Y el gerente, a quien mi
papa le arreglaba sus trajes, ordenó que le
dieran una vivienda más grande con un
cuarto, una cocina y un corredorcito donde se
podía dejar a las chicas. Y fuimos a vivir en un
85 barrio que era campamento, donde la mayoría
de las familias eran de obreros de las minas.

    Sufríamos hambre a veces y no nos
satisfacían los alimentos porque era poco lo
que podía comprar mi papá. Ha sido duro
90 vivir con privaciones y toda clase de
problemas cuando pequeñas. Pero eso
desarrolló algo en nosotras: una gran
sensibilidad, un gran deseo de ayudar a toda
la gente. Nuestros juegos de niños siempre
95 tenían algo relacionado con lo que vivíamos y
con lo que deseábamos vivir. Además, en el
transcurso de nuestra infancia habíamos visto
eso: mi madre y mi padre, a pesar de que
teníamos tan poco, siempre estaban
100 ayudando a algunas familias de Pulacayo.
Entonces, cuando veíamos pobres por la calle
mendigando, yo y mis hermanas nos
poníamos a soñar. Y soñábamos que un día
íbamos a ser grandes, que íbamos a tener
105 tierras, que íbamos a sembrar y que a
aquellos pobres les íbamos a dar de comer. Y
si alguna vez nos sobraba un poco de azúcar
o de café o de alguna otra cosa y oíamos un
ruido, decíamos: «De repente aquí está

abrigarnos *wrap ourselves up*

trapos *rags*

gestionó *negotiated*

campamento *camp, temporary housing*

transcurso *course*

mendigando *begging*

sobraba *had left over*

110 pasando un pobre. Mira, aquí hay un poquito
de arroz, un poquito de azúcar». Y lo
amarrábamos a un trapo y... «¡pá!...» lo   amarrábamos *we tied*
echábamos a la calle para que algún pobre lo
recoja. Una vez ocurrió que le tiramos a mi   recoja *pick up*
115 papá su café cuando volvía del trabajo. Y
cuando entró a la casa nos regañó mucho y   regañó *scolded*
nos dijo: «¿Cómo pueden ustedes estar
desechando lo poco que tenemos? ¿Cómo van   desechando *wasting*
a despreciar lo que tanto me cuesta ganar   despreciar *to not appreciate*
120 para ustedes?» Y bien nos pegó. Pero eran
cosas que se nos ocurrían, pensábamos que
así podríamos ayudar a alguien, ¿no?

    Y bueno, así era nuestra vida. Yo tenía
entonces 13 años. Mi padre siempre insistía
125 en que no debía seguir en la escuela. Pero yo
le iba rogando, rogando, y seguía yendo.   rogando *begging, pleading*
Claro, siempre me faltaba material escolar.   material escolar *school supplies*
Entonces, algunos maestros me comprendían,
otros no. Y por eso me pegaban,
130 terriblemente me pegaban porque yo no era
buena alumna.

    El problema es que habíamos hecho un
trato mi papá y yo. Él me había explicado que
no tenía dinero, que no me podía comprar
135 material, que no podía dar nada para la
escuela. Y yo le prometí entonces que no le
iba a pedir nada para la escuela. Y de ahí que
me arreglaba como podía. Y por eso tenía yo
problemas.

140   En el sexto curso tuve como profesor a   curso *grade*
un gran maestro que me supo comprender.
Era un profesor bastante estricto, y los
primeros días que yo no llevé el material
completo, me castigó bien severamente. Un
145 día me jaló de los cabellos, me dio palmadas,   me... cabellos *he pulled my hair*
y, al final, me botó de la escuela. Tuve que   me dio palmadas *he slapped me*
irme a la casa, llorando. Pero al día siguiente, me... escuela *he threw me out*
volví. Y de la ventana miraba lo que estaban   *of school*
haciendo los chicos.

150   En uno de esos momentos, el profesor
me llamó.

—Seguramente no ha traído su material
—me dijo. Yo no podía contestar y me puse a
llorar.

155 —Entre. Ya pase, tome su asiento. Y a
la salida se ha de quedar usted.

a la salida when class is over

Para ese momento, una de las chicas ya
le había avisado que yo no tenía mamá, que
yo cocinaba para mis hermanitas y todo eso.

avisado informed

160 A la salida me quedé y entonces él me
dijo:

—Mira, yo quiero ser tu amigo, pero
necesito que me digas qué pasa con vos. ¿Es
cierto que no tienes tu mamá?

con vos (contigo) with you

165 —Sí, profesor.

—¿Cuándo se murió?

—Cuando estaba todavía en el primer
curso.

—Y tu padre, ¿dónde trabaja?

170 —En la policía minera, es sastre.

sastre tailor

—Bueno, ¿qué es lo que pasa? Mira, yo
quiero ayudarte, pero tienes que ser sincera.
¿Qué es lo que pasa?

Yo no quería hablar, porque pensé que
175 iba a llamar a mi padre como algunos
profesores lo hacían cuando estaban
enojados. Y yo no quería que lo llamara,
porque así había sido mi trato con él: de no
molestarlo y no pedirle nada. Pero el profesor
180 me hizo otras preguntas y entonces le conté
todo. También le dije que podía hacer mis
tareas, pero que no tenía mis cuadernos,
porque éramos bien pobres y mi papá no
podía comprar y que, años atrás, ya mi papá
185 me había querido sacar de la escuela porque
no podía hacer ese gasto más. Y que con

gasto expenditure

mucho sacrificio y esfuerzo había yo podido
llegar hasta el sexto curso. Pero no era que
mi papá no quisiera, sino porque no podía.
190 Porque, incluso, a pesar de toda la creencia
que había en Pulacayo de que a la mujer no
se le debía enseñar a leer, mi papá siempre
quiso que supiéramos por lo menos eso.

Sí, mi papá siempre se preocupó por
195 nuestra formación. Cuando murió mi mamá,
la gente nos miraba y decía: «Ay, pobrecitas,
cinco mujeres, ningún varón... ¿Para qué
sirven?... Mejor si se mueren». Pero mi papá
muy orgulloso decía: «No, déjenme a mis
200 hijas, ellas van a vivir». Y cuando la gente
trataba de acomplejarnos porque éramos
mujeres y no servíamos para gran cosa, él nos
decía que todas las mujeres tienen los mismos
derechos que los hombres. Y decía que
205 nosotras podíamos hacer las hazañas que
hacen los hombres. Nos crió siempre con esas
ideas. Sí, fue una disciplina muy especial. Y
todo eso fue muy positivo para nuestro
futuro. Y de ahí que nunca nos consideramos
210 mujeres inútiles.
　　El profesor comprendía todo esto,
porque yo le contaba. E hicimos un trato de
que yo le iba a pedir todo el material de que
necesitaba. Y desde ese día nos llevábamos a
215 las mil maravillas. Y el profesor nos daba todo
el material que necesitábamos yo y mis
hermanitas más. Y así pude terminar mi
último año escolar.

formación education

varón male

*déjenme a mis hijas leave my
　daughters alone*
acomplejarnos made us feel bad

hazañas feats, deeds

a... maravillas wonderfully well

Nota cultural

*Como ya se ha notado, en la mayoría de los países hispánicos la enseñaza primaria es gratuita y obliga-
toria. Sin embargo, como vemos en el testimonio de Domitila Barrios de Chungara, muchos pobres, especialmente las niñas, no pueden terminar la primaria por razones económicas. Los estudiantes que sí
terminan la primaria reciben un certificado de sexto grado y muchos, tal vez la mayoría, abandonan sus
estudios y se dedican al trabajo.*

Comprensión

1. ¿Por qué dice Domitila que le fue difícil regresar a la escuela después de las
vacaciones en 1954? **2.** ¿Cómo se las arregló para volver? **3.** ¿Qué hacía
Domitila después de la clase? **4.** Dos años después, ¿por qué no permitió la

profesora que Domitila llevara a sus hermanitas a la clase? ¿Qué hizo Domitila?
5. ¿Por qué se sentía Domitila responsable por la muerte de una de sus hermanas? **6.** ¿Cómo reaccionó Domitila después de ese episodio? **7.** Según Domitila, ¿qué cosa positiva ha resultado de las privaciones de ella y sus hermanitas? **8.** ¿Cómo supo el padre de Domitila que las niñas ayudaban a los pobres? **9.** ¿Qué trato hizo Domitila con su padre? **10.** ¿Por qué castigó a Domitila su profesor en el sexto grado? **11.** Según Domitila, ¿creía la gente de Pulacayo que se debía educar a la mujer? **12.** ¿Qué pensaba el padre de Domitila de los derechos de la mujer? **13.** ¿Cómo pudo terminar Domitila su último año escolar?

Expansión

I. Análisis literario

1. ¿Qué cualidad especial tiene una «historia oral»? (¿Cómo se puede contrastarla con un reportaje regular?) **2.** Describa Ud. en sus propias palabras la actitud del padre de Domitila hacia la educación de la mujer. **3.** Describa dos obstáculos que Domitila tuvo que superar para educarse. **4.** ¿Qué impresión tiene Ud. de Domitila como adulta?

II. Reportaje

Ud. es un(a) periodista que acaba de entrevistar a Domitila Barrios de Chungara, después de hablar ella en una tribuna sobre los derechos de la mujer. Escriba Ud. un reportaje breve sobre las experiencias de ella y sus actividades de hoy día.

III. Minidrama

Presenten Ud. y otra(s) persona(s) de la clase un breve drama sobre uno de los temas siguientes.

1. Domitila y su padre hablan del problema de la educación de ella y llegan a formar un pacto.
2. Un(a) joven de uno de los barrios pobres de la metrópoli discute con un(a) amigo(a) los problemas que los dos han encontrado en la escuela.
3. Dos estudiantes universitarios discuten los problemas personales que han influido en sus carreras universitarias.

IV. Opiniones y actitudes

Escriba Ud. un párrafo sobre uno de los temas siguientes o explíqueselo a la clase.

1. La discriminación sexual en la universidad.
2. Cómo se debe reformar la educación secundaria en nuestro país.
3. El (La) profesor(a) o el (la) maestro(a) que más ha influido en mi formación como estudiante o persona.

V. Situación

Con un(a) compañero(a) de clase, presente Ud. un diálogo sobre la discriminación sexual o racial en su universidad. Algunas de las cosas que pueden comentar en el diálogo son: ¿Qué clase de discriminación existe? ¿Ha visto Ud. un caso de discriminación o ha sido víctima de discriminación? ¿Qué paso? ¿Qué ha hecho la universidad para eliminar la discriminación? ¿Qué pueden hacer los estudiantes y los profesores para eliminarla? ¿Hay menos discriminación hoy que antes?

La Ciudad Universitaria

Después de la revolución, un fuerte nacionalismo estimuló la producción de grandes pinturas murales en México, donde maestros como Rivera, Orozco y Siqueiros crearon un verdadero arte nacional y lograron comunicar al pueblo el mensaje revolucionario a través de sus pinturas en las paredes interiores de numerosos edificios públicos. La segunda etapa de ese gran movimiento había de ser la pintura del exterior de edificios y la integración de ésta a la superficie de grandes masas estructurales. La oportunidad de explorar las posibilidades de esta integración de artes plásticas se presentó cuando en 1946 el gobierno donó un extenso terreno al sur de la capital para la construcción de la Ciudad Universitaria. Con la participación de más de 150 arquitectos, ingenieros y técnicos, la construcción de la parte básica de la Ciudad Universitaria se terminó en unos tres años. Entre los artistas que hicieron importantes contribuciones al proyecto se encontraban no sólo los ya establecidos —Rivera y Siqueiros— sino también otros como **Juan O'Gorman y Francisco Eppens** que habían de ganar fama por sus trabajos artísticos en el proyecto universitario.

En su totalidad, la arquitectura de la Ciudad Universitaria es una mezcla curiosa de lo moderno y de lo antiguo, de lo experimental y de lo tradicional. Siguiendo la fuerte tradición barroca del arte hispánico, los creadores de la Ciudad Universitaria insistieron en la integración de las artes y se obsesionaron por la decoración. Otra tradición allí presente es la del arte precolombino, tanto en la impresión de solidez y en el uso de la forma piramidal truncada, como en los motivos ornamentales y en los temas predominantes.

La Ciudad Universitaria representa la culminación de la producción de pinturas murales en México y establece la pintura mural en paredes exteriores como técnica que había de continuarse en México. Como fin de un ciclo de arte y como expresión del concepto del arte al servicio de la nación, el complejo de edificios que componen la Ciudad Universitaria ha de considerarse como monumento en la historia del arte hispanoamericano.

El pueblo a la universidad —la universidad al pueblo

Esta obra de David Alfaro Siqueiros es un ejemplo interesante de la experimentación que tipifica el arte de la Ciudad Universitaria. ¿Cómo describiría Ud. esta pintura mural?

Alegoría de México

En una enorme pared de la Facultad de Medicina, Ciudad Universitaria, Francisco Eppens pintó una *Alegoría de México,* que incluye una cabeza de tres caras —representativas del español, del mestizo y del indio— y varios símbolos de los dioses precolombinos. Las líneas verticales y horizontales de la pintura armonizan perfectamente con las del edificio.

¿Sabe Ud. identificar el símbolo de Quetzalcóatl? ¿de Tláloc?

La Biblioteca Central

Tal vez el edificio más famoso de la Universidad es la Biblioteca Central, una enorme estructura cúbica sin ventanas —sólo con pequeñas aberturas para la ventilación— y con enormes superficies planas. Éstas las decoró O'Gorman con centenares de figuras pequeñas referentes a varias épocas de la historia del mundo y de la historia de México, desde los tiempos precolombinos hasta nuestros días. Consciente del efecto del sol mexicano, que había de convertir un mosaico compuesto de vidrio en un gigante reflector, O'Gorman optó por componer su obra con piedras de cincuenta colores, recogidas en todas partes del país. Así, este edificio sintetiza y combina las varias tendencias del muralismo mexicano: la forma misma del edificio es moderna; el uso de materiales, experimental; la decoración, barroca, y la temática, tradicional.

¿Cuántos símbolos y objetos puede Ud. identificar en el mosaico de O'Gorman?

Para comentar

1. Describa Ud. en sus propias palabras el edificio de la Biblioteca Central o la pintura mural de la Facultad de Medicina de la Ciudad Universitaria.
2. ¿Cómo se ha empleado el arte en la decoración de la escuela o universidad donde Ud. estudia? ¿Es una parte integral de la arquitectura? ¿Le gusta ese uso del arte?
3. ¿Qué importancia tiene la decoración en los edificios públicos? ¿Se puede justificar el gasto de los fondos públicos para tales cosas? ¿Por qué?
4. Busque en Internet más información sobre los otros magníficos edificios que componen la Ciudad Universitaria de la Universidad Nacional Autónoma de México.
5. Escriba Ud. un ensayo sobre uno de los temas siguientes.
   a. La participación de los estudiantes en la gobernación de la universidad.
   b. Las cualidades de un(a) buen(a) profesor(a).
   c. La cosa más importante que se puede hacer para mejorar la universidad.

UNIDAD 10

La ciudad en el mundo hispánico

Describa Ud. lo que se ve en esta foto de Buenos Aires. ¿Qué ventajas ofrecen las ciudades grandes? ¿Qué desventajas tienen?

Enfoque

Desde la época de los romanos, la historia de muchos países occidentales se ha vinculado estrechamente a la historia de sus grandes centros urbanos. En muchos países hispánicos se encuentra una gran concentración de poder y energía en la capital. Por ejemplo, casi la cuarta parte de la población total de la Argentina vive en Buenos Aires, y la capital controla el país. Similar es la situación de la Ciudad de México y de otras capitales hispanoamericanas.

Las grandes ciudades hispánicas tienen mucho en común con las otras metrópolis del mundo. Por ejemplo, en ellas se encuentra el capital necesario para pagar a los artistas y los escritores. Por eso, sea Nueva York, París, Santiago de Chile o Buenos Aires, la ciudad grande casi siempre se destaca por su contribución a las artes. En la literatura de nuestro siglo encontramos varios aspectos de la vida en la metrópoli como, por ejemplo, la deshumanización del individuo producida por las grandes aglomeraciones, el aislamiento del individuo dentro de la masa y la posibilidad de que en la ciudad pueda pasar algo inesperado en cualquier momento. En el cuento de Julio Cortázar que se presenta a continuación todos esos aspectos están presentes, especialmente el último: algo inesperado que le pasa al protagonista.

El arte que se ha desarrollado en los centros urbanos en las últimas décadas refleja tanto la complejidad del hombre de la metrópoli, como el interés del artista por la obra de sus colegas en otros países. Ejemplos de este arte son las pinturas de Joaquín Torres García, Roberto Antonio Sebastián Matta Echaurren y Alejandro Obregón: tres artistas hispanoamericanos modernos, que han contribuido mucho a la creación de una expresión urbana e internacional.

Vocabulario útil

Estudie Ud. estas palabras.

Verbos
apurarse *to hurry, to hasten*
doler (ue) *to hurt*
toser *to cough*

Sustantivos
la acera *sidewalk*
el alivio *relief*
la cortadura *cut*
el desmayo *fainting spell*
el (la) enfermero(a) *nurse*

el estómago *stomach*
la fiebre *fever*
el mentón *chin*
la motocicleta (la moto) *motorcycle*
el párpado *eyelid*
la pesadilla *nightmare*
la pierna *leg*
el portero *doorman*
la sangre *blood*
el tobillo *ankle*

Otras palabras y expresiones
boca arriba   *face up*
cielo raso   *ceiling*

de golpe   *suddenly*
de espaldas   *on (one's) back*

Anticipación

I. Complete Ud. el siguiente párrafo, usando la forma apropiada de las palabras o expresiones del **Vocabulario útil.**

Yo estaba en la _____ y hablaba con el _____ del edificio cuando ocurrió el accidente. Fue terrible, como una _____. Supe después que el joven del accidente no se había sentido bien aquella mañana: estaba resfriado y tenía _____ y _____ mucho. Pero tenía una cita y temía llegar tarde y por eso iba muy rápido por la calle en su _____ cuando aparentemente sufrió un _____ y _____ se cayó inconsciente al suelo. Como médico, yo _____ a ayudarlo. Él estaba en el suelo, _____ . Con _____ vi que aunque había bastante sangre, el joven volvía en sí (was coming to) y no parecía haberse roto ningún hueso. Tenía varias _____ en el mentón y el tobillo, pero aunque esas heridas le _____ al joven, no eran de mayor importancia.

II. Indique Ud. la mejor palabra entre paréntesis para completar el párrafo.

Al comienzo el indio no (sabía, conocía) por qué lo buscaban los aztecas. Cuando (sabía, supo) que lo buscaban para sacrificarlo a sus dioses, ya era tarde. Lo (capturaron, capturaban) y lo (llevaron, llevaban) al templo. Allí lo (ponían, pusieron) en una mazmorra debajo del templo para esperar su turno. (Hacía, Hizo) calor y no se (podía, pudo) ver nada. Pero sí se (oyeron, oían) los gritos de las víctimas, (lo que, que) le parecía intolerable. Ya (sabía, conocía) que dentro de poco también a él lo matarían.

III. Si Ud. no está de acuerdo con las siguientes afirmaciones, cámbielas para expresar su opinión personal.

1. Siempre prefiero dormir boca arriba.
2. Para dormirme miro fijamente el cielo raso.
3. El espíritu de comunidad se nota más en los grandes centros urbanos que en los pequeños.
4. Es más fácil formar amistades en las ciudades grandes porque hay más gente y más oportunidades para conocer a personas compatibles.
5. En la ciudad donde vivo, la mayor parte de la gente utiliza regularmente los medios de transporte público.

La noche boca arriba

Julio Cortázar nació en 1914. Su obra más conocida, *Rayuela,* se publicó en 1963. Era una novela representativa de la «nueva novela» hispanoamericana, cuya preocupación principal ya no residía en la sociedad como tal (tema de la literatura social antes de la Segunda Guerra mundial), sino en la ética y la metafísica. Era una literatura que usaba la fantasía y la imaginación para llegar a una realidad profunda: la que estaba dentro del hombre y que constituía su esencia. Al profundizar en la exploración de sí mismo y al analizar su percepción de la realidad, el nuevo novelista retrataba las cualidades únicas del hispanoamericano y logró una universalidad nunca alcanzada por generaciones anteriores.

Cortázar nació en Bruselas donde su padre tenía un cargo diplomático. En 1918 la familia se trasladó a Buenos Aires y allí Cortázar estudió y se graduó en la Facultad de Filosofía y Letras de la Universidad Nacional de Buenos Aires. Luego fue al interior y se dedicó a la enseñanza (al nivel secundario y universitario), a la traducción de numerosas obras inglesas y francesas, a la crítica y a la creación de su obra literaria. Al llegar al poder Juan Perón en 1945, Cortázar renunció su puesto académico como expresión de su oposición al dictador y volvió a la capital. Aceptó el cargo de director de la Cámara Argentina del Libro. En 1951 fue a París con una beca del gobierno francés para estudiar la relación entre la prosa y la poesía francesas e inglesas de aquellos años. Desde entonces y hasta su muerte en 1984, Cortázar vivió en París, donde se dedicó a su labor literaria y sirvió de traductor para la UNESCO y varias casas editoriales. Era un hombre internacional, que gozaba de ciudadanía en los dos países, Francia y la Argentina.

Las novelas y los cuentos de Cortázar revelan una intensa preocupación por la exploración de la relación entre la realidad y la fantasía y por la condición absurda del hombre moderno. El aspecto caótico de la existencia recibe su expresión máxima en *Rayuela,* novela cuya estructura refleja la incoherencia de la vida. El autor invita al lector a leer los capítulos en cualquier orden, aunque sugiere dos órdenes posibles en el «Tablero de dirección» que se presenta al comienzo del libro. Como se verá en el cuento que se presenta aquí, «La noche boca arriba», la misma relación entre estructura y tema caracteriza sus cuentos, en los cuales la realidad se convierte constantemente en fantasía, borrando así la línea que las separa.

Y salían en ciertas épocas a cazar enemigos; le llamaban la guerra florida

1 A mitad del largo zaguán del hotel pensó que debía ser tarde, y se apuró a salir a la calle y sacar la motocicleta del rincón donde el portero de al lado le permitía guardarla. En la

5 joyería de la esquina vio que eran las nueve menos diez; llegaría con tiempo sobrado adonde iba. El sol se filtraba entre los altos edificios del centro, y él —porque para sí mismo, para ir pensando, no tenía nombre—

10 montó en la máquina saboreando el paseo. La moto ronroneaba entre sus piernas, y un viento fresco le chicoteaba los pantalones.

Dejó pasar los ministerios (el rosa, el blanco) y la serie de comercios con brillantes

15 vitrinas de la calle Central. Ahora entraba en la parte más agradable del trayecto, el verdadero paseo; una calle larga, bordeada de árboles, con poco tráfico y amplias villas que dejaban venir los jardines hasta las aceras,

20 apenas demarcadas por setos bajos. Quizá algo distraído, pero corriendo sobre la derecha como correspondía, se dejó llevar por la tersura, por la leve crispación de ese día apenas empezado. Tal vez su involuntario

25 relajamiento le impidió prevenir el accidente. Cuando vio que la mujer parada en la esquina se lanzaba a la calzada a pesar de las luces verdes, ya era tarde para las soluciones fáciles. Frenó con el pie y la mano,

30 desviándose a la izquierda; oyó el grito de la mujer, y junto con el choque perdió la visión. Fue como dormirse de golpe.

Volvió bruscamente del desmayo. Cuatro o cinco hombres jóvenes lo estaban sacando

35 de debajo de la moto. Sentía gusto a sal y sangre, le dolía una rodilla, y cuando lo alzaron gritó, porque no podía soportar la presión en el brazo derecho. Voces que no parecían pertenecer a las caras suspendidas

40 sobre él, lo alentaban con bromas y

zaguán	*lobby*
de al lado	*next door*
tiempo sobrado	*time to spare*
ronroneaba	*purred*
chicoteaba	*whipped*
vitrinas	*show windows*
trayecto	*stretch, route*
setos bajos	*low hedges*
correspondía	*was proper*
se dejó llevar	*let himself be carried away*
tersura	*smoothness*
crispación	*twitching*
parada	*standing*
se lanzaba	*was plunging*
calzada	*roadway*
Frenó	*He braked*
choque	*collision*
gusto a	*taste like*
alzaron	*raised*
soportar	*endure*
presión	*pressure*
alentaban	*encouraged*
bromas	*jokes*

seguridades. Su único alivio fue oír la
confirmación de que había estado en su
derecho al cruzar la esquina. Preguntó por la
mujer, tratando de dominar la náusea que le
45 ganaba la garganta. Mientras lo llevaban boca
arriba hasta una farmacia próxima, supo que
la causante del accidente no tenía más que
rasguños en las piernas. «Usté la agarró
apenas, pero el golpe le hizo saltar la
50 máquina de costado... » Opiniones, recuerdos,
despacio, éntrenlo de espaldas, así va bien, y
alguien con guardapolvo dándole a beber un
trago que lo alivió en la penumbra de una
pequeña farmacia de barrio.
55 La ambulancia policial llegó a los cinco
minutos, y lo subieron a una camilla blanda
donde pudo tenderse a gusto. Con toda
lucidez, pero sabiendo que estaba bajo los
efectos de un shock terrible, dio sus señas al
60 policía que lo acompañaba. El brazo casi no le
dolía; de una cortadura en la ceja goteaba
sangre por toda la cara. Una o dos veces se
lamió los labios para beberla. Se sentía bien,
era un accidente, mala suerte; unas semanas
65 quieto y nada más. El vigilante le dijo que la
motocicleta no parecía muy estropeada.
«Natural», dijo él. «Como que me la ligué
encima... » Los dos se rieron, y el vigilante le
dio la mano al llegar al hospital y le deseó
70 buena suerte. Ya la náusea volvía poco a
poco; mientras lo llevaban en una camilla de
ruedas hasta un pabellón del fondo, pasando
bajo árboles llenos de pájaros, cerró los ojos y
deseó estar dormido o cloroformado. Pero lo
75 tuvieron largo rato en una pieza con olor a
hospital, llenando una ficha, quitándole la
ropa y vistiéndolo con una camisa grisácea y
dura. Le movían cuidadosamente el brazo, sin
que le doliera. Las enfermeras bromeaban
80 todo el tiempo, y si no hubiera sido por las
contracciones del estómago se habría sentido
muy bien, casi contento.

seguridades *reassurances*
alivio *relief*

rasguños *scratches*
agarró *hit*
saltar... de costado *jump sideways*
guardapolvo *dustcoat*
penumbra *shadow*

camilla *stretcher*
tenderse *stretch out*

señas *information*

goteaba *dripped*
se lamió *licked*

vigilante *policeman*
estropeada *damaged*
Como... encima *Since the whole thing landed on me*

del fondo *at the back*

ficha *form*
grisácea *grayish*

Lo llevaron a la sala de radio, y veinte
minutos después, con la placa todavía
85 húmeda puesta sobre el pecho como una
lápida negra, pasó a la sala de operaciones.
Alguien de blanco, alto y delgado, se le
acercó y se puso a mirar la radiografía. Manos
de mujer le acomodaban la cabeza, sintió que
90 lo pasaban de una camilla a otra. El hombre
de blanco se le acercó otra vez, sonriendo,
con algo que le brillaba en la mano derecha.
Le palmeó la mejilla e hizo una seña a
alguien parado atrás.

95 Como sueño era curioso porque estaba
lleno de olores y él nunca soñaba olores.
Primero un olor a pantano, ya que a la
izquierda de la calzada empezaban las
marismas, los tembladerales de donde no
100 volvía nadie. Pero el olor cesó, y en cambio
vino una fragancia compuesta y oscura como
la noche en que se movía huyendo de los
aztecas. Y todo era tan natural, tenía que
huir de los aztecas que andaban a caza de
105 hombre, y su única probabilidad era la de
esconderse en lo más denso de la selva,
cuidando de no apartarse de la estrecha
calzada que sólo ellos, los motecas, conocían.
Lo que más lo torturaba era el olor,
110 como si aun en la absoluta aceptación del
sueño algo se rebelara contra eso que no era
habitual, que hasta entonces no había
participado del juego. «Huele a guerra»,
pensó, tocando instintivamente el puñal de
115 piedra atravesado en su ceñidor de lana
tejida. Un sonido inesperado lo hizo
agacharse y quedar inmóvil, temblando. Tener
miedo no era extraño, en sus sueños
abundaba el miedo. Esperó, tapado por las
120 ramas de un arbusto y la noche sin estrellas.
Muy lejos, probablemente del otro lado del
gran lago, debían estar ardiendo fuegos de
vivac; un resplandor rojizo teñía esa parte del
cielo. El sonido no se repitió. Había sido como

radio	*x-ray*
placa	*x-ray picture*
lápida	*gravestone*
radiografía	*x-ray*
brillaba	*shone*
palmeó	*patted*
pantano	*marsh*
marismas	*swamps*
tembladerales	*quaking bogs*
compuesta	*composite*
andaban... hombre	*had begun their manhunt*
Huele a guerra	*It smells like war*
puñal	*knife*
atravesado... ceñidor	*stuck at an angle in his belt*
agacharse	*crouch*
tapado	*hidden*
ramas	*branches*
arbusto	*bush*
vivac	*bivouac*
teñía	*stained*

125 una rama quebrada. Tal vez un animal que
escapaba como él del olor de la guerra. Se
enderezó despacio, venteando. No se oía
nada, pero el miedo seguía allí como el olor,
ese incienso dulzón de la guerra florida.

130 Había que seguir, llegar al corazón de la selva
evitando las ciénagas. A tientas, agachándose
a cada instante para tocar el suelo más duro
de la calzada, dio algunos pasos. Hubiera
querido echar a correr, pero los tembladerales

135 palpitaban a su lado. En el sendero en
tinieblas, buscó el rumbo. Entonces sintió
una bocanada horrible del olor que más
temía, y saltó desesperado hacia adelante.
   —Se va a caer de la cama —dijo el

140 enfermo de al lado—. No brinque tanto,
amigazo.
   Abrió los ojos y ya era de tarde, con el
sol ya bajo en los ventanales de la larga sala.
Mientras trataba de sonreír a su vecino, se

145 despegó casi físicamente de la última visión
de la pesadilla. El brazo, enyesado, colgaba de
un aparato con pesas y poleas. Sintió sed,
como si hubiera estado corriendo kilómetros,
pero no querían darle mucha agua, apenas

150 para mojarse los labios y hacer un buche. La
fiebre lo iba ganando despacio y hubiera
podido dormirse otra vez, pero saboreaba el
placer de quedarse despierto, entornados los
ojos, escuchando el diálogo de los otros

155 enfermos, respondiendo de cuando en cuando
a alguna pregunta. Vio llegar un carrito
blanco que pusieron al lado de su cama, una
enfermera rubia le frotó con alcohol la cara
anterior del muslo y le clavó una gruesa aguja

160 conectada con un tubo que subía hasta un
frasco lleno de líquido opalino. Un médico
joven vino con un aparato de metal y cuero
que le ajustó al brazo sano para verificar
alguna cosa. Caía la noche, y la fiebre lo iba

165 arrastrando blandamente a un estado donde
las cosas tenían un relieve como de gemelos
de teatro, eran reales y dulces y a la vez

Se enderezó *He stood erect*
venteando *sniffing the air*

ciénagas *swamps*
A tientas *Groping*

palpitaban *throbbed*
buscó el rumbo *took his bearings*
bocanada *whiff*

amigazo *pal*

ventanales *large windows*
se despegó de *detached himself from*
enyesado *in a cast*
pesas y poleas *weights and pulleys*

hacer un buche *make a mouthful*
saboreaba *enjoyed*
entornados *half-closed*

carrito *pushcart*

frotó *rubbed*
muslo *thigh*
aguja *needle*

arrastrando *dragging*
tenían... teatro *stood out as through opera glasses*

ligeramente repugnantes; como estar viendo
una película aburrida y pensar que sin
170 embargo en la calle es peor; y quedarse.
    Vino una taza de maravilloso caldo de
oro oliendo a puerro, a apio, a perejil. Un
trocito de pan, más precioso que todo un
banquete, se fue desmigajando poco a poco.
175 El brazo no le dolía nada y solamente en la
ceja, donde lo habían suturado, chirriaba a
veces una punzada caliente y rápida. Cuando
los ventanales de enfrente viraron a manchas
de un azul oscuro, pensó que no le iba a ser
180 difícil dormirse. Un poco incómodo, de
espaldas, pero al pasarse la lengua por los
labios resecos y calientes sintió el sabor del
caldo, y suspiró de felicidad, abandonándose.
    Primero fue una confusión, un atraer
185 hacia sí todas las sensaciones por un instante
embotadas o confundidas. Comprendía que
estaba corriendo en plena oscuridad, aunque
arriba el cielo cruzado de copas de árboles era
menos negro que el resto. «La calzada»,
190 pensó. «Me salí de la calzada». Sus pies se
hundían en un colchón de hojas y barro, y ya
no podía dar un paso sin que las ramas de los
arbustos le azotaran el torso y las piernas.
Jadeante, sabiéndose acorralado a pesar de la
195 oscuridad y el silencio, se agachó para
escuchar. Tal vez la calzada estaba cerca, con
la primera luz del día iba a verla otra vez.
Nada podía ayudarlo ahora a encontrarla. La
mano que sin saberlo él aferraba el mango del
200 puñal, subió como el escorpión de los
pantanos hasta su cuello, donde colgaba el
amuleto protector. Moviendo apenas los labios
musitó la plegaria del maíz que trae las lunas
felices, y la súplica a la Muy Alta, a la
205 dispensadora de los bienes motecas. Pero
sentía al mismo tiempo que los tobillos se le
estaban hundiendo despacio en el barro, y la
espera en la oscuridad del chaparral
desconocido se le hacía insoportable. La
210 guerra florida había empezado con la luna y

caldo *broth*

a puerro... perejil *like leeks,
celery, and parsley*

se fue desmigajando *found
itself crumbling*

chirriaba... rápida *a hot, quick
pain sizzled at times*

viraron a manchas *turned to
smudges*

un... sí *a pulling into himself*

embotadas *blocked up*

copas de árboles *treetops*

colchón... barro *bed of leaves
and clay*

Jadeante *Panting*
acorralado *cornered*

aferraba *gripped*
mango *handle*

musitó *mumbled*
plegaria *supplication*
súplica *prayer*
bienes *possessions*
hundiendo *sinking*
chaparral *live oak grove*
insoportable *unbearable*

llevaba ya tres días y tres noches. Si
conseguía refugiarse en lo profundo de la
selva, abandonando la calzada más allá de la
región de las ciénagas, quizá los guerreros no
215 le siguieran el rastro. Pensó en los muchos   rastro *track*
prisioneros que ya habrían hecho. Pero la
cantidad no contaba, sino el tiempo sagrado.
La caza continuaría hasta que los sacerdotes
dieran la señal del regreso. Todo tenía su
220 número y su fin, y él estaba dentro del
tiempo sagrado, del otro lado de los
cazadores.

      Oyó los gritos y se enderezó de un   de un salto *with a leap*
salto, puñal en mano. Como si el cielo se
225 incendiara en el horizonte, vio antorchas   antorchas *torches*
moviéndose entre las ramas, muy cerca. El
olor a guerra era insoportable, y cuando el
primer enemigo le saltó al cuello casi sintió
placer en hundirle la hoja de piedra en pleno
230 pecho. Ya lo rodeaban las luces, los gritos
alegres. Alcanzó a cortar el aire una o dos
veces, y entonces una soga lo atrapó desde   soga *rope*
atrás.

      —Es la fiebre— dijo el de la cama de al
235 lado—. A mí me pasaba igual cuando me
operé del duodeno. Tome agua y va a ver que
duerme bien.

      Al lado de la noche de donde volvía, la
penumbra tibia de la sala le pareció deliciosa.
240 Una lámpara violeta velaba en lo alto de la   velaba *kept vigil*
pared del fondo como un ojo protector. Se oía
toser, respirar fuerte, a veces un diálogo en
voz baja. Todo era grato y seguro, sin ese   grato *pleasant*
acoso, sin... Pero no quería seguir pensando   acoso *pursuit*
245 en la pesadilla. Había tantas cosas en que
entretenerse. Se puso a mirar el yeso del   yeso *plaster*
brazo, las poleas que tan cómodamente se lo
sostenían en el aire. Le habían puesto una
botella de agua mineral en la mesa de noche.
250 Bebió del gollete, golosamente. Distinguía   gollete *neck*
ahora las formas de la sala, las treinta camas,   golosamente *greedily*
los armarios con vitrinas. Ya no debía tener   armarios *cabinets*
tanta fiebre, sentía fresca la cara. La ceja le   vitrinas *glass doors*

dolía apenas, como un recuerdo. Se vio otra
255 vez saliendo del hotel, sacando la moto.
¿Quién hubiera pensado que la cosa iba a
acabar así? Trataba de fijar el momento del
accidente, y le dio rabia advertir que había
ahí como un hueco, un vacío que no
260 alcanzaba a rellenar. Entre el choque y el
momento en que lo habían levantado del
suelo, un desmayo o lo que fuera no le dejaba
ver nada. Y al mismo tiempo tenía la
sensación de que ese hueco, esa nada, había
265 durado una eternidad. No, ni siquiera tiempo,
más bien como si en ese hueco él hubiera
pasado a través de algo o recorrido distancias
inmensas. El choque, el golpe brutal contra el
pavimento. De todas maneras al salir del pozo
270 negro había sentido casi un alivio mientras
los hombres lo alzaban del suelo. Con el dolor
del brazo roto, la sangre de la ceja partida, la
contusión en la rodilla; con todo eso, un
alivio al volver al día y sentirse sostenido y
275 auxiliado. Y era raro. Le preguntaría alguna
vez al médico de la oficina. Ahora volvía a
ganarlo el sueño, a tirarlo despacio hacia
abajo. La almohada era tan blanda, y en su
garganta afiebrada la frescura del agua
280 mineral. Quizá pudiera descansar de veras, sin
las malditas pesadillas. La luz violeta de la
lámpara en lo alto se iba apagando poco a
poco.
　　Como dormía de espaldas, no lo
285 sorprendió la posición en que volvía a
reconocerse, pero en cambio el olor a
humedad, a piedra rezumante de filtraciones,
le cerró la garganta y lo obligó a comprender.
Inútil abrir los ojos y mirar en todas
290 direcciones; lo envolvía una oscuridad
absoluta. Quiso enderezarse y sintió las sogas
en las muñecas y los tobillos. Estaba
estaqueado en el suelo, en un piso de lajas
helado y húmedo. El frío le ganaba la espalda
295 desnuda, las piernas. Con el mentón buscó
torpemente el contacto con su amuleto, y

fijar	*to fix*
le... advertir	*it made him angry*
	to notice
hueco	*void*
vacío	*emptiness*
recorrido	*traveled*
pozo	*well*
sostenido	*lifted up*
volvía... sueño	*sleep was taking*
	over again
tirarlo	*pull him*
almohada	*pillow*
se... poco	*was gradually*
	growing dimmer
a... filtraciones	*like rock oozing*
	with water
estaqueado	*staked out*
lajas	*slabs*
torpemente	*dully*

supo que se lo habían arrancado. Ahora
estaba perdido, ninguna plegaria podía
salvarlo del final. Lejanamente, como
300   filtrándose entre las piedras del calabozo, oyó
los atabales de la fiesta. Lo habían traído al
teocalli; estaba en las mazmorras del templo
a la espera de su turno.

      Oyó gritar, un grito ronco que rebotaba
305   en las paredes. Otro grito, acabando en un
quejido. Era él que gritaba en las tinieblas,
gritaba porque estaba vivo, todo su cuerpo se
defendía con el grito de lo que iba a venir,
del final inevitable. Pensó en sus compañeros
310   que llenarían otras mazmorras, y en los que
ascendían ya los peldaños del sacrificio. Gritó
de nuevo sofocadamente, casi no podía abrir
la boca, tenía las mandíbulas agarrotadas y a
la vez como si fueran de goma y se abrieran
315   lentamente, con un esfuerzo interminable. El
chirriar de los cerrojos lo sacudió como un
látigo. Convulso, retorciéndose, luchó por
zafarse de las cuerdas que se le hundían en la
carne. Su brazo derecho, el más fuerte, tiraba
320   hasta que el dolor se hizo intolerable y tuvo
que ceder. Vio abrirse la doble puerta, y el
olor de las antorchas le llegó antes que la luz.
Apenas ceñidos con el taparrabos de la
ceremonia, los acólitos de los sacerdotes se le
325   acercaron mirándolo con desprecio. Las luces
se reflejaban en los torsos sudados, en el pelo
negro lleno de plumas. Cedieron las sogas, y
en su lugar lo aferraron manos calientes,
duras como bronce; se sintió alzado, siempre
330   boca arriba, tironeado por los cuatro acólitos
que lo llevaban por el pasadizo. Los
portadores de antorchas iban adelante,
alumbrando vagamente el corredor de paredes
mojadas y techo tan bajo que los acólitos
335   debían agachar la cabeza. Ahora lo llevaban,
lo llevaban, era el final. Boca arriba, a un
metro del techo de roca viva que por
momentos se iluminaba con un reflejo de
antorcha. Cuando en vez del techo nacieran

arrancado	*pulled off*
calabozo	*prison*
atabales	*drums*
teocalli	*temple*
mazmorras	*dungeons*
ronco	*hoarse*
rebotaba	*bounced*
quejido	*moan*
tinieblas	*darkness*
peldaños	*stairs*
sofocadamente	*in a muffled way*
agarrotadas	*clenched*
goma	*rubber*
chirriar... cerrojos	*squeaking of the bolts*
sacudió	*shook*
látigo	*whip*
retorciéndose	*twisting*
zafarse	*free himself*
se le hundían	*sunk*
tiraba	*pulled*
ceder	*give up*
ceñidos	*girded*
taparrabos	*loincloth*
acólitos	*acolytes*
desprecio	*scorn*
sudados	*sweaty*
Cedieron	*Yielded*
aferraron	*grasped*
alzado	*lifted up*
tironeado	*hauled*
pasadizo	*passageway*
alumbrando	*lighting*

340 las estrellas y se alzara frente a él la
escalinata incendiada de gritos y danzas,
sería el fin. El pasadizo no acababa nunca,
pero ya iba a acabar, de repente olería el aire
libre lleno de estrellas, pero todavía no,
345 andaban llevándolo sin fin en la penumbra
roja, tironeándolo brutalmente, y él no
quería, pero cómo impedirlo si le habían
arrancado el amuleto que era su verdadero
corazón, el centro de la vida.

350   Salió de un brinco a la noche del
hospital, al alto cielo raso dulce, a la sombra
blanda que lo rodeaba. Pensó que debía haber
gritado, pero sus vecinos dormían callados. En
la mesa de noche, la botella de agua tenía
355 algo de burbuja, de imagen traslúcida contra
la sombra azulada de los ventanales. Jadeó,
buscando el alivio de los pulmones, el olvido
de esas imágenes que seguían pegadas a sus
párpados. Cada vez que cerraba los ojos las
360 veía formarse instantáneamente, y se
enderezaba aterrado pero gozando a la vez del
saber que ahora estaba despierto, que la
vigilia lo protegía, que pronto iba a
amanecer, con el buen sueño profundo que se
365 tiene a esa hora, sin imágenes, sin nada... Le
costaba mantener los ojos abiertos, la
modorra era más fuerte que él. Hizo un
último esfuerzo, con la mano sana esbozó un
gesto hacia la botella de agua; no llegó a
370 tomarla, sus dedos se cerraron en un vacío
otra vez negro, y el pasadizo seguía
interminable, roca tras roca, con súbitas
fulguraciones rojizas, y él boca arriba gimió
apagadamente porque el techo iba a acabarse,
375 subía, abriéndose como una boca de sombra,
y los acólitos se enderezaban y de la altura
una luna menguante le cayó en la cara donde
los ojos no querían verla, desesperadamente
se cerraban y abrían buscando pasar al otro
380 lado, descubrir de nuevo el cielo raso
protector de la sala. Y cada vez que se abrían
era la noche y la luna mientras lo subían por

escalinata *stairway*
incendiada de *on fire with*

brinco *leap*

callados *silently*

traslúcida *translucent*
Jadeó *He panted*

pegadas *glued*

Le costaba *It was hard for him*

modorra *drowsiness*
esbozó *he sketched*

fulguraciones *flares*
gimió *groaned*
apagadamente *in a muffled way*

menguante *waning*

la escalinata, ahora con la cabeza colgando
hacia abajo, y en lo alto estaban las

385 hogueras, las rojas columnas de humo
perfumado, y de golpe vio la piedra roja,
brillante de sangre que chorreaba, y el vaivén
de los pies del sacrificado que arrastraban
para tirarlo rodando por las escalinatas del

390 norte. Con una última esperanza apretó los
párpados, gimiendo por despertar. Durante un
segundo creyó que lo lograría, porque otra
vez estaba inmóvil en la cama, a salvo del
balanceo cabeza abajo. Pero olía la muerte, y

395 cuando abrió los ojos vio la figura
ensangrentada del sacrificador que venía
hacia él con el cuchillo de piedra en la mano.
Alcanzó a cerrar otra vez los párpados,
aunque ahora sabía que no iba a despertarse,

400 que estaba despierto, que el sueño
maravilloso había sido el otro, absurdo como
todos los sueños: un sueño en el que había
andado por extrañas avenidas de una ciudad
asombrosa, con luces verdes y rojas que

405 ardían sin llama ni humo, con un enorme
insecto de metal que zumbaba bajo sus
piernas. En la mentira infinita de ese sueño
también lo habían alzado del suelo, también
alguien se le había acercado con un cuchillo

410 en la mano, a él tendido boca arriba, a él
boca arriba con los ojos cerrados entre las
hogueras.

colgando *hanging*

hogueras *bonfires*

chorreaba *flowed*
vaivén *swaying*

apretó *he closed tight*

lo lograría *he would be able to do it*
a... balanceo *safe from the swaying*

asombrosa *astonishing*
ardían *burned*
llama *flame*

Nota cultural

El propósito de la guerra florida de los aztecas era proveer prisioneros para los sacrificios a sus dioses. Así, en la batalla, el guerrero no buscaba matar a su enemigo sino llevarlo vivo a Tenochtitlán, donde lo sacrificarían encima de una de las grandes pirámides. Los aztecas creían que en el pasado el mundo había sido creado y destruido por los dioses en cuatro ocasiones. Su propio mundo, el del Quinto Sol, también sería destruido si no ofrecían sacrificios para aplacar a los dioses. La sangre de las víctimas sacrificadas proveía energía para que el sol cruzara el cielo, y así el mundo del Quinto Sol no llegaría a su fin.

Comprensión

1. ¿A qué hora salió el joven del hotel?   **2.** ¿Cómo era el día?   **3.** ¿Cómo ocurrió el accidente?   **4.** ¿Qué le pasó a la mujer del accidente?   **5.** ¿Qué partes del cuerpo le dolían más al joven?   **6.** ¿Adónde lo llevaron inicialmente? **7.** ¿Qué le hicieron en el hospital?   **8.** En la sala de operaciones, un hombre de blanco se le acercó con algo que brillaba en la mano. ¿Qué sería?   **9.** Al moteca, ¿por qué le molestó el olor que sentía?   **10.** ¿Qué buscaban los aztecas?   **11.** ¿Qué emoción sentía el moteca?   **12.** En el hospital, ¿qué le habían hecho al brazo del joven?   **13.** ¿Qué hizo el joven después de tomar el caldo?   **14.** ¿Qué colgaba del cuello del moteca?   **15.** ¿Hasta cuándo continuaría la guerra florida?   **16.** ¿Qué le pasó al moteca después de ver las antorchas?   **17.** Según el joven del accidente, ¿cómo era el «hueco» por el que pasaba después del accidente?   **18.** ¿Qué pasó cuando el moteca quiso moverse despues de ser atrapado?   **19.** ¿Qué pasó con su amuleto? **20.** ¿Dónde estaba el moteca?   **21.** ¿Qué pasó cuando se abrió la puerta doble?   **22.** ¿Adónde lo llevaban los acólitos?   **23.** ¿Por qué no podía impedirlo?   **24.** En el hospital, ¿qué pasó cuando el joven quiso tomar la botella de agua?   **25.** ¿Adónde quería volver el moteca cuando lo sacaron de la mazmorra?   **26.** ¿Qué tenía el sacrificador en la mano?   **27.** Según el moteca, ¿cuál fue el sueño maravilloso?

Expansión

I. Análisis literario

1. Como se ha indicado antes, según Jorge Luis Borges la literatura fantástica incluye varios temas básicos. Entre esos temas Borges menciona la contaminación de la realidad por el sueño, el viaje a través del tiempo y el concepto del doble. ¿Cómo utiliza Cortázar estos temas en este cuento?   **2.** En el cuento hay un vaivén entre el mundo del joven moderno y el del moteca. Los dos mundos se mantienen separados durante la mayor parte del cuento, pero en cierto momento, hacia el final del cuento, se unen los dos mundos en una frase donde al comienzo estamos en el mundo moderno pero pasamos en seguida al mundo de los motecas. ¿Puede Ud. indicar dónde ocurre esto?   **3.** Hay ciertos paralelos entre los dos mundos del cuento. Por ejemplo, en el mundo del joven del accidente hay un cuchillo (lo tiene el cirujano, es su escalpelo) y en el mundo de los aztecas el sacrificador también tiene un cuchillo. ¿Puede Ud. indicar otros paralelos?   **4.** ¿Cómo juega Cortázar irónicamente con el concepto del narrador en este cuento?

II. Narración

Toda narración, por breve que sea, normalmente tiene tres partes. La primera parte describe la situación: cómo era el día, qué hacía la persona, con quién estaba, etc. La segunda parte presenta la complicación: lo que ocurrió, por qué ocurrió, por qué fue interesante o poco común. La parte final o el desenlace describe lo que pasó como resultado de la acción y el efecto que tuvo en el narrador.

Pensando en esta división, escriba Ud. una narración sobre algo real o imaginario que le pasó a una persona en una ciudad grande.

III. Minidrama

Presenten Ud. y otra(s) persona(s) de la clase un breve drama que incluya ideas o conceptos del cuento «La noche boca arriba». Algunos temas posibles son:

1. Un(a) joven trabaja hasta muy tarde por la noche en su oficina en el centro de la ciudad. Al salir del edificio donde trabaja, nota que está muy oscuro y que no hay nadie en la calle. De pronto oye algo extraño...
2. Un(a) joven se sienta en un autobús. Dos personas están sentadas detrás de él (ella). Están hablando de una mujer que acaba de abandonar a su familia. El (La) joven se da cuenta de que hablan de...
3. Un joven que recién llegó a la ciudad ha llegado a conocer a una mujer. Los dos están en un restaurante y poco a poco, por lo que dice la mujer y por sus acciones, el joven llega a sospechar que realmente no es mujer. ¡Es una pantera en forma de mujer!

IV. Opiniones y actitudes

Escriba Ud. un párrafo sobre uno de los temas siguientes o explíqueselo a la clase.

1. Las ventajas y desventajas de vivir en una ciudad grande como Nueva York, San Francisco o Chicago.
2. Las características de los pueblos pequeños en nuestro país.
3. El decaimiento (decay) de las ciudades en nuestro país: causas y soluciones.

V. Situación

Con un(a) compañero(a) de clase, presente Ud. un diálogo sobre el aislamiento de un individuo que recién se ha mudado (moved) a una ciudad grande. Algunas de las cosas que pueden comentar en el diálogo son: ¿Cómo te sentías al llegar a la ciudad? ¿Extrañabas a tus amigos de antes? ¿Te gusta estar solo(a) o prefieres estar con otras personas? ¿Cómo puedes conocer a otras personas en la ciudad? ¿Qué actividades te gustan? ¿Puedes utilizar esas actividades como medio de conocer a otras personas? ¿Hay organizaciones que te pueden ayudar en ese proceso? ¿Esperas vivir en el centro de la ciudad o en los suburbios? ¿Por qué sí o por qué no?

El arte internacional de la metrópoli

En el siglo XX se desarrolla un arte metropolitano, abierto a las nuevas promociones europeas, enterado tanto de los temas autóctonos como de los internacionales, y consciente de las actitudes y preocupaciones del habitante de los grandes centros urbanos occidentales. Es un arte que cruza las fronteras, y los artistas viajan mucho, llegando a conocerse y a intercambiar ideas y conceptos, siempre en busca de una expresión propia. Aquí presentamos a tres figuras que se destacan en ese arte cosmopolita: **Joaquín Torres García** (1874–1949); **Roberto Sebastián Antonio Matta Echaurren** (1912–), y **Alejandro Obregón** (1920–).

Aunque nació y murió en Montevideo, Uruguay, Torres García pasó muchos años en el extranjero. En su juventud se mudó con su familia a un pueblo pequeño cerca de Barcelona, y, en los años siguientes, pintó muchos cuadros y murales al estilo neoclásico catalán. En 1920 viajó a Nueva York, donde pensaba fabricar juguetes —trenes, barcos, edificios— de madera. Al fallar esa empresa, volvió a viajar, primero a Italia y luego a París, donde, influenciado por Picasso y Mondrian, desarrolló el estilo que le daría fama mundial. El artista se refería a su estilo como a uno de «constructivismo universal». Para él, decir estructura era también decir abstracción: geometría, ritmo, proporción, líneas, planos, la idea del objeto. Las formas geométricas —el círculo, el triángulo, el cuadrado— sugieren orden, la unidad perfecta, el mundo de la razón. La sencillez de sus obras refleja la conciencia del artista de la escultura primitiva, de los diseños de los tejidos peruanos o de las líneas de las antiguas murallas incaicas. También se puede notar en sus pinturas la relación que tienen con los juguetes de madera que había fabricado cuando estuvo en Nueva York y la que tienen con la tipografía y la arquitectura, artes que influyen mucho en este tipo de pintura. Aclamado como maestro al regresar a Montevideo en 1934, propuso Torres García la creación de un nuevo arte americano, primitivo, fuerte y concreto, pero basado en principios abstractos. Sin embargo, los signos o símbolos de tal arte habían de ser tangibles y específicos, reconocibles por todos. Aplicando estos criterios a la obra del artista uruguayo, podemos apreciar la fusión de estilo moderno y símbolos concretos, pero universales que caracterizan su obra.

La vida interior del hombre —el reino de la subsconsciencia— recibe su máxima expresión pictórica en la obra de Roberto Sebastián Antonio Matta Echaurren, conocido pintor surrealista. Nacido en Santiago de Chile, Matta estudió arquitectura en la Universidad Nacional de Chile antes de viajar a París en 1934 para trabajar con el famoso arquitecto Le Corbusier. Pero como siempre le había interesado más la pintura, pronto abandonó la arquitectura y se dedicó al arte pictórico. En París y en Nueva York llegó a conocer a los surrealistas más famosos —Breton, Dalí, Duchamp, Tanguy— y desarrolló un estilo de tipo surrealista aunque muy personal. En general, sus pinturas de esa época son metafísicas y herméticas. Al observarlas, se nota la preocupación de Matta por el espacio —un espacio interno, personal, sin horizonte fijo— y por ciertos símbolos obscuros que parecen flotar en ese ambiente misterioso. En 1948 Matta abandonó Nueva York y volvió a Europa, donde vive desde entonces. La gran época del surrealismo había llegado a su fin y aunque su influencia todavía puede percibirse en las últimas obras del artista, su estilo es más objetivo y hay más preocupación por el «mensaje» de la pintura. Es un tipo de «sociología surrealista», menos abstracto, con formas más reconocibles. Aunque la vida y la obra de Matta son típicas del artista internacionalista, también personifican al nuevo hispanoamericano urbano, cuyos gustos e intereses cosmopolitas traspasan las fronteras de su patria.

La generación siguiente a la de Matta produce un arte en el que se alcanza la unión, ya buscada por Torres García, de temas y propósitos autóctonos y métodos internacionales. El que da ímpetu y forma al nuevo arte es el pintor colombiano Alejandro Obregón. Nacido en Barcelona, de padre colombiano y madre española, estudió Obregón en la Escuela de Bellas Artes de Boston y también en París. La mayor parte de su vida, sin embargo, la ha pasado en Colombia, donde su influencia ha sido enorme en la creación de un ambiente artístico abierto a todos los aspectos de la realidad contemporánea y a todos los métodos del modernismo internacional. Logra Obregón resucitar el interés por el escenario americano, percibido ahora de un modo nuevo y poético. Los valores expresados en su obra son más míticos que históricos, simbólicos en vez de «tropicales». A partir de 1957, el pintor se expresa en ciclos temáticos que se refieren a problemas y valores del hispanoamericano moderno: los cóndores; los estudiantes u otras víctimas que murieron en actos heroicos o defendiendo una causa social; los volcanes; la vegetación de los Andes y de las zonas tropicales de la costa; la violencia; el ambiente marítimo; Ícaro; paisajes para ángeles; sortilegios. También se percibe en su obra la influencia de la luz de Barranquilla (adonde se mudó con su familia cuando él tenía seis años), donde el sol, el mar, la montaña y los animales se hacen sentir con gran fuerza. En *Amanecer en los Andes* el artista logra captar los maravillosos colores de la vegetación de las zonas tropicales, además de la presencia imponente de las montañas.

Joaquín Torres García, The Port, 1942. Oil on cardboard, 31 ⅜″ × 39 ⅞″. Collection, The Museum of Modern Art, New York. Inter-American Fund.

El puerto

El *puerto* es una obra típica de Torres García, tanto por su abstracción como por la universalidad de sus símbolos. ¿Cuántas formas geométricas pueden identificarse en el cuadro? ¿Cuántos objetos puede Ud. nombrar? ¿Son antiguos algunos de los símbolos? ¿Cuáles? ¿Qué puede significar el sol con cara de hombre? ¿Cómo se refleja aquí el interés del pintor por los juguetes?

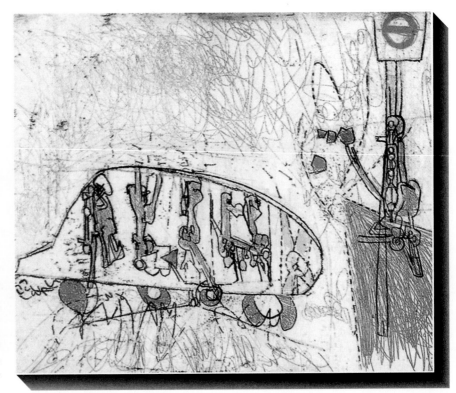

Matta (Roberto Sebastián Antonio Matta Echaurren), The Bus, from the portfolio Scénes familières, 1962. Etching, printed in color. Plate: 12 ¹⁵/₁₆″ × 17″. Sheet: 19 ¾″ × 25 ⅝″. Collection, The Museum of Modern Art, New York. Inter-American Fund.

El autobús

El autobús, tema de esta aguafuerte de Matta, tipifica la vida de la metrópoli. Las regulaciones del tráfico rigen el movimiento del hombre, que también se halla encerrado dentro del espacio limitado del vehículo. Aunque las formas son reconocibles, todavía se percibe cierta cualidad de sueño, ambiente preferido por los surrealistas.

Alejandro Obregón,
Amanecer en los Andes.
Given as a gift by the govern-
ment of Colombia to the United
Nations, October, 1983.

Amanecer en los andes

Aquí se ven los Andes por la mañana, pintados de oro por los primeros rayos del sol. ¿Cuántos cóndores hay en la pintura? ¿Hay cóndores en los Estados Unidos? ¿Dónde? ¿Qué animal se ve en la parte inferior de la pintura?

Para comentar

1. ¿Qué aspectos de la vida del hombre en la metrópoli se encuentran en el cuento de Cortázar y en el aguafuerte de Matta?

2. ¿Cómo influyen la memoria y la subsconsciencia en las obras de arte que hemos estudiado en esta unidad?

3. Compare Ud. el vocabulario de formas y símbolos de *El puerto* de Torres García con los de *Amanecer en los Andes* de Obregón.

4. Comente Ud. la descripción de la vida urbana que se ha presentado en esta unidad.

5. Escriba Ud. un ensayo sobre uno de los temas siguientes.
   a. El problema más grande que enfrentan nuestras ciudades hoy día
   b. Los medios de transporte público: su importancia en la actualidad
   c. Características universales de los grandes centros urbanos
   d. El arte y la metrópoli (Una posibilidad: busque Ud. en Internet ejemplos del uso de obras de arte en un gran centro urbano como Nueva York o París.)

UNIDAD 11

Los Estados Unidos y lo hispánico

Aunque un puertorriqueño emigre al continente, nunca olvida su tierra natal.
Según lo que ve en la foto, ¿por qué desearía regresar a San Juan?

Enfoque

Según el censo de 1990, había 22.354.059 personas de origen hispánico en los Estados Unidos, aproximadamente 9% de la población del país. La mayoría de esa población es de origen mexicano, pero también hay un gran número de personas de origen puertorriqueño y cubano. Aunque mucho menor que el de los de origen mexicano, el número de puertorriqueños y cubanos en los Estados Unidos indica la relación especial entre los Estados Unidos, Puerto Rico y Cuba. Mientras Puerto Rico, establecido en 1952 como Estado Libre Asociado, está hoy día asociado con los Estados Unidos, Cuba, por el contrario, se ha desasociado totalmente de este país a partir de 1959, con el triunfo de la revolución cubana.

En las últimas décadas, por razones económicas y políticas, muchos puertorriqueños y cubanos han inmigrado a los Estados Unidos. Los puertorriqueños se concentraron especialmente en Nueva York donde, a pesar de sus esperanzas de mejorar económicamente, muchos siguen en medio de la pobreza. Por el contrario, la mayoría de los cubanos que han dejado Cuba después de 1959, por provenir generalmente de la clase media y tener una educación relativamente buena, han sabido aprovechar las oportunidades que se les han presentado. Aunque se les encuentra hoy día en muchas partes de los Estados Unidos, la mayoría vive en Miami, donde sus muchas contribuciones han transformado la ciudad.

Las obras literarias y pictóricas escogidas para esta unidad representan sólo unos pocos momentos de la rica y fecunda historia cultural de las dos islas. La situación del puertorriqueño en Nueva York —su situación económica y su nostalgia por su isla tropical— es tema muy desarrollado en novelas y cuentos de varios escritores puertorriqueños. Entre ellos se destaca Pedro Juan Soto, autor de *Spiks*, colección de cuentos que reflejan la miseria y soledad que han caracterizado la vida en los barrios pobres. La obra poética del gran poeta cubano Nicolás Guillén se destaca por sus temas políticos y étnicos. Como se verá en el poema «Balada de los dos abuelos», Guillén está muy orgulloso de su origen mulato; en otros poemas el poeta exalta la negritud. En la última parte de la unidad se presentan algunos trabajos de tres pintores cubanos —Amelia Peláez, Wifredo Lam y Mario Carreño— cuyas obras ejemplifican la síntesis de lo cosmopolita y lo autóctono que caracteriza el arte cubano moderno.

Vocabulario útil

Estudie Ud. estas palabras.

Verbos
amenazar   *to threaten*
quitarse   *to take off, to remove*

Sustantivos
la almohada   *pillow*
la cocina   *kitchen*
la colcha   *bedspread*
el cuello   *neck*
el dormitorio   *bedroom*
la habitación   *room*
la Navidad   *Christmas*
la Nochebuena   *Christmas Eve*

la pelota   *ball*
la selva   *jungle*
el sótano   *basement*
el tamaño   *size*
la voz   *voice*

Otras palabras y expresiones
al cabo de   *after, at the end of*
alrededor de   *around*
cuarto de baño   *bathroom*
dar vueltas   *to circle*
hacer caso de   *to pay attention to*
jamás   *never*

Anticipación

I. Complete Ud. el párrafo con la forma apropiada de una palabra del **Vocabulario útil.**

*Llegamos a su casa el veinticuatro de diciembre, es decir, en la _____.
Siempre habíamos querido pasar la _____ juntos, pero varias cosas lo
habían impedido. La casa era más bien ordinaria —una sala pequeña, un comedor cerca
de la _____ , un _____ y dos _____ : total, seis
_____ . Nosotros teníamos un apartamento en el _____ de
una casa de apartamentos en Nueva York y era un placer estar en el campo con nuestros
amigos.*

*En la sala había un árbol de Navidad y los amigos dijeron que habían tenido que
buscar mucho para encontrar un árbol del _____ que querían.*

*_____ del árbol había figuritas que representaban a José, a María, al Niño
Jesús y a los Reyes Magos (Magi). También había pastores, y varios animales: no sólo
ovejas, sino también perros, gatos y varios animales de la _____ tropical.
Todo era muy lindo y _____ me he sentido más feliz que en aquella
ocasión.*

II. El autor del cuento que Ud. va a leer en esta unidad imita el dialecto de muchos puertorriqueños que viven en los Estados Unidos.

En ese dialecto, la mayoría de los cambios fonéticos son cambios del valor de las consonantes.

A. La *s* al final de una sílaba o de una palabra tiende a desaparecer:

piensah	*piensas*	Cloh	*Clos*
quiereh	*quieres*	veremoh	*veremos*
uhté	*usted*	máh	*más*
dihparo	*disparo*	tuh	*tus*
caeh	*caes*	garabatoh	*garabatos*
neneh	*nenes*	altihta	*artista*
Dioh	*Dios*	ehcupidera	*escupidera*
ereh	*eres*	unoh	*unos*
buhcal	*buscar*	tuboh	*tubos*
esoh	*esos*	dieh	*diez*
vagoh	*vagos*	iráh	*irás*
loh	*los*	pesoh	*pesos*
eh	*es*	muñecoh	*muñecos*
mihmo	*mismo*	suciedadeh	*suciedades*
Crihmah	*Crismas*	tieneh	*tienes*
muchachoh	*muchachos*	hijoh	*hijos*
jugueteh	*juguetes*	porqueríah	*porquerías*
Reyeh	*Reyes*	indecenciah	*indecencias*

B. Se sustituye a veces la *r* por la *l:*

seguil	*seguir*	dolol	*dolor*	pintal	*pintar*
embalgo	*embargo*	teltulia	*tertulia*	velgüenza	*vergüenza*
calgo	*cargo*	cael	*caer*	fijalse	*fijarse*
levantalte	*levantarte*	quedal	*quedar*	sucedel	*suceder*
muelto	*muerto*	Niu Yol	*Niu*	buhcal	*buscar*
altihta	*artista*		*Yor(k)*		

C. La *d* final y la *d* intervocálica desaparecen:

echao	*echado*	condenao	*condenado*	caricortaoh	
toa	*toda*	na	*nada*		*caricortados*
dao	*dado*	to	*todos*	prehtá	*prestada*

D. Otros cambios son menos frecuentes en el texto:

di	*de*	pa	*para*
aguántesen	*aguántense*	si	*se*

Vamos a ver si Ud. puede entender estas frases.

1. Neneh, que tengo dolol de cabeza, por Dioh, no hagan ruido...
2. ¿Qué piensah hacer hoy, buhcal trabajo?
3. ¿Piensah seguil de bar en bar, dibujando a to esoh vagoh *(bums)?*
4. Seguramente iráh a la teltulia de loh muchachoh.
5. A Niu Yol no vienen loh Reyeh. ¡A Niu Yol viene Santa Cloh!
6. Siempre eh lo mihmo.
7. Esoh muchachoh se van a quedal sin jugueteh.
8. Voy a buhcal un árbol pa loh muchachoh.

III. En la Navidad y en otras ocasiones les damos regalos a los amigos o a los familiares como expresión de nuestro cariño o nuestro amor. Complete Ud. estas frases de una manera personal.

1. En mi familia, es costumbre darnos regalos en...
2. Para el (la) niño(a) la Navidad (u otra ocasión parecida) es...
3. El mejor regalo que se le puede dar a un(a) amigo(a) es...
4. Si a una persona no le gusta el regalo que le dan, debe...
5. Lo malo de la Navidad es que...

Balada de los dos abuelos

Nicolás Guillén nació en Camagüey, Cuba, en 1904. Hijo de mulatos, era miembro de una familia pobre. Su padre era un obrero y militante político, que fue asesinado cuando Guillén tenía quince años. Como resultado, Guillén tuvo que sufrir muchas privaciones para terminar su educación secundaria. Después, estudió derecho en La Habana y también trabajó de tipógrafo y reportero. En 1930 publicó sus primeros poemas, *Motivos del son*. De ahí en adelante, se dedicó a la poesía, una poesía esencialmente militante, de protesta social y política.

En los poemas de *Motivos del son* Guillén denuncia la situación de los negros cubanos de aquella época. El ritmo y el color de los poemas reflejan la música afrocubana, música que también comunicaba los dolores y las alegrías de la raza. En el segundo libro de sus poesías, *Sóngoro cosongo* (1931), el poeta denuncia la discriminación racial y defiende los derechos de los negros. «Balada de los dos abuelos» aparece en el tercer libro de sus poemas, *West Indies, Ltd.* (1934). En estos poemas Guillén se dirige a todos los cubanos —a los negros, los blancos y los mulatos. Como se verá, por medio de los dos abuelos Guillén nos ofrece una síntesis de la historia cubana y un comentario íntimo sobre su propia identidad racial.

1 Sombras que sólo yo veo,
   me escoltan mis dos abuelos.[1]   escoltan *escort; accompany*

   Lanza con punta de hueso,   punta de hueso *bone tip*
   tambor de cuero y madera: tambor *drum*
5 Mi abuelo negro.

   Gorguera en el cuello ancho,   Gorguera *Ruff*
   gris armadura guerrera:
   Mi abuelo blanco.

   Pie desnudo, torso pétreo   pétreo *stony; like stone*
10 los de mi negro;
   ¡pupilas de vidrio antártico
   las de mi blanco!
   Africa de selvas húmedas
   y de gordos gangos sordos...   gangos *metal musical instruments in the shape of a disk*

15 —¡Me muero!
(Dice mi abuelo negro.)
Aguaprieta de caimanes,
verdes mañanas de cocos...
—¡Me canso!
20 (Dice mi abuelo blanco.)

Oh velas de amargo viento,
galeón ardiendo en oro...
—¡Me muero!
(Dice mi abuelo negro.)
25 ¡Oh costas de cuello virgen
engañadas de abolorios...!
—¡Me canso!
(Dice mi abuelo blanco.)
¡Oh puro sol repujado,
30 preso en el aro del trópico;
oh luna redonda y limpia
sobre el sueño de los monos!

¡Qué de barcos, qué de barcos!
¡Qué de negros, qué de negros![2]
35 ¡Qué largo fulgor de cañas!
¡Qué látigo el del negrero!
Piedra de llanto y de sangre,
venas y ojos entreabiertos,
y madrugadas vacías,
40 y atardeceres de ingenio,
y una gran voz, fuerte voz,
despedazando el silencio.
¡Qué de barcos, qué de barcos,
qué de negros!

45 Sombras que sólo yo veo,
Me escoltan mis dos abuelos.

Don Federico me grita
y Taita Facundo calla;
los dos en la noche sueñan
50 y andan, andan.
Yo los junto.

—¡Federico!

Aguaprieta de caimanes *Black
water with alligators*
cocos *coconut palms*

ardiendo *burning*

engañadas de abolorio *deceived
by glass beads*

repujado *embossed*
preso en el aro *caught in the
arc*

Qué de *How many*

fulgor de cañas *brilliance of
cane*
látigo *whip*
negrero *slave trader*

ingenio *sugar mill*

Taita *name respectfully used for
an elderly black man*

junto *join*

¡Facundo! Los dos se abrazan.
Los dos suspiran. Los dos
55 las fuertes cabezas alzan;   alzan *raise*
los dos del mismo tamaño,
bajo las estrellas altas;
los dos del mismo tamaño,
ansia negra y ansia blanca,   ansia *yearning, longing*
60 los dos del mismo tamaño,
gritan, sueñan, lloran, cantan.
Sueñan, lloran, cantan.
Lloran, cantan.
¡Cantan!

Notas culturales

¹*Una de las técnicas que caracterizan las canciones africanas es el uso de repeticiones. ¿Cómo utiliza Guillén esa técnica en este poema?*

²*En la primera parte del poema, Guillén describe a los dos abuelos antes de llegar a Cuba, y después, al llegar a la isla. En los versos que siguen, describe la esclavitud en Cuba y se refiere al duro trabajo del esclavo en los campos y en el ingenio de azúcar.*

Comprensión

1. ¿Por qué dice Guillén que sus abuelos lo acompañan y sólo él los puede ver?
2. ¿Cómo contrasta el poeta la apariencia física de los dos abuelos?   **3.** Al llegar a la isla, ¿por qué dice el abuelo negro «¡Me muero!» mientras el blanco dice «¡Me canso!»?   **4.** ¿Cómo se describe la isla?   **5.** ¿Cómo describe Guillén el trabajo de los esclavos?   **6.** En la última parte del poema, ¿cuál parece ser la actitud del poeta hacia sus dos abuelos?   **7.** Durante la mayor parte del poema hay una alternación entre los dos abuelos. ¿Cómo cambia ese plan en los últimos versos del poema?

Garabatos

Pedro Juan Soto (1928–   ) es de una generación de escritores puerto-rriqueños cuyas obras se caracterizan por la protesta social. Estos escritores se preocupan por la condición económica y política tanto de los puertorriqueños que viven en la isla como de los que se han radicado en Nueva York, cuya población puertorriqueña sobrepasa un millón. Sus obras reflejan el descontento que existe en Puerto Rico como resultado de la pobreza y del estado legal de la isla como Estado Libre Asociado. Los temas principales de esta generación incluyen la vida en la isla bajo el dominio de los Estados Unidos, la imposición del inglés en las escuelas, las experiencias en la guerra de Corea y los problemas que viven muchos puertorriqueños en Nueva York: el crimen, la violencia, la soledad y la desesperación.

Soto ha compartido muchas de las experiencias de su generación. Vino a Nueva York de Puerto Rico para cursar estudios universitarios y conocer el ambiente en que vivían más de un millón de puertorriqueños. Al graduarse en la universidad, hizo su servicio militar en el ejército de los Estados Unidos en Corea, experiencia que incorporaría —junto con su vida en Nueva York— como tema en sus cuentos y novelas. Además de ser escritor profesional, Soto es también educador (ha enseñado en la Universidad de Puerto Rico).

El cuento de Soto aquí incluido, «Garabatos», forma parte de su antología *Spiks*. De ese cuento dice el escritor:

... La idea me vino, muy a medias, mientras escuchaba a un querido amigo —pintor reconocido ahora, estudiante de pintura en octubre de 1953— quejarse de la aparente insensibilidad de su esposa frente a sus creaciones artísticas. Sus cuitas eran similares a las mías, puesto que más de un pariente me consideraba ocupado en «cosas de vago» cada vez que me sorprendía escribiendo. Después de cinco semanas de trabajo intenso, me di por satisfecho en cuanto a «Garabatos». La simbología escogida me parece obvia ahora, sin embargo. El estrato económico del puertorriqueño-neoyorquino está obviamente ilustrado por ese sótano donde malviven los personajes. Y dentro de ese sótano, la ubicación posible del arte es el cuarto de baño. Visión pesimista, dirá alguien. No la creo pesimista, sino realista.

1

1   El reloj marcaba las siete y él despertó por un
instante. Ni su mujer estaba en la cama, ni
sus hijos en el camastro. Sepultó la cabeza
bajo la almohada para ensordecer el escándalo
5   que venía desde la cocina. No volvió a abrir
los ojos hasta las diez, obligado ahora por las
sacudidas de Graciela.

    Aclaró la vista estregando los ojos
chicos y removiendo las lagañas, sólo para
10   distinguir el cuerpo ancho de su mujer
plantado frente a la cama, en aquella actitud
desafiante. Oyó la voz estentórea de ella, que
parecía brotar directamente del ombligo.

    —¡Qué! ¿Tú piensah seguil echao toa tu
15   vida? Parece que la mala barriga te ha dao a
ti. Sin embalgo, yo calgo el muchacho.

    Todavía él no la miraba a la cara. Fijaba
la vista en el vientre hinchado, en la pelota
de carne que crecía diariamente y que
20   amenazaba romper el cinturón de la bata.

    —¡Acaba de levantalte, condenao! ¿O
quiereh que te eche agua?

    Él vociferó a las piernas abiertas y a los
brazos en jarras, al vientre amenazante, al
25   rostro enojado: —¡Me levanto cuando me
salga di adentro y no cuando uhté mande!
¡Adiós! ¿Qué se cree uhté?

    Retornó la cabeza a las sábanas, oliendo
las manchas de brillantina en la almohada y
30   el sudor pasmado de la colcha.

    A ella le dominó la masa inerte del
hombre: la amenaza latente en los brazos
quietos, la semejanza del cuerpo al de un
lagartijo enorme.

35   Ahogó los reproches en un morder de
labios y caminó de nuevo hacia la cocina,
dejando atrás la habitación donde
chisporroteaba, sobre el ropero, la vela
ofrecida a San Lázaro. Dejando atrás la palma
40   bendita del último Domingo de Ramos y las

camastro	*old bed, cot*
Sepultó	*He buried*
ensordecer	*close out, muffle*
escándalo	*racket, noise*
las... Graciela	*Graciela's shaking*
Aclaró	*He cleared*
estregando	*rubbing*
lagañas	*bleariness*
desafiante	*defiant*
estentórea	*loud*
brotar	*burst, originate*
ombligo	*navel*
barriga	*belly*
calgo (cargo)	*carry*
vientre	*belly, womb*
bata	*bathrobe*
Acaba de levantalte (levantarte)	
	Hurry and get up
vociferó	*shouted*
en jarras	*akimbo*
enojado	*angry*
manchas	*stains*
el sudor pasmado	*the stale*
	sweat
semejanza	*similarity*
lagartijo	*lizard*
morder	*biting*
chisporroteaba	*was sputtering*
ropero	*wardrobe*
vela	*candle*
Domingo de Ramos	*Palm*
	Sunday

estampas religiosas que colgaban de la
pared.

    Era un sótano donde vivían. Pero
aunque lo sostuviera la miseria, era un techo
45 sobre sus cabezas. Aunque sobre ese techo
patearan y barrieran otros inquilinos, aunque
por las rendijas lloviera basura, ella agradecía
a sus santos tener dónde vivir. Pero Rosendo
seguía sin empleo. Ni los santos lograban
50 emplearlo. Siempre en las nubes, atento más
a su propio desvarío que a su familia.

    Sintió que iba a llorar. Ahora lloraba
con tanta facilidad. Pensando: *Dios Santo si
yo no hago más que parir y parir como una*
55 *perra y este hombre no se preocupa por buscar*
trabajo porque prefiere que el gobierno nos
mantenga por correo mientras él se la pasa
por ahí mirando a los cuatro vientos como
Juan Bobo y diciendo que quiere ser pintor.
60   Detuvo el llanto apretando los dientes,
cerrando la salida de las quejas que pugnaban
por hacerse grito. Devolviendo llanto y quejas
al pozo de los nervios, donde aguardarían a
que la histeria les abriera cauce y les
65 transformara en insulto para el marido, o
nalgada para los hijos, o plegaria para la
Virgen del Socorro.

    Se sentó a la mesa, viendo a sus hijos
correr por la cocina. Pensando en el árbol de
70 Navidad que no tendrían y los juguetes que
mañana habrían de envidiarles a los demás
niños. *Porque esta noche es Nochebuena y*
mañana es Navidad.

    —¡Ahora yo te dihparo y tú te caeh
75 muelto!

    Los niños jugaban bajo la mesa.

    —Neneh, no hagan tanto ruido,
bendito...

    —¡Yo soy Chen Otry! —dijo el mayor.
80   —¡Y yo Palón Casidi!

    —Neneh, que tengo dolol de cabeza,
por Dioh...

    —¡Tú no ereh Palón na! ¡Tú ereh el
pillo y yo te mato!

Glosas marginales:

estampas *prints*

sostuviera *supported*

patearan y barrieran *stamped and swept*

rendijas *cracks*

basura *garbage*

desvarío *madness, whim*

parir *give birth*

se la pasa *spends his time*

Juan Bobo *Crazy John*

apretando *gritting*

quejas *complaints*

pugnaban *struggled*

grito *scream*

pozo *well*

aguardarían *they would wait*

les abriera cauce *would open a path for them*

nalgada *spanking*

plegaria *supplication, prayer*

juguetes *toys*

te dihparo (te disparo) *I'll shoot you*

Chen Otry *Gene Autry*

Palón Casidi *Hopalong Cassidy*

pillo *bad guy*

85   —¡No! ¡Maaamiii!
Graciela torció el cuerpo y metió la
cabeza bajo la mesa para verlos forcejear.
—¡Muchachos, salgan de ahí! ¡Maldita
sea mi vida!
90   ¡ROSENDO ACABA DE LEVANTALTE!
Los chiquillos corrían nuevamente por la
habitación: gritando y riendo uno, llorando otro.
—¡ROSENDO!

torció *twisted*
metió *put*
forcejear *wrestle*

2

Rosendo bebía el café sin hacer caso de los
95   insultos de la mujer.
—¿Qué piensah hacer hoy, buhcal
trabajo o seguil por ahí, de bodega en bodega
y de bar en bar, dibujando a to esoh vagoh?
Él bebía el café del desayuno,
100   mordiéndose los labios distraídamente,
fumando entre sorbo y sorbo su último
cigarrillo. Ella daba vueltas alrededor de la
mesa, pasándose la mano por encima del
vientre para detener los movimientos del feto.
105   —Seguramente iráh a la teltulia[1] de loh
caricortaoh a jugar alguna peseta prehtá,
creyéndote que el maná va a cael del cielo hoy.
—Déjame quieto, mujer...
—¡Sí, siempre eh lo mihmo: ¡déjame
110   quieto! Mañana eh Crihmah y esoh
muchachoh se van a quedal sin jugueteh.
—El día de Reyeh en enero.[2]
—A Niu Yol no vienen loh Reyeh. ¡A
Niu Yol viene Santa Cloh!
115   —Bueno, cuando venga el que sea, ya
veremoh.
—¡Ave María Purísima, qué padre! ¡Dioh
mío! ¡No te preocupan na máh que tuh
garabatoh! ¡El altihta! ¡Un hombre viejo como
120   tú!
Se levantó de la mesa y fue al
dormitorio, hastiado de oír a la mujer. Miró
por la única ventana. Toda la nieve caída tres
días antes estaba sucia. Los automóviles

bodega *store*
dibujando *sketching*
vagoh (vagos) *bums*
distraídamente *distractedly*
sorbo y sorbo *one sip and
     another*

teltulia (tertulia) *party, gather-
     ing*
caricortaoh (caricortados) *good-
     for-nothings*
prehtá (prestada) *borrowed*
maná *manna*
Déjame quieto *Let me alone*

Niu Yol *New York*
Santa Cloh *Santa Claus*

garabatoh (garabatos) *scrib-
     blings*

hastiado *tired*

125 habían aplastado y ennegrecido la del asfalto.
La de las aceras había sido hollada y orinada
por hombres y perros. Los días eran más fríos
ahora porque la nieve estaba allí, hostilmente
presente, envilecida, acomodada en la
130 miseria. Desprovista de toda la inocencia que
trajo el primer día.

Era una calle lóbrega, bajo un aire
pesado, en un día grandiosamente opaco.

Rosendo se acercó al ropero para sacar
135 de una gaveta un envoltorio de papeles.
Sentándose en el alféizar, comenzó a
examinarlos. Allí estaban todas las bolsas del
papel que él había recogido para romperlas y
dibujar. Dibujaba de noche, mientras la mujer
140 y los hijos dormían. Dibujaba de memoria los
rostros borrachos, los rostros angustiados de
la gente de Harlem: todo lo visto y
compartido en sus andanzas del día.

Graciela decía que él estaba en la
145 segunda infancia. Si él se ausentaba de la
mujer quejumbrosa y de los niños llorosos,
explorando en la Babia imprecisa de sus trazos
a lápiz, la mujer rezongaba y se mofaba.

Mañana era Navidad y ella se
150 preocupaba porque los niños no tendrían
juguetes. No sabía que esta tarde él cobraría
diez dólares por un rótulo hecho ayer para el
bar de la esquina. Él guardaba esa sorpresa
para Graciela. Como también guardaba la
155 sorpresa del regalo de ella.

Para Graciela él pintaría un cuadro. Un
cuadro que resumiría aquel vivir juntos, en
medio de carencias y frustraciones. Un cuadro
con un parecido melancólico a aquellas
160 fotografías tomadas en las fiestas patronales
de Bayamón. Las fotografías del tiempo del
noviazgo, que formaban parte del álbum de
recuerdos de la familia. En ellas, ambos
aparecían recostados contra un taburete alto,
165 en cuyo frente se leía «Nuestro Amor» o
«Siempre Juntos». Detrás estaba el telón con
las palmeras y el mar y una luna de papel
dorado.

---

aplastado *flattened*
ennegrecido *blackened*
asfalto *pavement*
hollada *trampled*
orinada *urinated on*
envilecida *vilified*
acomodada en *at home with*
Desprovista de *Stripped of*
lóbrega *gloomy, murky*

gaveta *drawer*
envoltorio *bundle*
alféizar *window sill*
bolsas *bags*

compartido *shared*
andanzas *wanderings*

quejumbrosa *grumbling*
Babia *absent-mindedness*
trazos a lápiz *pencil drawings*
rezongaba *grumbled*
se mofaba *sneered*
cobraría *would collect*
rótulo *sign*
guardaba *was saving*

resumiría *would summarize*
carencias *deprivations*
parecido *similarity*
fiestas patronales *saint's day parties*
noviazgo *courtship*

recostados *leaning*
taburete *stool*
en cuyo frente *in front of which*
telón *backdrop*
dorado *golden*

A Graciela le agradaría, seguramente,
170 saber que en la memoria de él no había
muerto nada. Quizás después no se mofaría
más de sus esfuerzos.

Por falta de materiales, tendría que
hacerlo en una pared y con carbón. Pero sería   carbón *charcoal*
175 suyo, de sus manos, hecho para ella.

3

A la caldera del edificio iba a parar toda la   caldera *boiler*
madera vieja e inservible que el   iba a parar *wound up*
superintendente traía de todos los pisos. De
allí sacó Rosendo el carbón que necesitaba.
180 Luego anduvo por el sótano buscando una
pared. En el dormitorio no podía ser. Graciela
no permitiría que él descolgara sus estampas   descolgara *take down*
y sus ramos.

La cocina estaba demasiado
185 resquebrajada y mugrienta.   resquebrajada *cracked*

—Si necesitan ir al cuarto de baño   mugrienta *grimy, filthy*
—dijo a su mujer—, aguántesen o usen la   aguántesen (aguántense) *hold*
ehcupidera. Tengo que arreglar unoh tuboh.   *it*

Cerró la puerta y limpió la pared de   ehcupidera (escupidera)
190 clavos y telarañas. Bosquejó su idea: un   *chamber pot*
hombre a caballo, desnudo y musculoso, que   tuboh (tubos) *pipes*
se inclinaba para abrazar a una mujer   clavos *nails*
desnuda también, envuelta en una melena   telarañas *cobwebs*
negra que servía de origen a la noche.   Bosquejó *He sketched*

195 Meticulosamente, pacientemente, retocó   se inclinaba *leaned down*
repetidas veces los rasgos que no le   melena *mane*
satisfacían. Al cabo de unas horas, decidió
salir a la calle a cobrar sus diez dólares, a
comprar un árbol de Navidad y juguetes para
200 sus hijos. De paso, traería tizas de colores del   De paso *On the way*
«candy store». Este cuadro tendría mar y   tizas *chalk*
palmeras y luna. Y colores, muchos colores.
Mañana era Navidad.

Graciela iba y venía por el sótano,
205 corrigiendo a los hijos, guardando ropa   guardando *putting away*
lavada, atendiendo a las hornillas encendidas.   hornillas encendidas *lighted*
                                                         burners (of a store)

Él vistió su abrigo remendado.

—Voy a buhcal un árbol pa loh muchachoh. Don Pedro me debe dieh pesoh.

210 Ella le sonrió, dando gracias a los santos por el milagro de los diez dólares.

Regresó de noche al sótano, oloroso a whisky y a cerveza. Los niños se habían dormido ya. Acomodó el árbol en un rincón
215 de la cocina y rodeó el tronco con juguetes.

Comió el arroz con frituras, sin tener hambre, pendiente más de lo que haría luego. De rato en rato, miraba a Graciela, buscando en los labios de ella la sonrisa que no llegaba.

220 Retiró la taza quebrada que contuvo el café, puso las tizas sobre la mesa, y buscó en los bolsillos el cigarrillo que no tenía.

—Esoh muñecoh loh borré.

Él olvidó el cigarrillo.

225 —¿Ahora te dio por pintal suciedadeh?

Él dejó caer la sonrisa en el abismo de su realidad.

—Ya ni velgüenza tieneh...

Su sangre se hizo agua fría.

230 —... obligando a tus hijoh a fijalse en porqueríah, en indecenciah... Loh borré y si acabó y no quiero que vuelva sucedel.

Quiso abofetearla pero los deseos se le paralizaron en algún punto del organismo,
235 sin llegar a los brazos, sin hacerse furia descontrolada en los puños.

Al incorporarse de la silla, sintió que todo él se vaciaba por los pies. Todo él había sido estrujado por un trapo de piso y las
240 manos de ella le habían exprimido fuera del mundo.

Fue al cuarto de baño. No quedaba nada suyo. Sólo los clavos, torcidos y mohosos, devueltos a su lugar. Sólo las arañas vueltas a
245 hilar.

Aquella pared no era más que la lápida ancha y clara de sus sueños.

Spiks, 1956.

remendado *patched*

oloroso a *smelling of*

frituras *fritters*
pendiente *absorbed*
De... rato *From time to time*

Retiró *Removed*
quebrada *chipped*

muñecoh (muñecos) *drawings*

suciedadeh (suciedades) *filth*

velgüenza (vergüenza) *shame*

vuelva sucedel (vuelva a
   suceder) *happen again*
abofetearla *strike her*

puños *fists*
Al incorporarse *Upon rising*
se vaciaba *was draining out*
estrujado *wrung out, wiped out*
trapo de piso *rag for washing
   the floor*
exprimido *squeezed*
torcidos *twisted*
mohosos *rusty*
arañas... hilar *spiders, spinning
   again*

Notas culturales

[1] Las tertulias son reuniones sociales de personas que se reúnen para conversar. Por ejemplo, hay tertulias políticas o literarias, y normalmente tienen lugar en un bar o en un café, en cierto día de la semana, a una hora fija.

[2] Aunque es costumbre en los Estados Unidos presentar los regalos el 25 de diciembre, en algunos países hispánicos se dan los regalos tradicionalmente el 6 de enero, Día de los Reyes Magos.

Comprensión

1. ¿Cómo despertó Graciela a su marido?   **2.** ¿Se despertó él en seguida?
3. ¿En qué condiciones físicas estaba Graciela?   **4.** ¿Qué cosas religiosas había en el dormitorio?   **5.** ¿En qué parte del edificio vivían?   **6.** ¿Cómo era su apartamento?   **7.** ¿Qué empleo tenía Rosendo?   **8.** ¿Cómo se mantenían ellos?   **9.** ¿Cómo se manifestaban de vez en cuando las preocupaciones de Graciela?   **10.** ¿En qué día tuvo lugar la acción del cuento?   **11.** Según Graciela, ¿cómo pasaría Rosendo el día?   **12.** ¿Qué es lo que podía verse desde la ventana?   **13.** ¿Qué hacía Rosendo de noche, mientras los otros dormían?
14. ¿Qué es lo que no sabía Graciela?   **15.** ¿Qué cuadro pintó Rosendo?
16. ¿Por qué pensaba Rosendo que el cuadro le gustaría a Graciela?
17. ¿Dónde pintó el cuadro? ¿Por qué?   **18.** ¿Cómo reaccionó Graciela ante el regalo de Rosendo?   **19.** ¿Qué emociones sintió Rosendo al escuchar lo que le dijo su mujer?   **20.** ¿Qué significó para Rosendo la destrucción de su cuadro?

Expansión

I. Análisis literario

1. Describa Ud. la casa de Rosendo y las condiciones en que vive la familia.
2. ¿Se puede decir que lo que se ve por la ventana de la casa tiene un valor simbólico, además de ser una realidad? Comente Ud.   **3.** ¿Cómo son los recuerdos que tiene Rosendo de Puerto Rico?   **4.** ¿En qué sentido puede decirse que este cuento nos presenta el desencuentro de dos personas?

II. Narración

¿Se ha encontrado Ud. en una situación donde un(a) amigo(a) o un(a) familiar haya entendido mal sus motivos para decir o hacer algo? Escriba una narración sobre una situación así, sea real o imaginaria. No se olvide de incluir las tres partes de la narración: la situación o «escena», lo que ocurrió y por qué ocurrió, y el desenlace (cómo reaccionó Ud.).

III. Minidrama

Presenten Ud. y otra(s) persona(s) de la clase un breve drama sobre una situación en la que una persona interpreta mal lo que dice o hace otra persona. Algunos temas posibles:

1. Una variación del cuento de Soto: Graciela le da un regalo a Rosendo y éste interpreta mal lo que ella ha querido expresar.
2. Una estudiante les dice a sus padres que ha decidido vivir en un apartamento con otros dos estudiantes, uno de los cuales es un hombre. Sus padres interpretan mal sus motivos.
3. El papel de la mujer ha cambiado bastante en nuestra sociedad, pero algunos hombres no quieren aceptar el cambio. Esto puede producir conflicto entre esposos o entre la mujer y el hombre en los negocios. Presente una situación de ese tipo. (*Variación:* una mujer de la clase hace el papel del hombre y un hombre hace el de la mujer.)

IV. Opiniones y actitudes

Escriba Ud. un párrafo sobre uno de los temas siguientes o explíqueselo a la clase.

1. El problema de la immigración de refugiados del Caribe
2. Puerto Rico: ¿debe ser estado, país independiente o Estado Libre Asociado?
3. El racismo y la inmigración

V. Situación

Con un(a) compañero(a) de clase, preséntenle Uds. a la clase un diálogo en el cual discuten las relaciones que han existido entre Cuba y los Estados Unidos. Uno de Uds. cree que la política de aislar Cuba era correcta. Menciona la relación que existía entre Cuba y la Unión Soviética, el esfuerzo de exportar la revolución a otros países, la falta de derechos humanos en Cuba, la intransigencia de Castro y otros factores que justificaban la política de los Estados Unidos. La otra persona está de acuerdo con algunas de esas observaciones, pero cree que siempre es mejor dialogar que aislar. Cita el ejemplo de los diálogos entre los líderes de los Estados Unidos y la Unión Soviética, diálogos que al cabo resultaron en un cambio profundo en las relaciones entre los dos países. Para esa persona, el aislamiento no es una solución: es parte del problema. (Uds. deben añadir otros argumentos para apoyar su opinión.)

El arte moderno cubano

A principios del siglo XX, el arte cubano era de poca originalidad y de marcada tendencia tradicionalista; sin embargo, en la década de los veinte aparecieron algunos innovadores que buscaban liberarse de los temas y estilos de la generación anterior. Incorporaron al arte cubano los más variados estilos europeos: el surrealismo, el cubismo, el expresionismo, etc. En el caso del arte representativo, muchos motivos son netamente cubanos: el gallo, los animales campestres, el paisaje tropical y especialmente el tema afrocubano. Dentro de este esquema general se encuentra un individualismo muy hispánico, como se puede observar en la obra de los tres artistas que se incluyen aquí: **Amelia Peláez** (1897–1968), **Wifredo Lam** (1902–1982) y **Mario Carreño** (1913–).

Amelia Peláez inició sus estudios de arte en la Academia de San Alejandro en La Habana, pero el deseo de conocer mejor las nuevas técnicas del arte moderno la llevó primero a Nueva York y después a Francia, donde pasó siete años estudiando y buscando una expresión propia. Al volver a Cuba Peláez presentó una exposición de su obra. Luego se dedicó a pintar objetos domésticos y es aquí donde descubrió su propio estilo. Los motivos decorativos que se mezclan en sus cuadros —plantas, rejas, vidrios de colores, etc.— prestan un aspecto barroco a sus pinturas, vinculándola a una tradición muy arraigada en la cultura hispánica. Aunque también se ha interesado por el arte abstracto, lo que caracteriza su obra y la ha llevado a los mejores museos del mundo es su expresión de la tradición criolla de los pueblos provincianos.

Wifredo Lam, hijo de padre chino y madre mulata, nació en un pueblo interior de Cuba. Su padre, hombre culto y amante de la educación, lo alentó siempre en su carrera de pintor. De su madre aprendió los bailes, canciones y ritos afrocubanos que llegarían a tener una influencia enorme en su obra futura. Lam fue becado por su ciudad natal y fue a Madrid, donde había de pasar unos quince años y llegaría a familiarizarse con la tradición artística europea de la época. Pero sólo años más tarde llegaría a interesarse seriamente por lo que llamó la *cosa negra*. En unas máscaras y esculturas negras que vio por primera vez en Madrid, descubrió Lam otra tradición, suya por derecho de la sangre, y este encuentro le dio mayor conciencia de su persona, de los medios que eran suyos. Al estallar la guerra civil española en 1936 Lam fue primero a Barcelona y después a París, donde intimó con Picasso y con los surrealistas, y absorbió técnicas e ideas que habían de influir mucho en su evolución posterior. Picasso se interesó mucho por el cubano, y compartió su entusiasmo por el arte africano. Con la llegada de la Segunda Guerra mundial a Francia, volvió Lam a Cuba, donde en la década de los cuarenta pintó obras de inspiración afrocubana. Tal vez la más importante de esas pinturas es *La manigua (La jungla)*, obra neoprimitiva de enorme vitalidad. En ésta el pintor nos presenta las fuerzas irracionales de la subconsciencia por medio de imágenes surrealistas en las que se mezclan formas semihumanas con las de una vegetación exuberante.

Como Peláez y Lam, Mario Carreño también estudió en la Academia de San Alejandro antes de viajar a Europa. Como Lam, vivió primero en Madrid (1932–1935) y después en París, con una breve estadía en México. Al estallar la Segunda Guerra mundial, Carreño volvió a Cuba, y después estuvo en los Estados Unidos, como profesor de pintura en la New School for Social Research en Nueva York. Hoy día sigue viviendo en el extranjero. La obra de Carreño se divide entre obras representativas de puro tema cubano y obras abstractas. En el cuadro *Tornado* Carreño capta la violencia de los desastres naturales en un estilo caracterizado por la energía y la vitalidad.

En las obras de Peláez, Lam y Carreño vemos una síntesis de lo moderno y lo tradicional, de lo cosmopolita y lo autóctono y de las varias tradiciones culturales donde se halla el genio del artista hispanoamericano contemporáneo.

Mario Carreño, Tornado, 1941. Oil on canvas. 31″ × 41″. Collection, The Museum of Modern Art, New York, Inter-American Fund.

Tornado

¿Cuántos objetos puede Ud. identificar en este cuadro? ¿En qué sentido es realista la pintura? ¿Se podría interpretar también como pintura surrealista? ¿Hay elementos abstractos? ¿Cuáles son?

Amelia Peláez del Casal,
Fishes, 1943. Oil on canvas.
45 ½" × 35 ⅛". Collection,
The Museum of Modern Art,
New York. Inter-American
Fund.

Pescados

Además de los pescados, ¿qué otros objetos puede Ud. identificar en el cuadro?
¿Hay elementos barrocos en *Pescados*? ¿Cómo es la perspectiva en la pintura?

Wifredo Lam, The Jungle, 1943. Gouache on paper mounted on canvas, 7' 10¼" × 7' 6½". Collection, The Museum of Modern Art, New York. Inter-American Fund.

La manigua (La jungla)

Las leyes de perspectiva indican que los objetos alejados se ven más pequeños que los cercanos y que las líneas paralelas parecen converger hacia un punto situado en el infinito (punto de fuga). En *La manigua*, de Wifredo Lam, el pintor parece rechazar ese concepto de la composición; cada parte del cuadro tiene tanta importancia como las otras. En las formas humanas del cuadro no es difícil distinguir tanto la influencia de las máscaras africanas como la de Picasso en su época de *Guernica*. El cuadro en su totalidad puede interpretarse por lo menos en dos niveles: como representación de las danzas (del culto de vudú), presenciadas por el artista, o como representación de las fuerzas poderosas de la subconsciencia del hombre moderno.

Para comentar

1. ¿Cuáles son los principales motivos tropicales representados en los cuadros que hemos visto?
2. Específicamente, ¿qué técnicas modernas han utilizado los pintores en estos cuadros?
3. Comente Ud. sobre el simbolismo usado en una de las obras literarias y en una de las pinturas estudiadas en esta unidad.
4. Busque Ud. en Internet o en la biblioteca otros ejemplos del arte de Peláez, Lam o Carreño y presente a la clase un comentario sobre lo que ha podido encontrar.
5. Escriba Ud. un ensayo sobre uno de los temas siguientes.
   a. Los problemas que va a tener que enfrentar el inmigrante a los Estados Unidos
   b. Las contribuciones de los afroamericanos a nuestra cultura
   c. La acción afirmativa en nuestro país

UNIDAD 12

La presencia hispánica en los Estados Unidos

¿Dónde están los trabajadores migratorios que se ven en esta foto? ¿Le gustaría a Ud. hacer este tipo de trabajo? ¿Por qué sí o por qué no?

Enfoque

Hoy día, el 9% de la población total de los Estados Unidos está formado por personas de origen hispánico. En algunas regiones este porcentaje es más grande: en el Suroeste, por ejemplo, y en California, Illinois, Nueva York y Florida.

Como son diversas las razones por las cuales estos inmigrantes o descendientes de inmigrantes hispanos viven hoy en los Estados Unidos, también es diversa la actitud que adoptan ante la cultura norteamericana. Algunos, como los cubanos que buscaron refugio en este país después de la revolución de 1959, aceptan la cultura estadounidense. Otros, que se ven incorporados a la fuerza, la rechazan y tienden a defender su cultura original. Tal es el caso de muchos descendientes de puertorriqueños y mexicanos. La actitud de estos últimos, especialmente la de muchos jóvenes de hoy, es el resultado lógico de un proceso histórico que se basó más en la fuerza que en la elección, y que produjo y sigue produciendo antagonismos entre hispanos y anglosajones.

Existen hoy movimientos para mejorar la condición del hispano en el Suroeste, y están íntimamente vinculados con otros movimientos de bienestar social y económico que surgieron después de la Segunda Guerra mundial. Sin embargo, había poca actividad organizada entre los hispanos hasta 1965 cuando, bajo la dirección práctica y espiritual de César Estrada Chávez, se proclamó el Plan de Delano en California. El Plan, que reflejaba la solidaridad espiritual e idealista de los campesinos y que se llamó La Causa, rápidamente ganó el apoyo de los habitantes urbanos. Además de Chávez, surgieron otros líderes carismáticos como Reies López Tijerina en Nuevo México y Rodolfo (Corky) Gonzales en Colorado. Tijerina se dedicó a tratar de recobrar las tierras confiscadas a los hispanos por los anglosajones después de 1848, fecha del Tratado de Guadalupe Hidalgo. Fundó la Alianza Federal de los Pueblos Libres, movimiento que ya no existe hoy, pero cuyo ejemplo ha inspirado a varios abogados que siguen trabajando a favor de los derechos de los habitantes de la región. En Denver y otros centros urbanos, la actividad de Corky Gonzáles ha sido extraordinaria, tanto en la política como en los esfuerzos para mejorar la condición de los pobres de los centros urbanos. Fundó La Raza Unida, partido político que fomenta los intereses de los chicanos y creó La Cruzada para la Justicia con el fin de preservar su cultura.

Toda esta actividad de carácter político, económico y social está apoyada por una fecunda literatura hispana que también refleja los problemas que enfrenta el hispano hoy día, como se puede notar en el excelente cuento de Tomás Rivera, «Zoo Island», que se presenta a continuación. Dicha actividad también ha despertado un vivo interés por las raíces de la cultura hispana, y en la última parte de la unidad exploraremos un aspecto de esta cultura: el arte de los santeros de Nuevo México.

Vocabulario útil

Estudie Ud. estas palabras.

Verbos

apuntar   *to make a note of, to note down*
avisar   *to inform; to advise*
contar (ue)   *to count*
molestar   *to bother*
pararse   *to stop*
regresar   *to return*
soñar (ue)(con)   *to dream (about)*

Sustantivos

la edad   *age*
la hoja   *sheet (of paper)*

la milla   *mile*
la parada   *stop*

Otras palabras y expresiones

a cada rato   *every once in a while*
dar coraje   *to make mad (angry)*
enfrente de   *in front of*
en voz alta   *aloud*

Anticipación

I. Complete Ud. el párrafo con la forma apropiada de una palabra o expresión del **Vocabulario útil.**

No sé que _____ tenía mi padre en aquella época: posiblemente tenía unos cuarenta años. Le habían ofrecido un puesto en una ciudad que estaba a unas quinientas _____ de nuestro pueblo. Ya que debíamos acompañarlo en el coche, mi padre nos _____ que debiéramos llevar algunas cosas para divertirnos en el camino. Mi madre llevó unas _____ de papel porque quería _____ las cosas que debía hacer mientras estábamos allí. Mi padre no la había consultado antes de comprar la casa nueva, y al principio a mi madre eso le _____ coraje, pero después de ver las fotos de la casa ella empezó a _____ con como podría arreglar y decorar la casa. En el camino, mi hermano y yo _____ los animales muertos que vimos en la carretera. _____ nos parábamos para comer algo o para usar los servicios de una gasolinera. En una de las paradas, mientras estábamos _____ un restaurante, mi hermano anunció _____ que no quería seguir, que quería _____ a nuestra casa. Pero sí seguimos y por fin llegamos al hotel donde íbamos a pasar la noche. Fue allí donde ocurrió algo muy extraño.

II. Lea Ud. el siguiente trozo del cuento que van a leer en esta unidad. Subraye las palabras o expresiones que Ud. no entiende. Después, con otra persona de la clase, discuta lo subrayado para saber si pueden adivinar lo que quiere decir.

—Lo primero que voy a hacer es apuntar los nombres en una lista. Voy a usar una hoja para cada familia, así no hay pierde. A cada soltero también, uso una hoja para cada uno. Voy también a apuntar la edad de cada quién. ¿Cuántos hombres y cuántas mujeres habrá en el rancho? Somos cuarenta y nueve manos de trabajo, contando los de ocho y los de nueve años. Y luego hay un montón de güerquitos, luego las dos agüelitas que ya no podían trabajar. Lo mejor sería repartir el trabajo de contar también entre la Chira y la Jenca. Ellos podrían ir a cada gallinero y coger toda la información. Luego podríamos juntar toda la información. Sería bueno también ponerle número a cada gallinero. Yo podría pintar los números arriba de cada puerta. Hasta podríamos recoger la correspondencia del cajón y repartirla, y así hasta la gente podría poner el número del gallinero en las cartas que hacen. Te apuesto que se sentirían mejor.

III. Complete Ud. las siguientes frases para expresar su opinión o actitud personal.

   1. No es bueno decir en voz alta...
   2. Lo que más le molesta a la persona que trabaja en el campo es...
   3. Me da coraje cuando...
   4. A cada rato es bueno...
   5. Un buen ejemplo del arte folklórico en nuestro país es...

Zoo Island

Tomás Rivera (1935–1984) nació en Crystal City, Texas. Durante su juventud, alternó el estudio con el trabajo migratorio. Después de terminar sus estudios en el colegio, estudió en la universidad, enseñó inglés y español, y en 1969, se doctoró en literatura española. Su carrera en la universidad fue extraordinaria. En 1971 ya era catedrático (profesor) de español y director de Lenguas Extranjeras de la Universidad de Texas, San Antonio. En 1976 era vicepresidente de la administración de la misma universidad, y en 1978 sirvió de vicepresidente ejecutivo de la Universidad de Texas, El Paso. En 1979 aceptó el puesto de canciller de la Universidad de California, Riverside, y ocupó ese puesto hasta su muerte en 1984. Durante su vida publicó una novela muy aclamada, *y no se lo tragó la tierra* (1971) y varios poemas y cuentos. «Zoo Island» es un cuento que se encontró entre los documentos literarios de Rivera después de su muerte. Es una protesta contra los prejuicios de los anglosajones y, a la vez, es una declaración del sentido de comunidad que existe entre los trabajadores migratorios.

1 José tenía apenas los quince años cuando un
día despertó con unas ganas tremendas de
contarse, de hacer un pueblo y de que todos   contarse *(fig)* to count people
hicieran lo que él decía. Todo había ocurrido
5 porque durante la noche había soñado que
estaba lloviendo y, como no podrían trabajar
el día siguiente, había soñado con hacer
varias cosas. Pero cuando despertó no había
nada de lluvia. De todas maneras ya traía las
10 ganas.
     Al levantarse primeramente contó a su
familia y a sí mismo —cinco. «Somos cinco»,
pensó. Después pasó a la otra familia que
vivía con la de él, la de su tío —«cinco más,
15 diez». De ahí pasó al gallinero de enfrente.   gallinero *henhouse, coop*
«Manuel y su esposa y cuatro, seis.» Y diez
que llevaba —«diez y seis». Luego pasó al
gallinero del tío Manuel. Allí había tres
familias. La primera, la de don José, tenía

20 siete, así que ya iban veinte y tres. Cuando
pasó a contar la otra le avisaron que se
preparara para irse a trabajar.

Eran las cinco y media de la mañana,
estaba oscuro todavía, pero ese día tendrían

25 que ir casi las cincuenta millas para llegar a
la labor llena de cardo donde andaban
trabajando. Y luego que acabaran ésa,
tendrían que seguir buscando trabajo. De
seguro no regresaban hasta ya noche. En el

30 verano podían trabajar hasta casi las ocho.
Luego una hora de camino de regreso, más la
parada en la tiendita para comprar algo para
comer. «Llegaremos tarde al rancho», pensó.
Pero ya tenía algo que hacer durante el día

35 mientras arrancaba cardo. Durante el día
podría asegurarse exactamente de cuántos
eran los que estaban en aquel rancho en
Iowa.

—Ahí vienen ya estos sanababiches.

40 —No digas maldiciones enfrente de los
niños, viejo. Van a aprender. Luego van a
andar diciéndolas ellos también a cada rato.
Entonces sí quedan muy bien, ¿no?

—Les rompo todo el hocico si les oigo

45 que andan diciendo maldiciones. Pero ahí
vienen ya estos bolillos. No lo dejan a uno en
paz. Nomás se llega el domingo y se vienen a
pasear por acá a vernos, a ver cómo vivimos.
Hasta se paran para tratar de ver para dentro

50 de los gallineros. El domingo pasado ya vites
la ristra de carros que vino y pasó por aquí.
Todos risa y risa y apuntando con el dedo.
Nada vale la polvadera que levantan. Ellos
que... con la ventana cerrada, pues, se la

55 pasan pero suave. Y uno acá haciéndola de
chango como en el parque en San Antonio, el
Parquenrich.[1]

—Déjalos, que al cabo no nos hacen
nada, no nos hacen mal, ni que jueran

60 húngaros. ¿Para qué te da coraje?

labor *small farm*
cardo *thistle*

De seguro *For sure*

camino de regreso *return trip*

asegurarse *make sure*

sanababiches *sons-of-bitches*
maldiciones *curses*

hocico *nose*

bolillo *white bread; (fig) gringo*
Nomás *No sooner*

vites: viste *you saw*
ristra *string*

polvadera: polvareda *cloud of
    dust*
se... suave *have a great time*
haciéndola de chango *playing
    the part of a monkey*
al cabo *in the end*
jueran: fueran *they were*

—Pues a mí, sí me da coraje. ¿Por qué
no van a ver a su abuela? Le voy a decir al
viejo que le ponga un candado a la puerta   candado *padlock*
para que, cuando vengan, no puedan entrar.

65   —Mira, mira, no es pa' tanto.   pa': *para*
—Sí es pa' tanto.

Ya mero llegamos a la labor.   Ya... llegamos *We had just*
   —Apá, ¿cree que encontramos trabajo   *arrived*
después de acabar aquí?

70   —Sí, hombre, hay mucho. A nosotros
no nos conocen por maderistas. Ya vites como   maderistas *lazy*
se quedó picado el viejo cuando empecé a   se... picado *was annoyed*
arrancar el cardo en la labor sin guantes.   guantes *gloves*
Ellos para todo tienen que usar guantes. Así

75 que de seguro nos recomiendan con otros
rancheros. Ya verás que luego nos vienen a
decir que si queremos otra labor.

   —Lo primero que voy a hacer es
apuntar los nombres en una lista. Voy a usar

80 una hoja para cada familia, así no hay pierde.   no... pierde *none get lost*
A cada soltero también, uso una hoja para   soltero *bachelor*
cada uno. Voy también a apuntar la edad de
cada quién. ¿Cuántos hombres y cuántas
mujeres habrá en el rancho? Somos cuarenta

85 y nueve manos de trabajo, contando los de   manos... trabajo *workers*
ocho y los de nueve años. Y luego hay un
montón de güerquitos, luego las dos agüelitas   montón *pile, heap*
que ya no podían trabajar. Lo mejor sería   güerquitos: niños/agüelitas:
repartir el trabajo de contar también entre la   abuelitas *grandmothers*

90 Chira y la Jenca. Ellos podrían ir a cada
gallinero y coger toda la información. Luego
podríamos juntar toda la información. Sería
bueno también ponerle número a cada
gallinero. Yo podría pintar los números arriba   arriba de *over*

95 de cada puerta. Hasta podríamos recoger la
correspondencia del cajón y repartirla, y así   cajón *booth, office*
hasta la gente podría poner el número del
gallinero en las cartas que hacen. Te apuesto
que se sentirían mejor. Luego podríamos

100 también poner un marcador al entrar al   marcador *sign*

rancho que dijera el número de personas que
viven aquí, pero... ¿cómo llamaríamos al
rancho?, no tiene nombre. Esto se tendrá que
pensar.

105   El siguiente día llovió y el que siguió
también. Y así tuvo José tiempo y la
oportunidad de pensar bien su plan. A sus
ayudantes, la Chira y la Jenca, les hizo que se
pusieran un lápiz detrás de la oreja, reloj de   reloj de pulsera *wrist watch*
110 pulsera, que consiguieron con facilidad, y
también que se limpiaran bien los zapatos.
También repasaron todo un medio día sobre   repasaron *they spent*
las preguntas que iban a hacer a cada jefe de
familia o a cada solterón. La demás gente se dio
115 cuenta de lo que se proponían hacer y al rato
ya andaban diciendo que los iban a contar.

        —Estos niños no hallan qué hacer. Son
puras ideas que se les vienen a la cabeza o
que les enseñan en la escuela. A ver, ¿para
120 qué? ¿Qué van a hacer contándonos? Es puro
juego, pura jugadera.   jugadera *prank*
        —No crea, no crea, comadre. Estos
niños de hoy en día siquiera se preocupan   siquiera *at least*
con algo o de algo. Y a mí me da gusto, si
125 viera que hasta me da gusto que pongan mi
nombre en una hoja de papel, como dicen
que lo van a hacer. A ver, ¿cuándo le ha
preguntado alguien su nombre y que cuántos
tiene de familia y luego que lo haya apuntado
130 en una hoja? No crea, no crea. Déjelos.
Siquiera que hagan algo mientras no podemos
trabajar por la lluvia.
        —Sí, pero, ¿para qué? ¿Por qué tanta
pregunta? Luego hay cosas que no se dicen.
135   —Bueno, si no quiere, no les diga nada,
pero, mire, yo creo que sólo es que quieren
saber cuántos hay aquí en la mota. Pero   mota *small hill with shade trees*
también yo creo que quieren sentirse que
somos muchos. Fíjese, en el pueblito donde
140 compramos la comida sólo hay ochenta y tres
almas y, ya ve, tienen iglesia, salón de baile,

una gasolinera, una tienda de comida y hasta
una escuelita. Aquí habemos más de ochenta
y tres, le apuesto, y no tenemos nada de eso.

145 Si apenas tenemos la pompa de agua y cuatro
excusados, ¿no?

pompa *pump*
excusados *toilets*

—Ustedes son los que van a recoger los
nombres y la información. Van juntos para
que no haya nada de pleitos. Después de cada

150 gallinero me traen luego, luego toda la
información. Lo apuntan todo en la hoja y me
la traen. Luego yo apunto todo en este
cuaderno. Vamos a empezar con la familia
mía. Tú, Jenca, pregúnteme y apunta todo.

155 Luego me das lo que has apuntado para
apuntarlo yo. ¿Comprenden bien lo que
vamos a hacer? No tengan miedo. Nomás
suenen la puerta y pregunten. No tengan
miedo.

pleitos *disputes, lawsuits*
luego, luego *right away*

suenan la puerta *knock on the door*

160 Les llevó toda la tarde para recoger y
apuntar detalles, y luego a la luz de la
lámpara de petróleo estuvieron apuntando.
Sí, el poblado del rancho pasaba de los
ochenta y tres que tenía el pueblito donde

165 compraban la comida. Realmente eran
ochenta y seis pero salieron con la cuenta de
ochenta y siete porque había dos mujeres que
estaban esperando, y a ellas las contaron por
tres. Avisaron inmediatamente el número

170 exacto, explicando lo de las mujeres preñadas
y a todos les dio gusto saber que el rancho
era en realidad un pueblo. Y que era más
grande que aquél donde compraban la comida
los sábados.

esperando *expecting*

preñadas *pregnant*

175 Al repasar todo la tercera vez, se dieron
cuenta de que se les había olvidado ir al
tecurucho de don Simón. Sencillamente se les
olvidó porque estaba al otro lado de la mota.
Cuando don Simón se había disgustado y

180 peleado con el mocho, aquél le había pedido
al viejo que arrastrara su gallinero con el
tractor para el otro lado de la mota donde no

tecurucho *shack*

se... disgustado *had gotten upset*
mocho *cut off, stubby (in reference to a person missing a part of the body)*

lo molestara nadie. El viejo lo había hecho
luego, luego. Don Simón tenía algo en la
185 mirada que hacía a la gente hacer las cosas
luego, luego. No era solamente la mirada sino
que también casi nunca hablaba. Así que,
cuando hablaba, todos ponían cuidado,   ponían cuidado *paid attention*
bastante cuidado para no perder ni una
190 palabra.
        Ya era tarde y los muchachos se
decidieron no ir hasta otro día, pero de todos
modos les entraba un poco de miedo el sólo
pensar que tenían que ir a preguntarle algo.
195 Recordaban muy bien la escena de la labor
cuando el mocho le había colmado el plato a   colmado el plato *(fig) bothered*
don Simón y éste se le había echado encima,   *too much*
y luego él lo había perseguido por la labor   se... encima *thrown himself on*
con el cuchillo de la cebolla. Luego el mocho,   *him*
200 aunque joven, se había tropezado y se había tropezado *stumbled*
caído enredado en unos costales. Don Simón   enredado *tangled*
le cayó encima dándole tajadas por todas   costales *bags*
partes y por todos lados. Lo que le salvó al   tajadas *stabs*
mocho fueron los costales. De a buena suerte
205 que sólo le hizo una herida en una pierna y
no fue muy grave, aunque sí sangró mucho.
Le avisaron al viejo y éste corrió al mocho   corrió *ran off*
pero don Simón le explicó como había estado
todo muy despacito y el viejo le dejó que se
210 quedara, pero movió el gallinero de don
Simón al otro lado de la mota como quería él.
Así que por eso era que le tenían un poco de
miedo. Pero como ellos mismos se dijeron,
nomás no colmándole el plato, era buena
215 gente. El mocho le había atormentado por
mucho tiempo con eso de que su mujer lo
había dejado por otro.

        —Don Simón, perdone usted, pero es
que andamos levantando el censo del rancho
220 y quisiéramos preguntarle algunas preguntas.
No necesita contestarnos si no quiere.
        —Está bien.
        —¿Cuántos años tiene?
        —Muchos.

225   —¿Cuándo nació?

—Cuando me parió mi madre.

—¿Dónde nació?

—En el mundo.

—¿Tiene usted familia?

230   —No.

—¿Por qué no habla usted mucho, don
Simón?

—Esto es para el censo ¿verdad que no?

—No.

235   —¿Para qué? ¿A poco creen ustedes que
hablan mucho? Bueno, no solamente ustedes
sino toda la gente. Lo que hace la mayor
parte de la gente es mover la boca y hacer
ruido. Les gusta hablarse a sí mismos, es

240 todo. Yo también lo hago. Yo lo hago en
silencio, los demás lo hacen en voz alta.

—Bueno, don Simón, yo creo que es
todo. Muchas gracias por su cooperación.
Fíjese, aquí en el rancho habemos ochenta y

245 ocho almas. Somos bastantes ¿no?

—Bueno, si vieran que me gusta lo que
andan haciendo ustedes. Al contarse uno,
uno empieza todo. Así sabe uno que no sólo
está sino que es. ¿Saben cómo deberían

250 ponerle a este rancho?   *cómo... ponerle* what name you
                                                     should give

—No.

—Zoo Island.[2]

El siguiente domingo casi toda la gente
del rancho se retrató junto al marcador que   *se retrató* had their picture

255 habían construido el sábado por la tarde y   *taken*
que habían puesto al entrar al rancho. Decía:
Zoo Island, Pop, 88 1/2. Ya había parido una
de las señoras.

Y José todas las mañanas nomás se

260 levantaba e iba a ver el marcador. Él era parte
del número, él estaba en Zoo Island, en Iowa
y, como decía don Simón, en el mundo. No
sabía por qué pero le entraba un gusto
calientito por los pies y se le subía por el

265 cuerpo hasta que lo sentía en la garganta y
por dentro de los sentidos. Luego este mismo   *sentidos senses*

gusto le hacía hablar, le abría la boca. Hasta
lo hacía echar un grito a veces. Esto de echar
el grito nunca lo comprendió el viejo cuando
270   llegaba todo dormido por la mañana y lo oía
gritar. Varias veces le iba a preguntar, pero
luego se preocupaba de otras cosas.

se preocupaba de he got in-
volved with

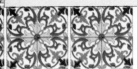

Notas culturales

[1]*Parquenrich es una referencia al parque zoológico Brackenridge Park en San Antonio.*

[2]*Zoo Island se refiere a la famosa isla de los monos de Brackenridge Park.*

Comprensión

1. ¿Qué deseó hacer José un día cuando tenía quince años? **2.** ¿Cuántas personas había en la familia de José? **3.** ¿A qué hora pensaban salir para viajar adonde iban a trabajar? **4.** ¿Hasta qué hora trabajaban en el verano? **5.** ¿Quiénes llegan a verlos los domingos? **6.** ¿Por qué les molestan a algunos esas visitas? **7.** ¿Por qué es probable que encuentren trabajo después de acabar donde están ahora? **8.** ¿Qué clase de información piensa recoger José con la ayuda de sus dos amigos? **9.** ¿Por qué piensa José ponerle número a cada gallinero? **10.** ¿Cómo reacciona la gente cuando llega a saber que los niños los van a contar? **11.** ¿Cuántas personas hay en el pueblo donde compran comida? **12.** ¿Qué ventajas tiene ese pueblo? **13.** Según los niños, ¿cuántas personas viven en el pueblo del rancho? **14.** ¿Dónde vivía don Simón? ¿Por qué vivía allí? **15.** Según don Simón, ¿se habla mucho él a sí mismo? **16.** ¿Por qué le gusta a don Simón lo que están haciendo los niños? **17.** Según don Simón, ¿qué nombre deberían ponerle al rancho? **18.** ¿Cómo reaccionó José al ver el marcador? **19.** ¿Reaccionó igual el viejo?

Expansión

I. Análisis literario

1. Explique cómo varias voces anónimas sirven de narrador en el cuento.
2. Explique la importancia de lo que dice don Simón: —Al contarse uno, uno empieza todo. Así sabe uno que no sólo está sino que es.   **3.** ¿Qué importancia simbólica tiene el nombre Zoo Island?   **4.** ¿Cómo cambia José entre el comienzo y el fin del cuento?

II. Ensayo

Pensando en el cuento «Zoo Island», escriba Ud. un ensayo sobre el tema de la enajenación *(alienation)* y la comunidad.

III. Minidrama

Presenten Ud. y otra(s) persona(s) de la clase un breve drama sobre uno de los temas siguientes.

1. Un domingo una persona anglosajona y su familia llegan a un pueblo hispano y comentan lo que ven.
2. Dos personas le hacen preguntas a una tercera persona para el censo. Resulta que la tercera persona es un poco extraña.
3. Por una conversación entre una persona hispana y una persona anglosajona, llegamos a entender que algunos aspectos de las dos culturas son bastante diferentes.

IV. Opiniones y actitudes

Escriba Ud. un párrafo sobre uno de los temas siguientes o explíqueselo a la clase.

1. Las relaciones entre los Estados Unidos y México
2. Cómo se percibe al mexicanoamericano en nuestro país
3. El arte popular como indicio de los valores de la cultura que refleja

V. Situación

Con un(a) compañero(a) de clase, presenten Uds. a la clase un diálogo sobre si se debe o no establecer el inglés como la lengua oficial de los Estados Unidos. Uno de Uds. cree que sí se debe. Insiste en que el hablar un solo idioma es esencial si se quiere mantener la unidad del país. Como hay tantos inmigrantes de países hispánicos, es más importante que nunca insistir en que aprendan el idioma. También, es esencial para que obtengan puestos en la industria o en el comercio. Deben aprender inglés lo antes posible y abandonar el uso del español si quieren ser buenos ciudadanos. La otra persona también cree que deben aprender inglés, pero no cree que se deba establecer el inglés como lengua oficial, ya que eso puede dar la impresión de que la cultura anglosajona es superior a otras culturas. Además, es importante mantener la diversidad en nuestro país y la diversidad no impide la unidad del país. Como nuestra participación en el mercado mundial es tan importante hoy día, debemos estimular el estudio de lenguas y culturas extranjeras. La presencia en nuestro país de personas que saben hablar dos o más idiomas es algo positivo, no negativo. (Uds. pueden añadir más argumentos originales.)

Santos y santeros

Durante los siglos XVIII y XIX, la religión era muy importante para los pueblos del norte de Nuevo México y del sur de Colorado, como lo demostraron las artes populares de la región. No sólo las iglesias, sino muchas casas particulares tenían santos patrones, y muchos ríos, montañas y sierras recibieron nombres religiosos. Se crearon muchas obras artísticas en honor de santos, representándolos en forma realista, siguiendo una larga tradición española. Así lo divino se representaba por medio de lo real, y lo simbólico era comprensible cuando se le daba expresión física.

A causa de la falta de sacerdotes, debido en parte a la escasa población, a comienzos del siglo XIX se formaron en esta parte del país confraternidades religiosas como, por ejemplo, la Sociedad de Nuestro Padre Jesús Nazareno (luego llamada Los Hermanos Penitentes de la Tercera Orden de San Francisco). Era función de los *penitentes* mantener la fe, ayudar a los necesitados —a las viudas y a los huérfanos, por ejemplo— confortar a los moribundos y enterrar a los muertos. En cada pueblo se estableció una *morada* o casa en la que se reunía la confraternidad para servicios religiosos. Allí se guardaban los objetos que se empleaban en los servicios y procesiones de la confraternidad. Entre los objetos creados por los artistas y artesanos del pueblo para la morada siempre había pinturas o esculturas de imágenes religiosas que los creyentes llamaban *santos*. La creación de tales imágenes no era original de estas regiones, sino que continuaba una costumbre tradicional española. Las funciones de los santos también eran tradicionales: algunos servían de santo patrón a un pueblo; otros satisfacían necesidades especiales de creyente. Para el pueblo, el término *santo* incluía pinturas y esculturas de imágenes religiosas. Para referirse solamente a las esculturas, que frecuentemente eran talladas en madera, se empleaba la palabra *bulto*. Los bultos más comunes eran los que se usaban durante las procesiones y ceremonias de Semana Santa: representaciones de la Pasión de Cristo, la figura de la Dolorosa y varias figuras de la Muerte.

Como obras de arte, los bultos son la expresión más extraordinaria del arte popular que se ha producido dentro de las fronteras de los Estados Unidos. Técnicamente es impresionante la ingeniosidad del santero, que los fabricaba del material que tenía a mano en su pueblo aislado. Con frecuencia, él mismo cortaba los árboles para sus bultos y preparaba muchos de sus colores con los minerales y las plantas de la región. Aunque el tamaño de los bultos variaba mucho, los que representaban a Cristo y que frecuentemente se empleaban en la Semana Santa eran del tamaño de un hombre y tenían los brazos movibles, para poder ser usados en la representación de varios momentos de la Pasión.

Después de 1900 los santos fueron reemplazados por las esculturas y pinturas que se fabricaban en el este de Estados Unidos y que se hicieron populares en aquella época. Sin embargo, la tradición no desapareció totalmente. Los santeros modernos de Nuevo México, como **George López** (1900–   ), de Córdova, y **Patrocinio Barela** (1908–1964), de Taos, ya no pintan sus bultos ni los crean exclusivamente para el uso de la morada o la iglesia de su pueblo. Pero todavía se siente en sus obras la devoción y el ascetismo que irradian los bultos antiguos y que caracterizaban a la gente que los creó.

Courtesy of the Denver Art Museum, Denver, Colorado.

Adán y Eva

Esta obra, de George López, se compone de tres partes: las figuras de Adán y Eva, el Diablo en forma de culebra en el árbol y el cerco con su follaje. A López se le debe el renacer del arte del santero, arte al que se dedicaban sus antepasados y por el que también se interesan sus parientes, muchos de los cuales continúan la tradición hoy día. ¿Qué es lo que Eva le ofrece a Adán?

Courtesy of the Anne Evans
Collection, Denver Art
Museum, Denver, Colorado.

Carreta de la muerte

Tallada por *José Inez Herrera* en El Rito, Nuevo México, a fines del siglo XIX, la figura de doña Sebastiana (la Muerte) mira maliciosamente al espectador. El arco y la flecha sustituyen a la guadaña que se ha utilizado mucho en las representaciones europeas de la muerte, y reflejan la amenaza constante de las tribus de indios. La carreta de la muerte simbolizaba el triunfo de la muerte después de la Crucifixión y antes de la Resurrección. También sugiere la vanidad de todas las cosas mundanas, concepto este muy medieval. ¿Qué impresión produce esta figura en el espectador? ¿En qué sentido es realista la figura?

Courtesy of the Denver Art Museum, Denver, Colorado.

Cristo atado a la columna

Esta escultura de Cristo, en la página 241, por un santero anónimo del siglo XIX, representa el sufrimiento de Cristo de una manera directa y realista. El bulto está articulado, de modo que es posible moverle los hombros y los codos. Se ha alcanzado el realismo al utilizar el tronco de un pino para la columna. El alargamiento de la figura, rasgo típico de los bultos, le da mayor dignidad y majestuosidad. ¿Qué pintor español también alargaba las figuras en sus pinturas?

Para comentar

1. ¿Qué es lo que uno debe saber para apreciar el arte de los santeros?
2. Con frecuencia el revolucionario moderno percibe a Cristo como una persona revolucionaria, actitud que parece reflejar las preocupaciones y sentimientos de ese tipo de persona. ¿Cómo lo percibió El Greco? ¿Cuál fue la percepción de los santeros de Nuevo México?
3. ¿Qué actitudes del hispano del Suroeste se reflejan en su literatura y arte?
4. Busque Ud. en Internet o en la biblioteca más ejemplos del arte de los santeros y presente a la clase un comentario sobre lo que ha podido encontrar.
5. Escriba Ud. un ensayo sobre uno de los temas siguientes.
   a. Comparaciones y contrastes entre el arte y la literatura de los hispanos del Suroeste y el arte y la literatura de los afroamericanos
   b. La presentación del hispanoamericano en la televisión y en el cine
   c. La importancia de la diversidad en nuestra cultura

Vocabulario

This vocabulary does not include articles, possessive adjectives, pronouns, numbers, or exact cognates. The gender of nouns is listed except for masculine nouns ending in **-o** and feminine nouns ending in **-a, -dad, -tad, -tud,** or **-ión.** Adverbs ending in **-mente** are not listed if the adjectives from which they are derived are included.

Abbreviations

adj adjective
adv adverb
conj conjunction
f feminine
fig figurative

m masculine
n noun
pl plural
prep preposition
s singular

A

abajo below, down; bottom
abandonar to abandon
abeja bee
abertura opening
abierto,-a open; opened
abismo abyss, gulf, chasm
ablución ablution
abofetear to slap
abogado,-a lawyer
abolorio glass bead
aborto abortion
abotonar to button
abrasar to burn
abrasivo *n* abrasive
abrazado,-a embracing, hugging
abrazar to embrace
abrigar to wrap up
abrigo overcoat
abril *m* April
abrir to open; **abrir cauce** to open a path
abrumado,-a crushed, overwhelmed
absceso abscess
absoluto,-a absolute
absorber to absorb
abstracción abstraction
absurdo,-a absurd

abuelo,-a grandfather, grandmother
abultado,-a bulky, massive, big; lengthy
abundancia abundance; plenty
abundar to abound; **abundar en** to be full of
aburrido,-a bored
aburrir to bore; **aburrirse** to become bored, to get bored
abuso abuse
acá here
acabar to end, finish; **acabar de** to have just; **acabar por** to end by, to finally . . . ; **acabarse** to run out, to be exhausted
academia academy
acalambrado,-a with cramps
acariciar to caress
acaso perhaps
acatado,-a respected, revered, obeyed
acceder to acceed, give in
accidente *m* accident
acción action
aceitunado,-a olive-colored
acelerado *fig* "speed" trip
acelerar to speed up, accelerate
aceptación acceptation, acceptance

aceptar to accept
acequia channel, ditch
acera sidewalk
acerbo,-a harsh, acid
acerca (de) about, regarding
acercarse (a) to draw near, approach
acero steel, blade
acertar (a) to succeed in; to be able; to decide
achaque *m* failing; tribulation
aclamar to acclaim
aclarar to clarify; to dawn; to reveal
acólito acolyte
acomodado,-a comfortable, well-to-do; *fig* at home with
acomodar to place, put; to adjust
acompañar to accompany, go along
acomplejar to make feel bad
acongojado,-a grieved, afflicted
aconsejar to advise
acontecer to happen
acontecimiento event
acordarse (de) to remember
acordeón *m* accordion
acorralado,-a cornered
acoso pursuit; harassment
acostarse to lie down; to go to bed
acostumbrarse to grow accustomed
acribillar to pierce, perforate
acta *m* legal document, declaration
actitud attitude
actividad activity
acto: en el acto there and then
actuación action, behavior
actual current, present, contemporary
actualidad present time
actuar to act
acudir to go, come, come up; to have recourse, seek help from
acueducto aqueduct
acuerdo agreement; **de acuerdo con** in agreement with; **estar de acuerdo** to agree

acumulación accumulation
acurrucado,-a curled up
acusado,-a accused
Adán Adam
adelante ahead; **de ahí en adelante** from then on
adelanto advancement, progress
además moreover, besides; **además de** in addition to
adentrarse to enter
adentro within, inside
adinerado,-a wealthy
adiós good-bye
adivinación divination
adivinar to foretell, divine; to guess
adivinasus (adivinanzas) prophecies, fortune-tellings
adivino,-a soothsayer, fortuneteller
adjetivo adjective
administrador,-ra administrator
administrar to administer; to give
admiración admiration
admirador,-ra admirer
admirar to admire; to cause surprise
adoctrinar to indoctrinate
adolecer to get sick
adolescente *adj* adolescent
adoptar to adopt
adoquinar to pave
adorador,-ra worshiper
adorar to adore, worship
adornar to adorn
adorno adornment, decoration
adquisición acquisition
adulto adult
adverbio adverb
advertencia warning, notice
advertir to notice
afectación affectation
afeitar to shave
aferrar to clasp; **aferrarse en** to clasp
afición fondness, inclination
aficionado,-a fond of
afiebrado,-a feverish
afirmación affirmation

afirmar to affirm; *fig* to dig in

afirmativo,-a affirmative

afligidísimo,-a very afflicted, very upset

aforrar to line

afortunado,-a fortunate

afrenta outrage, affront

africano,-a African

afroamericano,-a Afro-American

afrocubano,-a Afro-Cuban

afrontar to confront, face

afuera outside

agachar to lower; **agacharse** to stoop, squat, bend over, to crouch

agarrar to grasp; to hit

agarrotado,-a clenched

agencia agency

agente *m or f* agent

agitado,-a agitated; excited

agitador *m* agitator

agitar to wave

aglomeración agglomeration

agónico,-a in agony; agonizing

agonizante *adj* dying

agonizar to be dying

agosto August

agotar to run out

agradable pleasant

agradar to please, be pleasing to

agradecer to thank for, be grateful for

agrario,-a agrarian

agraz: en agraz quite short

agregar to add

agresividad aggressiveness

agrícola agricultural

agricultor,-ra agriculturist, farmer

agricultura agriculture

agua water

aguacero heavy shower

aguafuerte *f* etching

aguamanil *m* washbasin

aguantar to endure, "stand"

aguaprieta black water

aguardar to wait for; to await

agudo,-a sharp, penetrating, shrill

agüelita (**abuelita**) grandmother

águila eagle

aguja needle

agujero hole

ahí there; **de ahí en adelante** from then on; **por ahí** over there

ahito,-a stuffed, full; disgusted

ahogado,-a drowned

ahogar to smother; to quench; **ahogarse** to choke

ahumado,-a smoky, smoke-filled

aindiado,-a Indian-looking

aire *m* air; **al aire libre** open air

aislamiento isolation

aislar to isolate

ajedrez *m* chess

ajeno,-a another's, foreign

ajustar to adjust; to fit

ala wing

alabar to praise

alambrado wire fence

alambre *m* wire; **alambre de alumbrado** power line

alardear (de) to brag (about being)

alargación lengthening, elongation

alargar to lengthen, increase

alarmar to alarm

alba dawn

alberca tank, pool

alborotado,-a turbulent, excited, stirred up

alcahueta procurer, go-between

alcaide *m* jailor, warden

alcalde *m* mayor

alcanzar to achieve, overtake, reach; **alcanzar a** to succeed in

aledaño,-a (a) bordering, adjacent (to)

alegar to allege, affirm

alegoría allegory

alegórico,-a allegorical

alegrarse (de) to be glad (of)

alegre happy, joyous

alegría joy, gaiety

alejado,-a distant

alegar to remove to a distance; to go (far) away

alejarse to move away, recede

alemán,-ana German

Alemania Germany

alentar to encourage

alféizar *m* window sill

alfombra carpet

algo something; somewhat

alguien someone

alguno,-a some, any

alianza alliance

alienado,-a alienated

alimentación nutrition

alimentar to feed, nourish

alimento food

alisarse to smooth

alistar to prepare

aliviar to alleviate, relieve

alivio alleviation, mitigation; relief

allá there; **más allá** further over; **más allá de** beyond

allegados upon arriving

allí there

alma soul

almacén *m* store, grocery store; bar

almohada pillow

almorzar to have lunch

almuerzo lunch

alrededor (de) around

Altagracia *m* All-Mighty

alternación alternation

alternar to alternate

alternativa alternative

alteza highness

altihta (artista) *m or f* artist

altiplano plateau, tableland

alto,-a high, tall; **en voz alta** aloud; **en alto** on high; **las altas horas** the late hours; **hacer alto** to stop; **pasar por alto** to overlook

altura height

alucinógeno,-a hallucinogenic

aludir to allude, to refer

alumbrado light, power

alumbrar to light

alusión allusion

alzar to raise

ama mistress of the house; **ama de casa** housewife

amable likeable, amiable, nice

amainado,-a lessened, subsided

amanecer to dawn; *n m* dawn

amaneramiento mannerism

amar to love

amargo,-a bitter

amarillo,-a yellow

amarrar to tie

ambición ambition

ambicioso,-a ambitious

ambiente *m* atmosphere; environment

ámbito limits, area

ambos,-as both

ambulante ambulant; **vendedor ambulante** *m* traveling salesman, peddler

amenaza threat

amenazante threatening

amenazar to threaten

ametralladora machine gun

amistad friendship

amo master

amontonadero enormous pile, hoard

amontonado,-a piled up

amor *m* love; **amores** love affair

amoroso,-a *adj* love

amparado,-a sheltered, protected

amparar to protect

amparo protection, shelter; support

ampollado,-a blistered

amuleto amulet

analfabetismo illiteracy

analfabeto,-a illiterate

análisis *m* analysis

analítico,-a analytical

analizar to analyze

ancho,-a broad, wide

anciano,-a old
andaluz,-za Andalusian
andanza wandering; event
andar to go, go around; to walk; to be; ¡**anda!** come on now!; **andar a caballo** to ride horseback
anécdota anecdote
anegado,-a drowned, flooded
anestesia anesthesia
anglo,-a Anglo(-Saxon)
anglosajón,-ona Anglo-Saxon
ángulo angle
angustia anguish
angustiado,-a sorrowful
anhelar to desire, wish
anhelo desire, wish
anillo ring
ánima soul
animación animation
animado,-a lively, animated
ánimo spirit; **estado de ánimo** mood; **hacerse el ánimo de** to be willing to
aniquilado,-a annihilated
anoche last night
anodino,-a anodyne
anónimo,-a anonymous
anormalidad abnormality
ansia desire, anxiety
antártico,-a Antarctic
ante before; to; confronted with, in the presence of
antebrazo forearm
antecedente *m* antecedent
antepasado ancestor
anterior previous; before; front
antes before, first
anticipar to anticipate
antigüedad antiquity
antiguo,-a ancient, old
antojarse to fancy, take a notion to; to occur to one
antología anthology
antorcha torch
antropología anthropology
antropomorfo,-a anthropomorphic
anudar to tie, knot
anular to annul, make void, cancel
anunciado,-a foretold
anunciar to announce
anuncio announcement
añadir to add
añejo,-a old, aged, stale
año year; **cumplir... años** to reach one's . . . birthday; **hace años** years ago; **tener... años** to be . . . years old
apacible peaceful
apagadamente in a muffled way
apagar to turn off; **apagarse** to become mute, become silent; to go out (light)
aparato apparatus
aparecer to appear, show up
aparente apparent
aparición appearance; ghost
apariencia appearance
apartado,-a out-of-the-way, distant, remote
apartamento apartment
apartarse to move away
apedrear to stone
apegado,-a attached
apellido surname, family name
apenas scarcely, hardly, only
aperitivo apéritif, drink
apio celery
aplacar to placate
aplaudir to applaud
aplauso applause
aplicado,-a hard-working, industrious
aplicarse to be applied
apogeo apogee, height
aposentamiento lodging
aposentar to house
aposento room
apostado,-a posted
apostrofar to apostrophize
apoyado,-a supported, leaning

apoyar to support; to lean down; to rest; **apoyarse** to lean; to support oneself

apoyo support

apreciación appreciation

apreciado,-a esteemed

apreciar to appreciate, hold in esteem

aprehendido,-a apprehended

aprender to learn; **aprender de memoria** to memorize

aprendiz *m* apprentice

aprendizaje *m* apprenticeship

apresurarse to hurry

apretar to press down, weigh heavily; to be oppressive; to clench, squeeze; to grasp; **apretarse** to press oneself

aprisa fast

aprobar to approve; to pass (a course)

aprontarse to get ready

apropiado,-a appropriate

aprovechar to take advantage of

aproximadamente approximately

aproximarse to approach, move near

apto,-a fit

apuntar to make note of; to point

apuración worry, trouble, misfortune

apurarse to hurry, hasten

aquel,-lla that; **aquél, aquélla** the former; **aquello** that (neuter)

aquiescencia acquiescence

árabe Arab, Arabian

aragonés,-esa Aragonese

araña spider

árbol *m* tree

arbusto bush

arca *f* ark; chest

arcángel *m* archangel

arco bow; bridge (of the nose); arch

archivo archive

arder to burn

ardiente ardent

arduo,-a arduous

arena sand

arengar to harangue

arete *m* earring

argentino,-a Argentine

aridez *f* drought; aridity, barrenness

árido,-a arid, dry

aristocracia aristocracy

arma arm, weapon

armado,-a armed

armadura armour

armamento armament

armario closet

armonía harmony

armonioso,-a harmonious

armonizar to harmonize

aro ring, plug

aromo acacia (flower)

arpa harp

arqueológico,-a archeological

arqueólogo,-a archeologist

arquitecto,-a architect

arquitectónico,-a architectural

arquitectura architecture

arraigado,-a rooted

arrancar to pull out, pull off; to pull away

arrastrar to drag, drag away

arrebatar to carry off, snatch

arreglar to arrange; to fix; **arreglarse** to take care of oneself

arriba up, upward; top; on top

arribar to arrive

arrimado,-a sheltered

arrogante arrogant, proud

arrojar to throw

arrollar to sweep away, carry along; to trample

arroyo brook, small stream

arroz *m* rice

arrugar to wrinkle

arruinar to ruin

arte *m or f* art

artefacto artifact

arteria artery

artesano,-a   artisan
articulado,-a   articulated
artículo   article
artista   *m* or *f*   artist
asado,-a   roasted
asaltar   to assault; to occur (an idea)
asalto   assault
ascender   to ascend
ascetismo   asceticism
asegurar   to assure, maintain; to
   make secure; to assert;
   asegurarse   to make sure
asentar   to sharpen, whet; to base
asentarse   to settle (down)
asentir   to assent
aseo   neatness; cleanliness
asesinar   to murder, kill
asesinato   murder
asesino   murderer
asfalto   asphalt
así   so, thus, therefore
asiento   seat
asimétrico,-a   asymmetrical
asimilación   assimilation
asistencia social   welfare
asistir   to attend
asociar   to associate
asoleado,-a   sunny
asolearse   to sun oneself; *fig* to dry in
   the sun
asomadita   peep; **darse una**
   asomadita   to take a peep
asomar   to peep, take a look
asombrado,-a   surprised
asombrar   to surprise, astonish;
   asombrarse   to be astonished at
asombro   astonishment, surprise
asombroso,-a   astonishing
aspecto   aspect
áspero,-a   rough
astro   star
astrología   astrology
astronomía   astronomy
astrónomo,-a   astronomer
astucia   cunning, wit
astuto,-a   cunning

asumir   to assume
asustado,-a   frightened
asustarse   to get frightened, become
   frightened
atabel   *m*   drum
atacar   to attack
ataque   *m*   attack
atar   to tie
atarantado,-a   foolish, dumbfounded
atardecer   *m*   dusk, late afternoon
atareado,-a   busy
ataúd   *m*   coffin, casket
atención   attention; **prestar**
   atención   to pay attention
atender   to attend; to take care of,
   tend to
ateneo   athenaeum
atento,-a   attentive
ateo,-a   atheist
aterrado,-a   terrified
atestiguar   to bear witness
atónito,-a   astonished, amazed
atorarse   to choke, be choked
atormentado,-a   tormented
atracción   attraction
atractivo,-a   attractive
atraer   to attract
atrapar   to catch
atrás   behind
atravesado,-a   stuck at an angle;
   pierced
atravesar   to cross
atreverse (a)   to dare to
atrevido,-a   bold, daring
atribuir   to attribute
atributo   attribute
aturdido,-a   rattled, confused
aullar   to yell, howl
aumentar   to increase
aumento   increase
aun   even
aún   yet, still
aunque   although, though; even if
aurora   dawn
ausentarse   to absent oneself
ausente   absent

austeridad austerity
austero,-a austere
autobiográfico,-a autobiographic
autobús *m* bus
autóctona,-a autochthonous, aboriginal, native
autodeterminación self-determination
automóvil *m* automobile
autonomía autonomy
autónomo,-a autonomous
autor,-ra author, authoress
autoridad authority
autosuficiente self-sufficient
auxiliar to help, assist
auxilio help
avanzado,-a advanced
avanzar to advance
avaricia avarice
ave *f* bird
avenida avenue
aventura adventure
aventurar to venture
averiguar to inquire about
avión *m* airplane
avisar to inform; to warn of; to advise
aviso warning
avivar to awaken; **avive el seso** *fig* be alert
ayer yesterday
ayuda help, assistance
ayudante assistant, aide
ayudar to help, assist
ayuntamiento municipal government
ayuntarse to join together
azadón *m* hoe
azar *m* risk, chance, hazard, probability of chance
azotar to whip
azote *m* whip
azotea flat roof
azteca Aztec
azúcar *m* sugar
azul blue

azulado,-a bluish
azulejo tile

B

Babia: estar en Babia to be daydreaming, have one's mind somewhere else
bachillerato high school baccalaureate
badana dressed sheepskin, leather strap
bailar to dance
bailarina ballerina
baile *m* dance
bajar to lower, go down; to become less; **bajarse** to get off
bajel *m* ship, vessel
bajo,-a *adj* low, soft; *prep* beneath, under; **en voz baja** in a whisper
bajorrelieve *m* bas-relief
bala bullet
balacera volley
balada ballad
balanceo swaying
balazo bullet wound, shot
balcón *m* balcony
baldosa tile
banco bank; bench
bandera flag
banquete *m* banquet
baño bath
barba beard
barbaridad: ¡qué barbaridad! what the dickens!
bárbaro,-a barbarous
barbero barber
barbilla point of the chin
barco ship
barra rod, bar; arm (of chair)
barraca hut, cabin
barranca ravine, gorge
barrer to sweep
barrera gap
barrido,-a swept up

barriga belly

barrio district of a city, quarter

barro mud, clay

barroco,-a baroque

basarse (en) to be based (on)

base *f* basis

bastante enough, quite

bastar to be enough, be adequate

bastón *m* cane, staff

basura garbage

basurero trash can

bata dressing gown, robe

batalla battle

batir to beat, whip

baúl *m* chest, trunk

bautismo baptism

bayoneta bayonet

beber to drink

bebida drink

beca scholarship

becado,-a granted a scholarship

becerro calf

béisbol *m* baseball

belleza beauty

bello,-a beautiful

bellota acorn

bendición blessing

bendito,-a blessed

beneficio welfare office; benefit

benévolo,-a benevolent

besar to kiss

beso kiss

Biblia Bible

bíblico,-a Biblical

biblioteca library

bien well; very; **más bien** rather;
  bienes *n m* *pl* possessions

bienestar *m* well-being

bienvenido welcome

bilingüe *adj* bilingual

billete *m* ticket; banknote

bisnieto,-a great-grandson, great-
  granddaughter

blando,-a soft

blindado,-a armored

bloque *m* block

bobo,-a fool; *adj* silly

boca mouth; **a boca de
  jarro** point-blank; **boca
  arriba** face up

bocanada whiff

boda wedding

bodega wine cellar; liquor store

boicot *m* boycott

bola ball

bolillo white bread; *fig* **gringo**

boliviano,-a Bolivian

bolsa bag

bolsillo pocket

bolsón *m* shopping bag

bonachón,-na good-natured, kind

bonaerense *adj* of Buenos Aires

bondad goodness

bonito,-a pretty

boquera corner of the mouth

boquete *m* opening; spot

boquiabierto,-a open-mouthed

borde *m* edge

bordeado,-a bordered

borracho,-a drunken

borrar to erase

borrosamente vaguely, murkily

bosque *m* woods

bosquejar to sketch

bostezar to yawn

bota boot, shoe

botar to kick (throw) out

bote *m* can, jar; boat

botica drugstore, pharmacy

botón *m* button

bóveda vault, dome

boxeador *m* boxer

boxeo boxing

bracero field hand, day laborer

bramar to bellow

bravo,-a brave, manly; ill-tempered,
  ferocious

brazo arm

breve short, brief

bribón,-na *m* rascal, scoundrel

brigada brigade

brillantez *f* brilliance

brillantina brilliantine
brillar to shine
brillo brilliance, brightness, lustre
brincar to leap
brinco leap; **pegar el brinco** to leap
brisa breeze
británico,-a British
brocha brush
broma joke
bromear to joke
bronce *m* bronze
brotar to gush, issue, produce; to germinate, bud
bruja witch
brujería witchcraft
brujo wizard, sorcerer
buche: hacer buches to gargle
budismo Buddhism
bueno,-a good
buey *m* ox
buhcal (buscar) to look for
búho owl
bulto bulk; statue
bulla noise; **meter bulla** to make noise
burbuja bubble
burgués,-esa bourgeois
burguesía bourgeoisie
burlador *m* trickster, mocker
burlarse (de) to make fun (of), mock
burlón,-ona *adj* mocking
burocracia bureaucracy
buscar to seek, look for
búsqueda search
butaca armchair, seat
buzón *m* letter box, letter drop

C

cabal real
caballero gentleman
caballete *m* ridgepole
caballo horse; **a caballo** on horseback

cabaña hut, cottage, cabin
cabello hair
caber to fit; **caber en suerte** to fall to the lot of; **no me cabe duda** I have no doubt
cabeza head
cabezal *m* headrest
cabo extremity, tip; **al cabo** in the end; **al cabo de** after; **llevar a cabo** to carry out
cacerola basin
cada each, every; **cada cual** each, every one, everybody
cadáver *m* corpse, cadaver
cadera hip
cadete *m* cadet
caeh (caes) (you) fall
cael (caer) to fall
caer to fall; **caerle mal** to be unbecoming; to dislike
café *m* café; coffee; *adj* brown
caimán *m* alligator
caja box
cajón *m* box, chest; booth, office
calabozo prison
calado,-a fixed
calavera skull
calceta stocking; **hacer calceta** to knit
calcular to calculate
caldera broiler
caldo broth
calendario calendar
calgo (cargo) (I) carry
calibre *m* caliber
calidad quality
caliente hot
calificado,-a qualified, classified
callado,-a quiet
callar to silence, be silent; **callarse** to be silent, shut up; **tan callando** so silently
calle *f* street; **calle abajo** down the street
callejero,-a *adj* street
callejuela small street, lane

calmar to calm

calor *m* heat; **hacer calor** to be hot

calvinista *n* and *adj* Calvinist(ic)

calzada roadway

cama bed

cámara chamber; camera

camastro old bed, cot

cambiar to change

cambio change; **en cambio** on the other hand

camilla stretcher

caminar to walk; to travel; to go

camino road, path; **camino de** on the way to, in the direction of; **en camino** on the road

camisa shirt

campamento encampment, camp

campanilla bell

campaña campaign

campesino,-a peasant

campestre rural, rustic

campo country, countryside, field

camposanto cemetery

canario canary

cancel *m* curtain

canciller *m* chancellor

canción song

candado padlock

candidato candidate

cándido,-a simple, candid

canoa canoe

cansado,-a tired

cansancio tiredness

cansarse to get tired, tire oneself

cantante *m* or *f* singer

cantar to sing

cantera quarry

cantidad quantity

cantor,-a singer

canturrear to hum

caña sugar cane

caño pipe, conduit

caos *m* chaos

caótico,-a chaotic

capa cape; layer, level

capacidad capacity

capataz overseer, foreman

capaz capable

capilla chapel

capital *f* capital (of country)

capitalito small amount of money

capitán captain

capítulo chapter

capricho caprice, whim

captar to capture

cara face

carabela caravel, sailing vessel

carabinero carabineer, guard

carácter *m* character

característico,-a characteristic

caracterizar to characterize

carajo heck

carbón *m* coal, carbon, charcoal

carburo carbide

carcajada burst of laughter

cárcel *f* jail

cardo thistle

carecer to lack

carencia lack, deprivation, deficiency

carente (de) lacking (in)

cargadores *m pl* suspenders

cargar to carry

cargo position, post

carguero pack horse; cargo boat

Caribe *m* Caribbean

caricatura caricature

caricia caress

caricortaoh (caricortados) "tough guys", good for nothings

cariño affection

carismático,-a charismatic

carne *f* meat, flesh

carrera career, course, race; **dar carrera** to chase

carreta cart, wagon

carrito pushcart

carro cart

carta letter

cartel *m* sign, placard

cartera purse, bag

cartero mailman

cartón *m* pasteboard, cardboard

cartucho roll

casamiento marriage

casar to marry; **casarse** to get married

cascabel *m* bell

cáscara peel

cascarrabias *m* irritable person

casco shell; main house

casi almost

Cásidi Cassidy

caso case; **hacer caso de** to pay attention to

castellano Castilian, Spanish

castigar to punish

castigo punishment

Castilla Castile

castillo castle

casualidad coincidence

casuarina Australian pine

catástrofe *f* catastrophe

catear to search

catedral *f* cathedral

catedrático,-a professor

catolicismo Catholicism

católico,-a Catholic

cauce *m* bed of a river; **abrir cauce** to open a path

caucho rubber

caudal great

causa cause; **a causa de** because of

causante *m* or *f* causer

causar to cause

cauteloso,-a cautious

cavador *m* digger

caverna cavern

cavidad cavity

cayado shepherd's crook

caza game; hunting; **a caza de** hunting

cazador,-ra hunter

cazar to hunt

cebada barley, fodder

cebolla onion

ceder to cede, yield; to give up

ceja eyebrow

cejar to slacken, let up

cejijunto,-a having eyebrows that meet

celda cell

celebrar to celebrate, hold

célebre famous

celeste *adj* sky-blue, celestial

cementerio cemetery

cena supper

ceniza ash

censo census

censura censure

centavo cent

centenar *m* hundred

céntrico,-a downtown, central

centro center

ceñido,-a girded

ceñidor *m* belt

ceño forehead

cepillo brush

cera wax

cerámica ceramic

cerca (de) near; about

cercado,-a surrounded

cercano,-a near

cerco,-a *n* fence, wall

ceremonia ceremony

cero zero

cerrado,-a thick; closed

cerrar to close, turn off; **cerrar con llave** to lock

cerro hill

cerrojo bolt

certeza certainty

certificado certificate

cerveza beer; **fabricador de cerveza** *m* brewer

cesar to cease

césped *m* grass

chacra farm

chal *m* shawl

chango monkey

chapaleo splatter, splash

chaparral *m* live oak grove

charco puddle, pool

charlar   to chat
chico,-a   small; **chica**   girlfriend
chicotear   to whip
chiflido   shrill whistling sound
chileno,-a   Chilean
chillar   to screech
chino,-a   Chinese
chirriar   to sizzle; to squeak
chis (¡ah chis!)   sneezing sound
chisporrotear   to sputter
chiste   *m*   joke
chochear   to dote; to become senile
chocho,-a   doddering
choque   *m*   collision, clash
chorrear   to trickle
chorrete   *m*   trickle, stream
chorro   jet, stream, spurt
cicatrizar   to heal
ciclo   cycle
ciego,-a   blind
cielo   sky, heaven
cielorraso (cielo raso)   ceiling
ciénaga   swamp
ciencia   science
cien(to)   hundred; **por ciento**   percent
científico,-a   scientific;   *n m* or *f*   scientist
cierto,-a   certain, a certain; **por cierto**   to be sure
ciervo   stag
cifra   number, figure
cigarrillo   cigarette
cigarro   cigar
cimbrarse   to vibrate, shake, tremble
cimiento   foundation
cincel   *m*   chisel
cincuentona   "fifty-ish"
cine   *m*   movies, movie theater
cinta   ribbon
cintura   waist
cinturón   *m*   belt
ciprés   *m*   cypress
circo   circus
círculo   circle
circundar   to surround, circle

circunstancia   circumstance
circunvecino,-a   surrounding
cirio   candle
cita   date
citar   to quote, cite
ciudad   city
ciudadanía   citizenship
ciudadano,-a   citizen
civil   *m* or *f*   civilian
civilización   civilization
civilizado,-a   civilized
civilizador,-ra   *adj*   civilizing
clamoroso,-a   clamorous, noisy
claridad   clarity
claro,-a   clear
clase   *f*   class, kind
clásico,-a   classic
clasificar   to classify
clausurar   to close
clavar   to nail; to fix; to stick in
clave   *f*   key
clavo   nail, hook
cliente   *m* or *f*   client, customer
clima   *m*   climate
Cloh (Clos)   Claus
cloroformado,-a   chloroformed
CNH (Consejo Nacional de Huelga)   National Strike Council
cobarde   *m*   coward
cobardía   cowardice
cobija   cover, blanket
cobrar   to collect, gather
cobre   *m*   copper
cocer   to cook
cocina   kitchen
cocinar   to cook
cocinero,-a   cook
coco   coconut palm
coche   *m*   car; coach
códice   *m*   codex, old manuscript
codo   elbow
cofradía   confraternity, brotherhood
coger   to pick up, seize, grasp, take, catch onto
coherente   coherent
coincidir   to coincide

colaboración   collaboration
colaborar   to collaborate
colcha   bedspread, quilt
colchón   *m*   mattress, bed, cushion
colección   collection
coleccionar   to collect
colecta   collection
colegio   school; high school
cólera   anger, wrath; *m*   cholera
colgar   to hang
colina   hill
colmar   to heap, fill; **colmar el
   plato**   *fig*   to bother too much
colmillo   eyetooth; fang
colocar   to put, place
colombiano,-a   Colombian
Colón   Columbus
colonia   colony
colorado,-a   red; **ponerse colorado,
   -a**   to blush
coloso   colossus
columna   column
comandancia   command post,
   frontier command
comandante   *m*   commander
combatir   to combat
combinación   combination
combinar   to combine
comedia   play; **paso de
   comedia**   short one-act play
comedor   *m*   dining room
comentar   to comment
comentario   commentary
comenzar   to begin
comer   to eat; **comerse**   to eat up;
   dar de comer   to give food to
comercial   commercial
comerciante   *m*   businessman,
   merchant
comercio   business, commerce
comestibles   *m pl*   food, foodstuffs
cometer   to commit
cómico,-a   comic
comida   meal, food
comienzo   beginning; **al
   comienzo**   at (in) the beginning

comisaría   commissary, police
   station
comisión   commission
como   how, as, like, about;
   ¿cómo?   what? how? why? what
   did you say?; **¿cómo no?**   why
   not?; **¡cómo no!**   of course,
   naturally!
cómodo,-a   comfortable
compañero,-a   companion, mate,
   friend
comparación   comparison
comparado,-a   comparative
comparar   to compare
compartir   to share
compasión   compassion
compatriota   *m or f*   compatriot
competencia   competition
competente   competent
complacencia   complacency
complacido,-a   with pleasure, with
   satisfaction
complejidad   complexity
complejo,-a   complex;   *n
   m*   complex
completar   to complete
complicación   complication
componer   to compose;
   componerse   to consist
composición   composition
compositor,-a   composer
compra   purchase; **hacer
   compras**   to go shopping
comprador,-a   buyer
comprar   to buy
comprender   to understand
comprensión   comprehension
comprobar   to verify, confirm
compuesto,-a   composed;
   composite
común   common
comunicación   communication
comunicar   to communicate
comunidad   community
comunión   communion
comunismo   communism

con with, by; **con tal que** provided that; **con que** so, then, so then; **con todo** nevertheless

concebir to conceive

concentración concentration

concentrar to concentrate

concepto concept

concernir to concern

conciencia conscience, consciousness

concierto concert

concluir to conclude, end, finish

concretar to manifest; to express concretely

concreto,-a concrete

concurrente *m* one in attendance, spectator

concurso contest

conde *m* count

condenado,-a condemned, damned

condenao (condenado) damned one

condescendencia condecension

condición condition

conducir to lead

conducto: por conducto de through

conectar to connect

conejo rabbit

confeccionar to make, confect

conferencia conference

conferir to confer

confesar to confess

confesión confession

confianza confidence

confirmar to confirm

confiscado,-a confiscated

conformar to conform; **conformarse con** to resign oneself to

confraternidad confraternity, brotherhood

confrontación confrontation

confrontar to confront

confundir to confuse

confuso,-a confused

conga kind of dance

congregarse to gather

conjetura conjecture

conjunto whole, aggregate; collection; joint; **de conjunto** whole, complete

conmemorar to commemorate

conmover to move; **conmoverse** to be moved

conocer to know; to meet; **dar a conocer** to make known

conocimiento knowledge

conque *conj* so; **conqué** *n m* anything with which, the wherewithal

conquista conquest

conquistador *m* conqueror

conquistar to conquer

consciente conscious

consecuencia consequence

conseguir to obtain, attain, get

consejero,-a adviser

consejo counsel, advice; council; **celebrar consejo** to hold a council

consentir to consent

conservador,-a conservative

conservar to conserve

considerar to consider

consistencia firmness, solidity, substance

consistir (en) to consist (of)

consolar to console

consolidar to consolidate

consonante *m* consonant

constar to be evident; **me consta** I recall, I know; **constar en** to be recorded in

constatar to verify, confirm

constitución constitution

constituir to constitute

construcción construction, building, edifice

constructivismo constructivism

construir to construct

consuelo consolation

consulta consultation, conference

consultar to consult, confer
consumir to consume
consumo consumption
contabilidad bookkeeping, accounting
contaminación contamination; pollution
contar to tell; to count
contemplar to contemplate
contemporáneo,-a contemporary
contener to contain
contenido content
contento,-a happy, content
contentura contentment
contestación answer
contestar to answer
contexto context
contienda struggle, dispute
continente *m* continent
contingente *m* contingent, share
continuación continuation; **a continuación** below
continuar to continue
continuo,-a continuous
contorno outline
contra against
contracción contraction
contradicción contradiction
contradictorio,-a contradictory
contrahecho,-a forged; (*Anat*) hunchbacked, deformed
contraído,-a contracted
contrario,-a contrary, opposite; **al contrario** on the contrary; **por lo contrario** on the contrary
Contrarreforma Counter-Reformation
contrarrestar to stop, counter
contraseña countersign
contrastar to contrast
contraste *m* contrast
contratista *m or f* contractor
contribución contribution
contribuir to contribute

controlar to control
contusión bruise
convencimiento conviction
convencional conventional
convenir to agree; to be suitable; **conviene que** it is best, it is convenient
convento convent, monastery
converger to converge
conversación conversation
conversar to converse
convertir to convert; **convertirse en** to change into, become
convincente *adj* convincing
convivencia coexistence
convivir to live together
convulso,-a convulsed
conyugal conjugal
copa top of a tree
copiar to copy
copioso,-a copious
copla type of poetry
coraje *m* courage, bravery; anger; **dar coraje** to make angry
corazón *m* heart
corbata necktie
cordal *m* wisdom tooth
corderita lamb
Corea Korea
corneta *m* bugler
coronación coronation
coronel *m* colonel
corporación corporation
corredizo,-a slippery; **tierra corrediza** quicksand
corredor *m* corridor
corregir to correct
correo post office
correr to run; to spread; to run off
correspondencia correspondence
corresponder to belong, match; to answer in kind; to be proper
corresponsal *m* correspondent
corretear to rove, ramble, race around
corrida (de toros) bullfight

corrido type of popular song
corriente current, ordinary; running; *n f* current, air; **más de lo corriente** more than usual
corromper to corrupt
corrupción corruption
cortadura cut
cortar to cut, cut off; **cortar por lo sano** *fig* to take quick action
corte *f* court; *n m* cutting
cortejo cortege, procession
cortesano,-a courtier
cortina curtain
corto,-a short
cosa thing
cosecha harvest; **de su propia cosecha** of your own
cosificación turning into an object
cosificar to turn into an object
cosmología cosmology
cosmopolita *adj* cosmopolitan
cosquilleante tickling; upsetting
cosquilleo tickling sensation
costa coast
costado side; **de costado** sideways
costal *m* bag
costar to cost; **costarle a uno** to be hard for one
costilla rib
costrado,-a streaked, caked
costumbre *f* custom; **de costumbre** usual, usually
cotidiano,-a daily
cráneo skull, cranium
creación creation
creador,-a creator
crear to create
crecer to grow; **va como palo de ocote, crece y crece** keeps right on growing like a pine tree
crecido,-a large
creciente *f* flood, swell of waters
credencial *f* credential
creencia belief
creer to believe; **ya lo creo** I should say so

crespo,-a curly
Creta Crete
creyente *m or f* believer; **creyente a puño cerrado** firm believer
criada maid
criado,-a servant
criar to raise, bring up
criatura creature, child, created one
Crihmah (Crismas) Christmas
crimen *m* crime
criollo,-a native, creole
crispación twitching
cristal *m* crystal, glass
cristalería glassware
cristianismo Christianity
cristiano,-a Christian
Cristo Christ
crítica criticism
criticar to criticize
crítico,-a critic
crónica chronicle
cronista *m or f* chronicler
cronología chronology
cronológico,-a chronological
croquis *m* sketch
crucificar to crucify
crucifijo crucifix
crueldad cruelty
crujido crunch
crujir to creak
cruz *f* cross
cruzada crusade
cruzar to cross; to intermingle
cuaderno notebook; exercise book
cuadra block
cuadrado,-a square
cuadrilátero quadrilateral; ring (boxing)
cuadro painting, picture
cuajar *fig* to hide
cual which, such as, as, what; **cada cual** each one; **lo cual** which
cualidad quality
cualquier,-ra any, some one, whichsoever, whosoever; **un cualquiera** a nobody

cuando when; **cuando menos** at least; **de vez en cuando** from time to time

cuanto,-a how much, how long; **unas cuantas** a few; **cuantos** all those who

cuarto,-a fourth; *n m* room; a fourth

cuatrocientos,-as four hundred

cubano,-a Cuban

cúbico,-a cubic

cubierta deck (of a ship)

cubierto,-a covered

cubismo cubism

cubista *m or f* cubist

cubo bucket

cubrir to cover

cuchara spoon

cuchilla mountain, mountain ridge

cuchillo knife

cuello neck; collar

cuenta account, bill; count; **darle cuenta** to render an account; **darse cuenta de** to realize; **de su cuenta** on her own; **hagan de cuenta** just imagine; **pasar la cuenta** to send the bill

cuentista *m or f* storyteller, short story writer

cuento story; **sacar a cuento** to drag in, mention

cuerda cord

cuerno horn

cuero leather

cuerpo body, main part, corps

cuesta slope; **a cuestas** on one's shoulders

cuestión question

cueva cave

cuidado care; **con cuidado** carefully; **poner cuidado** to pay attention; **tener cuidado** to be careful

cuidadoso, -a careful

cuidar (de) to take care (of); **cuidar de** to be careful to

cuita care, concern, trouble

cuitado poor wretch

culebra snake

culminación culmination

culpable guilty

cultivar to cultivate

cultivo culture; growing

culto,-a cultured; *n m* cult

cultura culture

cumpleaños *m* birthday

cumplir to keep (a promise), fulfill; to perform; **cumplir... años** to reach one's . . . birthday

cura *m* priest

curación cure

curandero medicine man

curar to cure

curato parish

curiosear to poke around, take a look at

curioso,-a curious

cursar to circulate; to study; to run

cursiva: letra cursiva italics

curso course

curtiduría tannery

curtir to tan (hides)

curva curve

cuyo,-a whose

D

dádiva gift, contribution

danza dance

danzar to dance; to whirl

dañado,-a infected

dañar to harm

dañino,-a destructive

daño: hacer daño to harm

dao (dado) given

dar to give; **dar a** to face; **dar con** to encounter; find; **dar de comer** to give food to; **dar en** to strike; **dar los primeros pasos** to take the first steps; **dar vuelta** to turn around; **darle**

cuenta   to render an account;
darse a conocer   to make oneself
known; **darse cuenta de**   to
realize; **darse por**   to consider
oneself; **darse una asomadita**   to
take a peep; **les dio por**   they
took a fancy to; **que se dan en el**
campo   which are found in the
country

darwinismo   Darwinism

dato   datum

debajo   beneath; **debajo**
de   beneath, under

deber   to owe, ought, must; *n*
m   duty; **debido a que**   due to
the fact that

débil   weak

debilidad   weakness

debilitado,-a   weakened

década   decade

decadencia   decadence

decaer   to decay

decaimiento   decay

decidir   to decide

decir   to say, tell; **es decir**   that is to
say; **querer decir**   to mean

declaración   declaration

declarar   to declare

decoración   decoration

decorar   to decorate

decorativo,-a   decorative

decrecer   to diminish

dedicar   to dedicate

dedo   finger; **al dedillo**   perfectly;
dedo gordo   thumb

defecto   defect

defender   to defend

defensa   defense

definición   definition

definido,-a   definite

definir   to define

definitivo,-a   definitive

deformidad   deformity

defraudar   to cheat, defraud; to
disappoint

degollar   to slit a throat

deificación   deification

dejar   to let, allow, permit; to leave;
dejar de   to stop, cease

delante (de)   before, in front of

deleitar   to delight

deleite *m*   delight

deletrear   to spell

delgado,-a   slender

delicioso,-a   delicious

demás   other; **lo demás**   the rest

demasiado,-a   too much

demócrata   Democratic

demonio   devil; demon

demorar   to delay, hold up;
demorarse   to dally

demostración   demonstration

demostrativo,-a   demonstrative

denso,-a   dense

dentadura   set of teeth

dentista *m* or *f*   dentist

dentro (de)   within, inside of

denuncia   denunciation

denunciar   to denounce

dependencia   outbuilding, quarters

depender (de)   to depend (on)

dependiente *adj*   dependent

deporte *m*   sport

depositar   to deposit

deprimido,-a   depressed

derecha   right

derecho   right, law; *adj*   straight

derivado,-a   derived

derramamiento   shedding

derramar   to shed; to scatter

derrota   defeat

derrotar   to defeat

derrumbar   to tumble down, fall
down, knock down

desabotonar   to unbutton

desafiante   defiant

desafiar   to challenge

desafío   challenge, duel

desagradable   unpleasant

desagradar   to displease

desaliento   discouragement,
dejection

desalmado,-a heartless

desalojar to empty out, evacuate

desangrarse to bleed

desanimarse to get discouraged

desaparecer to disappear

desaprobar to disapprove

desarrollar to develop

desarrollo development

desasociado,-a disassociated

desastre *m* disaster

desastroso,-a disastrous

desayuno breakfast

desbandada disbandment, disorder, flight

desbaratar to destroy, break into pieces

desbordarse to overflow, flood

descalzo,-a barefoot(ed)

descansar to rest

descanso rest

descargar to ease, lighten; to clear; to discharge

descendencia descendants

descender to descend

descendiente *m* or *f* descendant

descolgar to take down

desconfiar (de) to distrust

desconocer to be unacquainted with

desconocido,-a unfamiliar, unknown

descontrolado,-a uncontrolled

descortés rude, discourteous

describir to describe

descripción description

descriptivo,-a descriptive

descubierto,-a discovered

descubridor *m* discoverer

descubrir to discover;
  descubrirse to take off one's hat

desde from, since

desdichado,-a wretched, unhappy

desear to desire, want

desechar to reject; to waste

desencadenar to break loose, break out

desencuentro lack of contact, lack of encounter

desengañado,-a disillusioned

desenlace *m* denouement, conclusion

deseo desire

deseoso,-a desirous

desesperación despair, desperation

desesperado,-a desperate

desesperanza despair, hopelessness

desfilar to parade, march

desflorado,-a tarnished, violated

desfondado,-a crumbling

desgarrado,-a rending

desgracia disgrace, disfavor, misfortune

desgraciado,-a unfortunate, unhappy

deshacer to undo, destroy;
  deshacerse to fall apart

deshilachado,-a ravelled, threadbare

deshojado,-a stripped of leaves

deshumanización dehumanization

deshumanizado,-a dehumanized

desierto desert

designar to designate

desigual *adj* irregular

desigualdad inequality

desilusión disillusion

desilusionar to disillusion

desinteresado,-a disinterested

desligar to disassociate

deslizarse to slip, glide

deslumbrar to dazzle

demarcado,-a delineated

desmayo fainting spell

desmejorar to decline, become worse; *fig* to get more and more edgy

desmigajar to crumble

desnudo,-a naked, nude

desolación desolation

desolado,-a desolate

desorbitado,-a out of focus

desorientación disorientation, confusion

despacio slowly

despachar to dispatch, send, dismiss; to gulp down

despacho store; office

despavorido,-a terrified

despecho anger, despair, scorn

despedazar to cut or tear to pieces

despedida farewell

despedirse to say good-bye

despegar to pull off; despegarse to detach oneself from

despertar to awaken; despertarse to wake up

despierto,-a awake

despliegue m deployment

desplomarse to collapse, topple over

despojado,-a despoiled, stripped

despreciado,-a scorned, despised

despreciar to scorn

desprecio scorn, contempt

desprovisto,-a (de) lacking in

después after, afterwards; después de after

destacarse to stand out

destemplado,-a shrill

destierro exile

destinado,-a destined

destino destiny

destreza skill

destrozar to destroy

destrucción destruction

destructivo,-a destructive

destructor,-a destructive

destruir to destroy

desvanecerse to disappear

desvarío whim, caprice

desventaja disadvantage

desventura misadventure

desviarse to swerve

detallado,-a detailed

detalle m detail

detallista detail-oriented

detención detention, arrest

detener(se) to stop

detenido,-a arrested

determinado,-a determined, specific, a certain

detrás (de) behind

deudo relative

devoción devotion

devolver to return

devorador,-ra devourer

devorar to devour

DF (Distrito Federal) Federal District

día m day; al día siguiente, al otro día on the next day; de día by day; hoy en día, hoy día nowadays

diablo devil

diabólico,-a devilish

dialecto dialect

dialogar to carry on a dialogue

diálogo dialogue

diamante m diamond

diario,-a daily; n m newspaper; de a diario from everyday life

diarrea diarrhea

dibujante m or f cartoonist

dibujar to sketch

dibujo sketch

dichoso,-a blessed

diciembre m December

dictador m dictator

dieh (diez) ten

diente m tooth; entre dientes muttering

diestra right hand

dieta diet

diez: de a diez ten-cent coin

diferencia difference

diferenciar to differentiate

diferente different

difícil difficult

dificultad difficulty

dificultar to make difficult
dignidad dignity
digno,-a worthy
dihparao (disparado) shot
diligencia diligence; business,
errand
diluvio flood, deluge
diminutivo,-a diminutive
diminuto,-a tiny
dinámico,-a dynamic
dinamismo dynamism
dinero money
Dioh (Dios) God
dios god
diosa goddess
diplomacia diplomacy
dirección direction; address
directivo,-a governing
dirigir to direct, send; **dirigir la
palabra** to speak, address
someone; **dirigirse** to go
discernir to discern
disciplina discipline; *pl* scourge
discreto,-a discreet
discriminación discrimination
discurso speech
discutible disputable, questionable
discutir to discuss, argue
diseño design
disfrazar to disguise
disgustarse to get upset
disimular to dissimulate
disiparse to dissipate
disminuir to reduce, lessen
disparar to shoot
disparate *m* nonsense, absurdity
disparo shot
dispensador,-a dispenser
dispensar to excuse
disperso,-a scattered
displicente peevish; indifferent
disponerse (a) to get ready to
disposición disposition
dispuesto,-a arranged
disputar to dispute
distancia distance

distinguir to distinguish
distintivo,-a distinctive
distinto,-a different
distorsionado,-a distorted
distraer to distract
distribuir to distribute
distrito district
diversidad diversity
diverso,-a diverse, different
divertirse to enjoy onself, have a
good time
dividir to divide
divinidad divinity
divino,-a divine
divisar to perceive
divorciarse to get divorced
divulgar to divulge, make known
doble double; *n m* double
docena dozen
doctorarse to receive a doctorate
doctrina doctrine
documento document
dólar *m* dollar
doler to hurt
dolol (dolor) pain, ache
dolor *m* pain, ache; grief
dolora type of poem written by
Campoamor
dolorido,-a painful
dolorosa Mater Dolorosa,
Sorrowing Mary
domar to tame
domesticar to domesticate
domicilio domicile, residence
dominar to dominate
domingo Sunday
dominio domination
don title for a gentleman, used only
with given or Christian name
donar to grant
donde where; **¿a dónde?** (to)
where? where to?; **¿de
dónde?** where from?; **¿en
dónde?** where?
doña title for a lady, used only with
given or Christian name

dorado,-a gilded, golden
dormido,-a asleep, sleeping
dormir to sleep; **dormirse** to fall asleep
dormitorio bedroom
dorso back
dos: los dos both
drama *m* drama
dramatismo dramatic quality
dramatizar to dramatize
dramaturgo,-a dramatist
duda doubt; **sin duda** certainly, doubtless
dudar to doubt
dudoso,-a doubtful
duelo duel; sorrow
dueño master, owner
dulce sweet; *n m* candy
dulzón,-ona sweetish
duodeno duodenum
duque *m* duke
durante during
durar to last
duro,-a hard

E

eco echo
economía economy
económico,-a economic
echao (echado) thrown
echar to throw, throw out, cast; **echar a** to begin to; **echar a perder** to ruin; **echarse encima** to throw oneself on
edad *f* age
edénico,-a pertaining to Eden
edición edition
edificio building, structure
editorial publishing; *n f* publishing house
educación education
educado,-a educated
educador *m* educator
educativo,-a educational
efectivo cash; **en efectivo** in cash

efecto effect
efectuarse to take place
eficacia efficacy, efficiency
eficaz efficient
egoísta *adj* selfish
ehcupidera (escupidera) chamber pot
eje *m* axis
ejecución execution
ejecutar to execute
ejecutivo,-a executive
ejemplar *m* copy
ejemplificar to exemplify
ejemplo example
ejercer to exercise
ejercicio exercise
ejercitarse to practice
ejército army
elástico,-a elastic
elección election
electricista electrician
elegancia elegance
elegante elegant
elegía elegy
elegir to choose
elemento element
elevado,-a high, lofty, grand
elevar to raise
eliminar to eliminate
elocución elocution
elogiar to praise
elongación elongation
elongar to elongate
elusivo,-a elusive
emaciado,-a emaciated
embalgo (embargo): sin embalgo nevertheless
embalsamado,-a embalmed
embargo: sin embargo nevertheless
embotado,-a blocked up
embravecido,-a enraged
embrutecer to brutalize
embustero cheat, trickster
emigrante *m* emigrant
emigrar to emigrate
emoción emotion

emocional emotional
empapado,-a soaked
empastar to fill (a tooth)
empaste *m* filling
empeñarse (en) to persist (in)
emperador *m* emperor
empezar to begin
empleado,-a employee
emplear to employ
empleo job, work
empotrado,-a mounted
emprender to undertake, engage in
empresa enterprise, undertaking
empujar to push, shove
empuñar to grip, clutch
enajenación alienation
enamorado,-a lover, sweetheart; *adj* in love; **estar enamorado,-a de** to be in love with
enamorarse (de) to fall in love (with)
encabezar to head, lead
encajar to fit, join
encaminarse to move, head toward
encanto charm, delight, glamour
encarcelamiento imprisonment
encarcelar to imprison
encarnado,-a red
encender to light
encerrar to enclose
encerrarse to lock oneself up, close oneself up
encía gum
encima above; **por encima de** above, over
encomendar to commend
encontrar to find; **encontrarse** to find oneself, be; to meet
encorvado,-a bent, crooked
encuentro encounter
encuerado,-a naked
enderezarse to stand erect
endurecido,-a hard, obdurate
enemigo enemy
energía energy

enérgico,-a energetic
enero January
énfasis *m* emphasis
enfermedad sickness
enfermero,-a nurse
enfermo,-a sick
enfoque *m* focus
enfrentar to confront, to face
enfrente opposite, in front
enganchado,-a trapped
engañar to deceive
engaño deceit
engendrar to produce, engender
engolfar to engulf; **engolfarse** to be absorbed, be engrossed, be involved with
enguantado,-a wearing gloves
enigmático,-a enigmatic
enjabonar to soap
enjuto,-a lean, skinny
enmohecido,-a rusty
ennegrecer to blacken
ennoblecer to ennoble
enojar to anger; **enojarse** to become (get) angry
enojo anger, wrath
enorme enormous
enredarse to become tangled
enriquecerse to become rich
enroscarse to curl, twist
ensangrentado,-a bloody
ensangrentar to make bloody
ensayar to try
ensayista *m* or *f* essayist
ensayo essay
enseñanza teaching
enseñar to teach; to show
enseres *m pl* implements, household goods
ensordecer to deafen
ensuciar to dirty
entalladura sculpture, carving
entender to understand
entendimiento understanding; mind
enterado,-a informed
enterarse to find out; to understand

entero,-a entire, whole
enterrar to bury
entierro burial
entonces then
entornar to half-close, set ajar
entrada entrance
entraña entrail
entrar to enter
entre among, between; **entre tanto** meanwhile
entreabierto,-a half-open
entrecejo space between the eyebrows; **se le plegó el entrecejo** he frowned
entrega delivery
entregar to deliver, hand over, surrender
entremés *m* one-act farce
entrenado,-a trained
entretenerse to entertain oneself
entreverado,-a intermingled; bogged down
entrevista interview
entrevistar to interview
entrometido,-a meddlesome
entusiasmado,-a enthusiastic
entusiasmo enthusiasm
envanecerse to become vain
envejecer to grow old, make old
envés *m* back
enviar to send
envidiable enviable
envidiar to envy
envilecido,-a debased, degraded
envoltorio bundle
envolver to wrap
enyesado,-a in a cast
enzarzarse to squabble, wrangle
épico,-a epic
epigrama *m* epigram
episodio episode
época epoch
equilibrio equilibrium
equiparar to compare
equipo equipment
equivalente equivalent

equivocarse to make a mistake
ereh (eres) (you) are
erigir to erect, raise
erótico,-a erotic
esbelto,-a slender
esbozar to sketch
escalera stairway
escalinata stairway
escalofrío chill
escalón *m* stair
escalonado,-a gradual
escalpelo scalpel
escándalo commotion, tumult
escapar to escape
escarapela cockade, badge
escarchado,-a frosted, freezing
escarlata scarlet
escarmentar to be taught by experience, learn a lesson
escarnecido,-a mocked
escarpado,-a steep
escaso,-a meager
escena scene
escenario setting, stage
escepticismo skepticism
esclarecido,-a illustrious
esclavitud slavery
esclavo slave
escoger to chose
escolar *adj* school; **escolar** *m* student
escoltar to escort, accompany
escombro rubbish
esconder to hide
escopeta shotgun
escorpión *m* scorpion
escribir to write
escrito,-a written
escritor,-ra writer
escritura writing
escuchar to listen (to)
escuela school
escultor,-ra sculptor
escultórico,-a sculptural
escultura sculpture
escultural sculptural

escupidera   spittoon
escupir   to spit
esencia   essence
esencial   essential
esfuerzo   effort
esmeralda   emerald
esmerarse   to take pains with
esmero   careful attention; **con esmero**   painstakingly
eso   that; **eso que**   in spite of the fact that; **por eso**   therefore, for that reason, on that account
esoh (esos)   those
Esopo   Aesop
espacio   space
espacioso,-a   slow, deliberate; spacious, roomy
espada   sword
espalda   back, shoulders; **de espaldas**   on (one's) back
espantar   to frighten
espanto   fright; horror
España   Spain
español,-la   Spanish, Spaniard
españolismo   love for Spanish things
esparcir   to scatter
especial   special
especialidad   specialty
especializado,-a   specialized
especie   *f*   species, kind
específico,-a   specific
espectáculo   spectacle
espectador,-ra   spectator
espejo   mirror
esperanza   hope
esperanzoso,-a   desirous, hoping for
esperar   to hope, expect, wait, await
espeso,-a   dense, thick
espiar   to spy
espina   thorn
espiral   spiral
espíritu   *m*   spirit
espiritual   spiritual
espiritualidad   spirituality
espléndido,-a   splendid

espoleta   fin
esporádicamente   sporadically
esposa   wife
espuma   foam
esqueleto   skeleton
esquema   *m*   scheme, plan
esquina   corner
esquirol   *m*   "scab"
estabilidad   stability
establecer   to establish
estación   season; station
estadía   stay
estadista   *m*   statesman
estado   state; **estado de ánimo**   mood
estadounidense (estadunidense)   *adj* and *n*   (citizen) of the United States
estallar   to break out
estampa   print
estampilla   (postage) stamp
estancia   ranch
estanciero   rancher
estanque   *m*   pool
estantigua   phantom, hobgoblin
estanza   mansion, state
estaqueado,-a   staked out
estar   to be; **estar de acuerdo**   to agree; **estar para**   to be about to; **estar por**   to be for; to favor
estatua   statue
este   *m*   east
estentóreo,-a   stentorian
estereotipo   stereotype
estética   aesthetics
estético, -a   aesthetic
estilo   style; **por el estilo**   that way
estimado,-a   esteemed
estímulo   stimulus
estirar   to stretch
estoicismo   stoicism
estoico,-a   stoic
estómago   stomach
estopa   tow, burlap
estornudar   to sneeze

estornudo sneeze
estranjero (extranjero) foreigner
estrato stratum
estrecho,-a close, narrow
estregar to rub
estrella star
estrellar to smash
estremecer to make tremble;
  estremecerse to tremble
estricto,-a strict
estropeado,-a damaged
estructura structure
estructural structural
estruendo roar, din
estrujar to press, squeeze; to bruise;
  to wring out
estuco stucco
estudiantil *adj* student
estudiar to study
estudio study
estupefacto,-a stupefied
estupidez *f* stupidity
estúpido,-a stupid
etapa stage
eterno,-a eternal
ética ethics
etimología etymology
etimológicamente etymologically
étnico,-a ethnic
Europa Europe
europeo,-a European
evaluación evaluation
evangelio gospel
evidencia evidence
evitar to avoid
evocación evocation
evocar to evoke
evolución evolution
evolucionista evolutionary
exacto,-a exact
exaltado,-a extremist
exaltar to exalt
examen *m* examination
examinar to examine
excavar to dig, excavate

excelente excellent
excesivo,-a excessive
exceso excess
exclamar to exclaim
excluir to exclude
exclusivamente exclusively
excremento excrement
excursión excursion, trip
excusado toilet
exigir to demand
exiguo,-a small, scanty
exilio exile
existencia existence
existencial existential
existencialista existentialist
existir to exist
éxito success
exorcizar to exorcise
expectativa expectation
experiencia experience
experimentación experimentation
experimentar to experience
expirar to expire, to die
explanada platform, esplanade
explicación explanation
explicar to explain
explícito,-a explicit
exploración exploration
explorador,-a explorer
explorar to explore
explosivo,-a explosive
explotación exploitation
explotador,-ra exploiter
exponente *m* exponent
exponerse to expose oneself
exportar to export
exposición exposition, show, display
expresar to express
expresión expression
expresionismo expressionism
expresionista expressionist
exquisito,-a exquisite
éxtasis *m* ecstasy
extender to extend
extenso,-a extensive

extenuado,-a emaciated
extinguido,-a extinguished
extraer to extract
extramuros *adv* outside (a town);
  de extramuros from outside
extranjero,-a foreign; *n* foreigner
extrañar to miss; **no es de**
  extrañar it is not surprising
extrañeza surprise, wonderment
extraño,-a strange
extraordinario,-a extraordinary
extremadamente extremely
extremo,-a extreme

F

fábrica factory; structure
fabricación making, fabrication;
  make
fabricante *m* manufacturer, maker
fabricar to make, fabricate
fábula fable
fabular to make up
facción surface; feature
fácil easy
facilidad facility, ease
facilitar to facilitate
facultad faculty
fachada façade
faena labor, task
faja band, sash, girdle
fajar to fight
fallar to fail
falsedad falseness
falso,-a false
falta lack; **hacer falta** to need
faltar to be lacking; **falta poco** it
  won't be long
fama fame, reputation
familia family
familiarizarse to familiarize
  oneself
famoso,-a famous
fanatismo fanaticism
fantasía fantasy

fantasma *m* ghost
fantástico,-a fantastic
farol *m* lamp, street light, lantern
fascinante fascinating
fascinar to fascinate
fase *f* phase
fastidiar to annoy, bother
fatalismo fatalism
fatalista fatalist
fatiga fatigue, anxiety
favor *m* favor; **a (en) favor**
  de in favor of; **por favor** please
favorecer to favor
faz *f* face
fe *f* faith ; **a la fe** by my faith
fealdad ugliness
fecha date
fecundidad fertility
fecundo,-a fecund, fertile
feliz happy
femenino,-a feminine
fenómeno phenomenon
feo,-a ugly
ferocidad ferocity
feroz ferocious
ferrocarril *m* railroad
ferrocarrilero railroad worker
fértil fertile
festín *m* feast, banquet
festivo,-a festive, gay
feto fetus
feudalismo feudalism
ficción fiction
ficha form
fiebre *f* fever
fiel *adj* faithful
fierecilla shrew
fiesta party, celebration
figura figure
fijalse (fijarse) to notice
fijar to fix; **fijarse (en)** to notice;
  fijarse to stick
fijo,-a fixed, specific
fila line
filo edge

filosofía philosophy
filosófico,-a philosophic
filósofo,-a philosopher
filtración seepage
filtrar to filter
fin *m* end; **al fin** at last; **a fin de que** so that, in order that; **a fines de** at the end of; **en fin** finally; **por fin** finally
final *m* end, ending
finca farm
fincar to pin; to wager
fingir to feign, pretend
fino,-a fine
firma signature
firmamento firmament
firme firm; **estar en lo firme** to be sure, be positive
físico,-a physical
flaco,-a thin, skinny, weak
flaqueza weakness
flecha arrow
flor *f* flower
florecer to flourish
florecimiento flowering
florido,-a of the flowers
flotar to float
fogonazo powder flash
folklórico,-a folkloric
follaje *m* foliage
folleto pamphlet, booklet
fomentar to foment, encourage
fondo back, bottom, background, depths; fund
fonético,-a phonetic
fontana fountain
forastero,-a stranger
forcejear to struggle
forma form, shape
formación formation; education
formar to form
formativo,-a formative
foro back (of a stage)
fortaleza fort
forzar to force

forzoso,-a necessary
foto *f* photo
fotocopia photocopy
fotografía photograph; photography
fotografiado,-a photographed
fotográfico,-a photographic
fotógrafo,-a photographer
fracasar to fail
fragancia fragrance
fragante fragrant
frágil fragile
fragor *m* noise, clamor
francamente frankly
francés,-esa French
Francia France
francotirador *m* sharpshooter
frasco bottle
frase *f* sentence, phrase
fratricida fratricidal
fray friar
frazada blanket
frecuencia frequency; **con frecuencia** frequently
frecuente frequent
frenar to brake
frenesí *m* frenzy, madness
frente *f* forehead; **frente** *adv* in front, opposite; **de frente a** facing; **en frente de** in front of; **frente a** opposite, *fig* in the face of
fresa drill
fresco,-a fresh, cool
frescura coolness
frijol *m* bean
frío,-a cold; **hace frío** it is cold
fritura fritter
frondoso,-a leafy
frontera border
frotar to rub
fruición enjoyment, delight
frustración frustration
fruto,-a fruit (**fruto** is used in a figurative sense only)
fuego fire; **abrir fuego** to open fire

fuente *f* source; fountain
fuera out, outside
fuerte strong; *fig* stubborn
fuerza force, strength; **a fuerza de** by the strength of; **a la fuerza** by force
fuga flight, escape; **punto de fuga** vanishing point
fugaz fleeting
Fulano So-and-so
fulgor *m* brilliance
fulguración flash
fumar to smoke
función function, performance
funcional functional
funcionar to function, work
funcionario functionary, official
funda holster
fundador *m* founder
fundar to found
fundir to fuse, unite
fúnebre dark, gloomy
funerales *m pl* funeral
fungir (de) to act (as)
furia fury
furioso,-a furious
furtivamente slyly, furtively
fusilamiento shooting, execution
fusilar to shoot
fútbol *m* football, soccer

G

gabinete *m* office
gafas *f pl* glasses
galán *m* gallant, lover
galeón *m* galleon
galería gallery, corridor
gallardo,-a brave, gallant
gallina hen
gallinazo buzzard
gallinero henhouse, coop
gallo rooster
galopar to gallop
galope *m* gallop

galpón *m* shed
gama doe
gana desire; **dar la gana** to feel like; **de buena gana** willingly; **de mala gana** unwillingly; **tener ganas** to feel like
ganado cattle, livestock
ganar to win, earn; to fill
gango muscial instrument in the shape of a disk
garabato scribble
garabatoh (garabatos) scribbles
garganta throat
garra claw
garrote *m* garrote, club
garrucha pulley
garza heron
gasfíter *m* plumber
gasolinera gas station
gastado,-a worn, worn out
gastar to spend
gastarse to waste away; *fig* to grow dim
gasto expenditure
gatillo forceps
gato,-a cat
gaucho man of the Argentine pampa
gaullista Gaullist
gaveta drawer
gemelo,-a twin; *n m pl* glasses
genealogía genealogy
generación generation
generacional *adj* generation
general general; **por lo general** generally
generalizarse to become general
género kind, genre; **género humano** mankind
generoso,-a generous
genio genius
gente *f* people
gentilmente exquisitely
genuino,-a genuine
geometría geometry

geométrico,-a geometric
gerente *m* manager
germen *m* source
gestionar to negotiate
gesto facial expression; gesture
gigante *m* giant
gigantesco,-a gigantic
gigantón *m* big giant
gimnasia physical training
gimnasio gymnasium
Ginebra Geneva; **ginebra** gin
girar to roll
glifo glyph
globo globe; balloon
gloria glory
glorificar to glorify
glotón,-ona gluttonous
gobernación government
gobernar to govern
gobierno government
Gólgota Golgotha
gollete *m* neck (of a bottle)
golondrina *f* swallow
goloso,-a having a sweet tooth
golpe *m* blow; stroke; **daba golpecitos** he tapped; **de golpe** suddenly
golosamente greedily
golpear to strike, hit
goma rubber
gordo,-a fat; **dedo gordo** thumb
gorguera ruff
gorrión *m* sparrow
gorro cap
gota drop
gotear to drip
gotera leak
gozar (de) to enjoy
grabado engraving
gracias thanks
grado degree
graduarse to graduate
granadero grenadier
grande big; adult
grandeza greatness

grandiosamente magnificently, grandly
granizo hail, hailstorm
grano kernel
granuja *m* rogue
grasiento,-a greasy, oily
gratitud gratitude
grato,-a pleasant
gratuito,-a free
grave *adj* serious
gravedad gravity
Grecia Greece
griego,-a Greek
gringo,-a Anglo-Saxon; foreign
gris gray
grisáceo,-a grayish
gritar to shout, cry out, scream
gritería shouting
grito shout, scream; **a gritos** *fig* "buckets"
grosero,-a coarse, crude
grúa derrick
grueso,-a thick; *n m* thickness
grumo curd, cluster, blob
gruñir to grunt
grupo group
gruta cavern, grotto
guadaña scythe
guante *m* glove
guarda *m* guard
guardapolvo dustcoat
guardar to keep, reserve
guarida den, lair
guatemalteco,-a Guatemalan
güerquito,-a child
guerra war
guerrera tunic
guerrero warrior; *adj* fighting; warlike
guerrillero,-a guerrilla
guía *m* or *f* guide
guión *m* script
guiso stew
guitarra guitar
guitarreada guitar contest

gula gluttony

gusano worm

gustar to be pleasing; to like;
gustarle a uno to like

gusto taste, pleasure; **gusto a** taste
like

H

haber to have; **haber de** to have
(to), must; **hay** there is, there
are; **hay que** one must

habilidad skill, ability

habitación room, habitation

habitacional *m* housing
development

habitante *m or f* inhabitant

habitar to inhabit, dwell

hablar to speak

hacendado landholder, rancher

hacer to do, make; **hace buen
tiempo** the weather is good; **hace
frío** it is cold; **hacer buches** to
gargle; **hacer calceta** to knit;
hacer caso de to pay attention
to; **hacer daño** to harm; **hacer de
cuenta** to pretend; **hacer
falta** to be lacking; to be missing;
hacer una mala jugada to play a
dirty trick; **hacer un papel** to
play a role; **hacer una
reverencia** to bow; **hacerla
de** to play the part of

hacia *prep* toward; about

hacienda ranch, farm; herd

hada fairy

halagar to flatter

hallar to find

hallazgo discovery

hambre *f* hunger; **tener
hambre** to be hungry

hambriento,-a hungry

harmonizar to harmonize

harto,-a sufficient, full; *fig* tired,
fed up

hasta until, even

hastiado,-a cloyed,
sated; *fig* tired

hazaña deed, feat

hebilla buckle

hecho done, made; *n m* fact,
deed

hediondo,-a stinking

helado,-a frozen

helicóptero helicopter

hemisferio hemisphere

henchir to fill

hender to go through

heredado,-a inherited

herencia inheritance; heritage

herida wound

herir to wound

hermana sister

hermandad brotherhood

hermano brother

hermético,-a hermetic

hermoso,-a beautiful

hermosura beauty

héroe *m* hero

heroico,-a heroic

herramienta tool

hervir to boil

hierba weed; herb

hierro iron

higiene *m* hygiene

hija daughter

hijo son

hijoh (hijos) children

hilar to spin

hilera row, line

hilo thread

hincado,-a kneeling

hinchar to swell

hipo hiccough; sob

hipocresía hypocrisy

hispánico,-a Hispanic

hispano,-a Hispanic, Spanish

Hispanoamérica Spanish America

hispanoamericano,-a Spanish
American

histeria hysteria

historia history; story

historiador *m* historian
hocico snout, muzzle
hogar *m* home
hoja leaf, blade; page; sheet (of paper)
hojarasca leaf storm
hojear to leaf through
hola hello, hi
holandés,-esa Dutch
hollar to trample
hombre *m* man
hombro shoulder
homenaje *m* homage
Homero Homer
homogeneidad homogeneity
hondo,-a deep
honrado,-a honorable, of high rank
honrar to honor
hora hour; **a altas horas de la noche** late at night; **a toda hora** at all hours, all the time
horadar to bore, pry
horda horde
horizonte *m* horizon
hornilla oven, stove
horóscopo horoscope
horrendo,-a horrendous, hideous
horripilante horrifying
horrorizado,-a horrified
hospicio hospice, hospital, asylum
hospitalario,-a *adj* hospitable
hostil hostile
hoy today; **hoy día** nowadays
hoyo hole, excavation
hueco void, hollow
huelga strike
huella track, trace
huerta vegetable garden
huertano gardener, orchardman
hueso bone
huésped *m* or *f* guest
huesudo,-a bony, big-boned
huevo egg
huir to flee, run away
humanidad humanity
humanista *m* or *f* humanist

humano,-a human; **ser humano** human being
humedad humidity
humedecer to moisten, dampen; **humedecerse** to become wet, become moist
húmedo,-a humid
humilde humble
humillación humiliation
humo smoke
humorada humorous poem (Campoamor)
humorístico,-a humorous
hundimiento sinking
hundir to sink
húngaro,-a Hungarian
huracán *m* hurricane
hurgar to stir, poke into, dig around into
hurtar to steal

I

Ícaro Icarus
ícono icon
idealista idealistic
idéntico,-a identical
identidad identity
identificación identification
identificar to identify
ideología ideology
idioma *m* language
iglesia church
ignorar not to know, to be ignorant of
igual equal; **por igual** equally
igualdad equality
ilimitado,-a unlimited
ilusión illusion, *fig* hope
ilustrar to illustrate
ilustrativo,-a illustrative
imagen *f* image
imaginación imagination
imaginar to imagine
imaginario,-a imaginary
imborrable indelible

imitar to imitate
impaciente impatient
impedir to prevent, hinder
imperar to prevail
imperfecto imperfect
imperio empire
impermeable
    m raincoat; *adj* impervious
ímpetu *m* impetus
impetuoso,-a impetuous
imponente imposing
imponer to impose
importancia importance
importar to be important, matter
importe *m* cost, price
importunación harassment
imposible impossible
imposición imposition
impreciso,-a imprecise
impresión impression
impresionante impressive
impresionar to impress
impresionista impressionist
impreso print
improvisado,-a improvised
improvisador *m* improvisor
improviso,-a unexpected; **de**
  improviso unexpectedly
imprudente imprudent
inactividad inactivity
inanimado,-a inanimate
incaico,-a Incan
incenderse to catch on fire
incendiado,-a (de) on fire (with)
incertidumbre *f* uncertainty
incienso incense
incierto,-a uncertain
incinerador *m* incinerator
incitar to incite
inclinar to incline, bend,
  inclinarse to stoop, bend over,
  bow
incluir to include
inclusive including
incluso even
incoherencia incoherence

incoherente incoherent
incomodar to disturb, trouble,
  inconvenience
incómodo,-a uncomfortable
incomprensible incomprehensible
incomprensión incomprehension,
  lack of comprehension
inconcluso,-a unfinished
incongruencia incongruence
inconsciencia unconsciousness
inconsciente unconscious
incontenible unrestrainable
incorporación incorporation
incorporar to incorporate;
  incorporarse to sit up, get up; to
  join
increíble incredible
inculpar to blame, accuse
inculto,-a uncultured
indagar to investigate
indecenciah (indecencias)
  indecencies
indeciso,-a hesitant
indefenso,-a defenseless
indelincuente innocent
independencia independence
independiente independent
indicación indication
indicar to indicate
indicio indication
indiferencia indifference
indiferente indifferent
indígena indigenous, native
  (Indian)
indignación indignation
indignado,-a angry, indignant
indignidad indignity
indio,-a Indian
indiscriminadamente
  indiscriminately
individualidad individuality
individualizar to individualize
individuo individual
indócil unruly
indomable indomitable
indudablemente undoubtedly

industria   industry
inequívoco,-a   unequivocal, unmistakable
inerte   inert
inesperado,-a   unexpected
inexorablemente   inexorably
infancia   infancy
infanta   princess
infatigable   untiring
infección   infection
inferior   inferior, lower
infierno   hell
infinito,-a   infinite; *n m*   infinite
inflar   to inflate
influencia   influence
influenciar   to influence
influir   to influence
influyente   influential
información   information
informar   to inform
informe   *m*   report
ingeniería   engineering
ingeniero,-a   engineer
ingenio   (mechanical) apparatus; sugar mill
ingeniosidad   ingenuity
ingenuidad   candor
ingerencia   meddling, interference
Inglaterra   England
inglés,-esa   English; *n m*   English (language)
ingratitud   ingratitude
ingrato,-a   ingrate, ungrateful
inhumano,-a   inhuman
inicialmente   initially
iniciar   to begin, initiate
ininterrumpidamente   uninterruptedly
injusticia   injustice
inmediatamente   immediately
inmensidad   immensity
inmenso,-a   immense
inmigración   immigration
inmigrante   *m* or *f*   immigrant
inmigrar   to immigrate
inmoral   immoral

inmortalidad   immortality
inmortalizar   to immortalize
inmóvil   *adj*   immobile
inmovilidad   immobility
inmueble   *m*   immovable (real) property
innecesario   unnecessary
innovación   innovation
innovador   *m*   innovator
inocencia   innocence
inocente   innocent
inolvidable   unforgettable
inoportuno,-a   ill-timed
inquieto,-a   restless, uneasy
inquietud   *f*   concern
inquilino   tenant
Inquisición   Inquisition
inscribir   to enroll, register
insecto   insect
inseguridad   insecurity
insensibilidad   hard-heartedness, insensitivity
inservible   useless
insignificante   insignificant
insistir   to insist
insolencia   insolence
insoportable   *adj*   unbearable
inspiración   inspiration
inspirar   to inspire
instalar   to install
instantáneamente   instantaneously
instante   *m*   instant; **al instante**   instantly, at once
instintivo,-a   instinctive
instinto   instinct
institución   institution
instrucción   instruction
instruir   to instruct
instrumento   instrument
integración   integration
integrar   to integrate, be included in
intelectual   intellectual
inteligencia   intelligence
inteligente   intelligent
intención   intention; **con intención**   slyly

intencionado,-a meaningful
intensidad intensity
intento attempt
intercalado,-a inserted, interpolated
intercambiar to exchange
intercambio exchange
interceptar to intercept
interés *m* interest
interesante interesting
interesar to interest; **interesarse por** to be interested in
interferencia interference
internacional international
internacionalismo internationalism
internarse to go far in
interno,-a interior, internal
interpretación interpretation
interpretar to interpret
interrogar to question
interrumpido,-a interrupted
intervención intervention, operation
intervenir to intervene, take control of
intimidad intimacy
intimidar to intimidate
íntimo,-a intimate
intolerancia intolerance
intrahistoria intrahistory
intransigencia intransigence
intransigente intransigent
introducción introduction
intuición intuition
inundación flood
inútil useless
invadir to invade
invasor *m* invader
inventar to invent
inventario inventory
inversión investment
investigación investigation
investigar to investigate
invierno winter
invitar to invite
invocador,-ra invoker

invocar to invoke
IPN (Instituto Politécnico Nacional) National Polytechnical Institute
ir to go; **irse** to go away
iracundo,-a angry
iráh (irás) (you) will go
irlandés,-esa Irish, Irishman (woman)
ironía irony
irónico,-a ironical
irracional irrational
irradiar to radiate
irreal unreal
irresponsable irresponsible
irreverencia irreverence
irritarse to get (become) irritated
isla island
isleta small island
Italia Italy
italiano,-a Italian
izquierdo,-a left; **a la izquierda** on the left

J

jabalí *m* wild boar
jabón *m* soap, lather
jadeante panting
jadear to pant
jadeo panting
jalar to pull
jalda: repechar jalda arriba to begin to smile
jamás *adv* never, ever
japonés,-esa Japanese
jaqueca *m* headache, migraine
jarabe *m* popular dance
jardín *m* garden; **jardín zoológico** zoo
jarra jar; **en jarras** akimbo
jarro jug; **a boca de jarro** point-blank; **olía a jarro nuevo** smelled like a new clay jug
jaula cage

jeder: heder to stink
jefe *m* chief, boss
jeroglífico hieroglyph
jilguero linnet, goldfinch
jilotear to form ears (corn)
jinete *m* horseman
joder: que se joda ante *fig.* to hell
with
jodienda awful thing
jornalero day laborer
joven young
joya jewel
joyería jewelry store
joyero,-a jeweler
jubilarse to retire
júbilo joy
juego game, gambling game;
interplay; **juego de manos** sleight
of hand
jueran: fueran they were
jueves *m* Thursday
juez *m* judge
jugadera prank
jugador,-ra player; gambler
jugar to play; to gamble; **jugar a
(de)** to pretend to be
jugo juice
juguete *m* toy
jugueteh (juguetes) toys
juicio judgment
julio July
jumear to lie hidden
jungla jungle
junio June
juntar to join, connect, unite, pull
together; **juntarse** to join; to
copulate; to assemble
junto,-a united, joined, together;
junto a bedside; **junto
con** together with;
junto *adv* near
juntura joining
jurar to swear
jurídico,-a juridical; legal
jurisprudencia jurisprudence, law

justicia justice
justificar to justify
justo,-a exact, very; just
juvenil juvenile
juventud youth
juzgar to judge

K

kepis kepi, a military cap

L

laberinto labyrinth
labio lip
labor *f* small farm
labrador,-ra farmer, peasant
labrar to carve; to make; to cut; to
work (stone)
lado side; **por otro lado** on the
other hand; **por todos lados** on
all sides
ladrar to bark
ladrillo brick
ladrón,-ona thief
lagaña bleariness
lagartijo lizard
lago lake
lágrima tear
laguna lake, lagoon
laja slab
lamentación lamentation
lamentar to lament
lamer to lick
lámpara lamp, light
lana wool
langosta locust
lanzar to emit, throw, hurl; to
vomit; **lanzarse** to plunge
lápida tablet, gravestone
lápiz *m* pencil
lapso lapse, time
largar to leave; **largarse** to go away
largo,-a long; **a lo largo
de** through, throughout, along;
largamente for a long time

lástima   pity

lastimarse   to wound oneself, hurt oneself

lastimoso,-a   pitiful, sad

latido   beating, throb

latigazo   lash

látigo   whip

latino,-a   Latin

latinoamericano,-a   Latin American

latir   to beat

lavar   to wash; **lavarse**   to wash, wash up

leal   loyal

lecho   bed

lector,-ra   reader

lectura   reading

leer   to read

legendario,-a   legendary

legua   league

lejano,-a   distant

lejos   far; **a lo lejos**   in the distance

lengua   tongue; language

lenguaje   *m*   language

lente   *m* or *f*   lens; magnifying glass

lento,-a   slow

leña   firewood

león   *m*   lion

lesionar   to wound, injure

letra   letter; **al pie de la letra**   literally; **letra cursiva**   italics

letrero   sign

levantalte (levantarte)   to get you up

levantar   to life, raise; to take (census); **levantarse**   to get up

leve   *adj*   light

ley   *f*   law

leyenda   legend

liberación   liberation

liberar   to free, liberate

libertad   liberty

librar   to free

libre   free

librepensador,-ra   freethinker

libro   book

licenciado,-a   lawyer

liceo   lyceum

líder   *m*   leader

liebre   *f*   hare (rabbit)

lienzo   canvas

liga   league

ligar   to tie; to suspend

ligero,-a   slight, light

limitación   limitation

limitar   to limit

limón   *m*   lemon

limonero   lemon tree

limosna   alms

limpiar   to clean; **limpiar de hierba**   to weed

limpieza   cleaning

limpio,-a   clean

linaje   *m*   kind, species

linchamiento   lynching

lindar (con)   to border (on)

lindo,-a   pretty

línea   line

liquen   *m*   lichen

líquido,-a   liquid; *n m*   liquid

lírico,-a   lyric

lisonjear   to flatter

lista   list

listo,-a   ready

literario,-a   literary

literatura   literature

liviano,-a   light

lívido,-a   livid

llaga   wound

llama   flame

llamar   to call; **llamarse**   to be called, be named

llano,-a   level, flat

llano   plain

llanto   weeping

llanura   plain

llave   *f*   key; **cerrar con llave**   to lock; **echar llave a**   to lock

llegada   arrival

llegar to arrive; **llegar a (conocer)** to come to (know); **llegar a saber** to find out

llenar to fill

lleno,-a (de) filled (with), full

llevar to carry, take; to wear; to lead; to lift; **llevarse** to carry away

llorar to cry, weep

lloroso,-a tearful

llover to rain

lluvia rain

lobo wolf

lóbrego,-a gloomy

loco,-a crazy

locura madness

lodo mud

lógico,-a logical

lograr to succeed (in), achieve

loh (los) the; them

longevidad longevity

losa flagstone, grave, gravestone

losar to pave

lotería lottery

loza ceramic

lucero bright star

lucha struggle

luchar to struggle

lucidez *f* lucidity

luego then, afterwards, next, later; **luego de** after; **tan luego que, luego que** as soon as; **luego luego** right away

lugar *m* place; **tener lugar** to take place

lujo luxury; **de lujo** deluxe

lujoso,-a luxurious

lujurioso,-a lustful

lumbre *f* fire, light

luminoso,-a luminous

luna moon

luto mourning; **de luto** in mourning

luz *f* light; **salir a luz** to come out, appear, be published; **luz de bengala** flare

M

machismo "maleness"

madera wood

maderista *adj* lazy

madre *f* mother

madrugada dawn

madrugador,-ra early riser

madurar to ripen

maestro,-a master; *n* teacher

magia magic

mágico,-a magic

magnavoz *m Mex.* loudspeaker

magnífico,-a magnificent

mago magician, wizard; **los Reyes Magos** the Magi

magullar to mangle

mah (más) more

maíz *m* corn

maizal *m* cornfield

majestad majesty

majestuosidad majesty

majestuoso,-a majestic

mal *adv* badly, wrongly; *n m* evil, harm, wrong; **de mal en peor** from bad to worse; **menos mal** just as well

maldecir to curse

maldición curse

maldito,-a cursed

maleza underbrush

malhumorado,-a ill-humored

maliciosamente maliciously

malo,-a bad, evil

malón *m* sudden attack by Indians

maltratado,-a abused, ill-treated

maltrecho,-a badly off, battered

malvado,-a wicked

malvivir to live badly

mamadera baby bottle

mamarracho grotesque figure

mampostería masonry

maná *m* manna

mancebo youth, young man

mancha spot, stain; smudge

manchado,-a spotted
manchar to stain
mancillado,-a soiled
mandar to send; to command
mandíbula jaw
mando command
manejar to drive, handle
manera manner, way
manerista *adj* Mannerist
mango handle
manguera hose
manifestación manifestation, demonstration
manifestante *m* demonstrator
manifestar to manifest, demonstrate
manifiesto manifest
manigua jungle
mano *f* hand; **mano de trabajo** worker
manojo handful, bunch
manso,-a gentle
manta sign
mantener to maintain, to hold; to keep; **mantenerse** to live (on)
mantenimiento food
mantequilla butter
mantilla swaddling clothes
manuscrito manuscript
manzana Adam's apple
mañana tomorrow; morning; **el día de mañana** tomorrow; **por la mañana** in the morning; **todas las mañanas** every morning
máquina machine
maquinalmente mechanically
mar *m* or *f* sea
maravilla wonder, marvel; **a las mil maravillas** wonderfully well
maravilloso,-a marvellous, wonderful
marcado,-a marked
marcador *m* sign
marcar to strike; to show (time); to mark
marcial *adj* martial
marco framework
marcha march

marchito,-a withered
marea tide
margen *m* margin
mariachi *m Mex.* street singer
marido husband
marinero sailor
marino,-a marine
mariposa butterfly
marisma swamp
mármol *m* sculpture, marble
maroma cable, rope; acrobatics
marrón brown
marrullero trickster, wheedler
martes *m* Tuesday
martillazo blow with a hammer
martillo hammer
mártir *m* martyr
marzo March
mas *conj* but, yet
más more, most; **más allá** beyond; **más bien** rather; **más que nada** more than anything; **más tarde** later; **más vale que** it is better that; **nada más** only, just that
masa dough, mass
masacre *f* massacre
mascar to chew
máscara mask
mascullar to mumble
mata plant
matadero slaughterhouse
matanza slaughter, massacre
matar to kill
matemáticas mathematics
matemático,-a mathematician
materia matter; course; **en materia de** as regards, in the matter of; **rendir una materia** to take a course
material *m* supplies
maternidad maternity
materno,-a maternal
matiz *m* shade
matorral *m* thicket
matraca wooden rattle

matrimonio matrimony, marriage
máximo,-a maximum
maya *adj* Mayan
mayo May
mayor greater, larger; older, adult
mayoría majority
mayormente especially, any, very
   many
mazazo blow with a club
mazmorra dungeon
mazorca ear (of corn)
mecanismo mechanism
mechón *m* lock (of hair)
mediano,-a middling
mediante by means of, through
medicina medicine
médico,-a doctor
medida measure; **a medida que** as,
   according as
medio,-a mid, middle, mean; *n*
   m means; thirty (time-telling); **a**
   medias obscurely; **a medio** half;
   de en medio middle; **en medio**
   de in the middle of, amid; **por**
   medio de through
mediocridad mediocrity
mediodía *m* noon
medir to measure
meditar to meditate
mediterráneo,-a Mediterranean
mejicano,-a Mexican
mejilla cheek
mejor better, best; **a lo**
   mejor perhaps, maybe
mejoramiento improvement
mejorar to improve
melancolía malancholy
melancólico,-a *adj* melancholy
melena loose hair
memoria memory; **hacer**
   memoria to search one's memory;
   saber de memoria to know by
   heart
mencionar to mention
mendigar to beg
mendigo beggar

menester *m* duty, task
menguante *adj* waning
menina young lady in waiting
menor least, less, youngest; minor;
   smaller
menos less, least; **cuando**
   menos at least; **menos mal** just
   as well; **por lo menos** at least
menospreciar to scorn, despise
mensaje *m* message
mentado,-a famous
mente *f* mind
mentir to lie
mentira lie
mentón *m* chin
menudo,-a small
mercader *m* merchant
mercadería merchandise
mercado market
merecer to deserve
mero,-a mere; **hasta mero** just,
   right up to
mes *m* month
mesa table, desk; **poner la mesa** to
   set the table
Mesías *m* Messiah
mestizo,-a half-breed, mixed blood
meta goal
metafísico,-a metaphysical; *n*
   f metaphysics
metáfora metaphor
metafórico,-a metaphoric
metálico,-a metallic
meter to put in, introduce;
   meterse to get involved
meticulosamente meticulously
metódico,-a methodical
método method
metro meter
metrópoli *f* metropolis
metropolitano,-a metropolitan
mexicano,-a Mexican
mexicanoamericano,-a Mexican-
   American
mezcla mixture; mortar
mezclar to mix

mezquita mosque
microcósmico,-a microcosmic
miedo fear; **dar miedo** to create fear; **tener miedo** to be afraid
miel *f* honey
miembro *m* or *f* member
mientras while
miércoles *m* Wednesday
miga crumb
migrar to migrate
migratorio,-a migratory
mihmo (mismo) same
mil thousand
milagro miracle
milagroso,-a miraculous
milímetro millimeter
militante *m* or *f* militant
militar *adj* military; *n* *m* military man
milla mile
millón *m* million
millonario,-a millionaire
milpa *Mex.* cultivated land, system of cultivation
mimar to spoil, indulge
mina mine
minero miner
minoría minority
minotauro minotaur
minuciosamente precisely, thoroughly
minúsculo,-a tiny
minuto minute
mirada glance, look
mirador *m* window, observation point
mirar to look, look at
mirón *m* spectator, bystander
misa mass
miseria misery, poverty
misericordia pity
misión mission
mismo,-a same, very; self (**ella misma** she herself); **ahora mismo** right now
misterio mystery

misterioso,-a mysterious
misticismo mysticism
místico,-a mystic(al)
mitad *f* half; **en mitad de** in the middle of
mítico,-a mythical
mitin *m* rally
mito myth
mitología mythology
mixto,-a mixed
mocedad youth
mochica Peruvian Indian group
mocho,-a maimed; cut off
modelar to model
modelo model
modernismo modernism
moderno,-a modern
modesto,-a modest
modificación modification
modificar to modify
modo way, means, manner; **de modo que** so that; **de todos modos** at any rate
modorra drowsiness
mofar to mock, jeer; **mofarse de** to make fun of, jeer at
mohoso,-a rusty
mojar to wet; **mojarse** to get wet
molde *m* mold
molestar to bother; **no se molesten** don't take the trouble
molesto,-a annoyed
momento moment
monarca *m* monarch
moneda coin
mono monkey
monólogo monologue
monopolio monopoly
monotonía monotony
monstruo monster
monstruoso,-a monstrous
montado,-a mounted
montaña mountain
montañero,-a *adj* mountain
montar to ride; mount (begin)
monte *m* mountain

montón *m* pile; heap
monumento monument
morada dwelling
morado,-a purple
moraleja moral (of a story)
mordaz biting, sarcastic
morder to bite; **morderse** to bite
(one's tongue, etc.)
moreno,-a brown, dark
morir to die; **morirse** to die
moro,-a Moor
mortaja shroud
mortificación mortification,
humiliation
mortificar to mortify;
mortificarse to get upset
mosaico mosaic
mostrar to show
mota small hill with shade trees
moteca Moteca Indian
motivar to motivate
motivo motive, motif
motocicleta (moto) *f* motorcycle
mover to move; **moverse** to move
(oneself)
movible movable
móvil changeable
movilidad mobility
movimiento movement
mozo young man; **buen**
mozo good-looking (young man)
muchacha girl
muchacho boy
muchachoh (muchachos) children
mucho,-a much, a great deal; long
(time); *pl* many; *adv* much,
very much, a great deal
mudanza move
mudarse to move
mudo,-a mute, silent
mueble *m* piece of furniture
muela molar
muelto (muerto) dead
muerte *f* death
muerto,-a dead
muestra sample, model, copy, trace

mugriento,-a filthy
mujer *f* woman; wife
mulato,-a mulatto
multiplicar to multiply
multitud multitude
mundano,-a worldly
mundial *adj* world, world-wide
mundo world; **correr mucho**
mundo to travel a lot
municipio town government
muñeca wrist; dummy, doll
muñecoh (muñecos) *fig* figures
muralismo muralism
muralista *m or f* muralist
muralla wall
murciélago bat
murmurar to murmur
muro wall
músculo muscle
musculoso,-a muscular
museo museum
musgo moss
música music
musicalidad musicality
músico musician
musitar to mumble
muslo thigh
musulmán,-ana Moor, Mussulman
mutilación multilation
mutilante mutilating
mutilar to mutilate
muy very

N

nacer to be born
nacimiento birth
nación nation
nacional national
nacionalismo nationalism
nada *adj* nothing; *adv* nothing,
not at all
nadar to swim
nadie no one, nobody, none
nahua *m* Nahuatl (Aztec
language)

nalgada   spanking
naranjo   orange tree
nariz   *f*   nose
narración   narration
narrador,-ra   narrator
narrar   to narrate
narrativo,-a   narrative;   *n*
   f   narrative, story
natal   *adj*   natal, of birth
natural   *m*   native, nature
naturaleza   nature
naufragio   shipwreck
navaja   razor, blade
Navidad   Christmas
navideño,-a   pertaining to
   Christmas
nazareno   Nazarene
necesario,-a   necessary
necesidad   necessity
necesitar   to need
necio,-a   fool, silly
negar   to refuse, deny
negativa   refusal
negativo,-a   negative
negocio   business
negrero   slave trader
negritud   blackness
negro,-a   black, dark
negrura   blackness
neneh (nenes)   children
neoclásico,-a   neoclassic
neoprimitivo,-a   neo-primitive
neoyorquino,-a   *adj*   New York
nervio   nerve
nervioso,-a   nervous
netamente   purely
neutro,-a   neuter
nicaragüense   Nicaraguan
nicho   niche
nido   nest
nieve   *f*   snow
nihilismo   nihilism
ninfa   nymph
ninguno   none, not any, not one
niña   girl
niñera   nursemaid

niñez   *f*   childhood
niño   boy
nítido,-a   clear, bright
Niu Yol   New York (Puerto Rican
   slang)
nivel   *m*   level
noche   *f*   night; de noche or por la
   noche   at night; esta
   noche   tonight
Nochebuena   Christmas Eve
nomás   just; no sooner; nomás por
   nomás   just like that
nombre   *m*   name
nopal   *m*   kind of cactus
noreste   *m*   northeast
Normandía   Normandy
norte   *m*   north
norteamericano,-a   North American
nostálgico,-a   nostalgic
nota   note
notar   to note
noticia   news
novedad   novelty, newness
novela   novel
novelista   *m* or *f*   novelist
novelizar   to novelize, make a novel
   of
novia   bride
noviazgo   courtship
noviembre   *m*   November
novio   boyfriend, suitor,
   bridegroom
nube   *f*   cloud
nublazón   *m*   storm cloud
nuca   nape (of neck)
nudo   knot
nuevo,-a   new; de nuevo   again,
   once more
número   number
numeroso,-a   numerous
nunca   never
nutrir   to nourish, feed

Ñ

ñoco,-a   one-handed

O

obedecer to obey
obediente obedient
objetivo,-a objective; *n m* objective
objeto object
oblicuo,-a oblique
obligar to oblige
obligatorio,-a obligatory
óbolo obolus; *fig* money, support, contribution
obra work, act; **obra maestra** masterpiece
obrar to work
obrero,-a working, of workers; *n m or f* worker
obsceno,-a obscene
observación observation
observador,-a observer
observar to observe
obsesionado,-a obsessed
obsesionarse (por) to be obsessed (by)
obstáculo obstacle
obstante: no obstante nevertheless; in spite of
obstinación: con obstinación obstinately
obstinado,-a obstinate
obtener to obtain
obvio,-a obvious
ocasión occasion
occidental western
occidente *m* west
océano ocean
ocioso,-a idle
ocote okote pine
octosilábico,-a octosyllabic (having eight syllables)
octubre *m* October
ocultadora concealer
ocultar to hide
ocupación occupation
ocupado,-a busy, occupied
ocupar to occupy

ocurrencia occurrence; witticism; new idea
ocurrir to occur
odiar to hate
odio hatred
odisea odyssey
oeste *m* west
ofender to offend
oficial official; *n m* official
oficina office
oficio trade, job, occupation
ofrecer to offer
ofrenda offering
oír to hear
ojalá (y) I wish
ojear to glimpse
ojo eye
ola wave
oler *m* to smell
olfato sense of smell
olímpico,-a Olympic
olor *m* odor, smell
oloroso,-a fragrant, smelling like
olvidar to forget
olvido forgetfulness, oblivion
ombligo navel
omitir to omit
opaco,-a opaque
opalino,-a opaline
operación operation, transaction, deal
operar to operate
opinar to be of the opinion
oponerse to oppose
oportunidad opportunity
oposición opposition
opresión oppression
optar to choose, opt
óptico,-a optical
optimista optimistic
opuesto,-a opposed, opposite
oración sentence
orador *m* orator
oratorio,-a oratorical
orden *f* command; religious order; *m* order

ordenar   to order, command; to arrange
ordinario,-a   ordinary
oreja   ear
orfanato   orphanage
orfebre   *m*   goldsmith, silversmith
orfebrería   gold or sliver work
organización   organization
organizar   to organize
órgano   organ
orgullo   pride
orgulloso,-a   proud
oriental   eastern, oriental
oriente   *m*   east
origen   *m*   origin
originalidad   originality
originar   to originate
orilla   bank (of a river)
orinar   to urinate
oriundo,-a   native, coming from
ornamentación   ornamentation
oro   gold
ortodoxo,-a   orthodox
osado,-a   bold
oscilar   to oscillate
oscurecer   to grow dark
oscuridad   darkness
oscuro,-a   dark
otoño   autumn
otro,-a   other, another; **al otro día**   the next day; **el uno al otro**   each other; **otra vez**   again; **por otra parte**   on the other hand; **unos a otros**   each other
Otry   (Gene) Autry
ovación   ovation
oveja   sheep

P

pa'(para)   for, in order to
pabellón   *m*   pavilion
paciente   *m* or *f*   patient
pacificador,-a   *n*   peacemaker
pacífico,-a   peaceful
pacto   pact
padre   *m*   father; *pl*   parents

padrenuestro   Lord's Prayer
pagano,-a   pagan
pagar   to pay (for)
página   page
pago   pay
país   *m*   country, region
paisaje   *m*   landscape
paisajista   *adj*   landscape
paisano,-a   compatriot
paja   straw
pájaro   bird
pala   stick, paddle
palabra   word
palacio   palace
pálido,-a   pale
palique   *m*   chitchat, small talk
palma   palm
palmada: dar palmadas   to slap
palmar   *m*   palm grove; oasis
palmear   to pat
palmera   palm (tree)
palo   wood, stick
paloma   dove
Palón   Hopalong
palpar   to touch
palpitar   to throb
pampa   plain
pan   *m*   bread
pantalón   *m*   trousers, pants
pantano   marsh
panteísmo   pantheism
panteón   *m*   pantheon
pantera   panther
pantomimo,-a   pantomimist
pañuelo   handkerchief
Papa   *m*   Pope
papá   *m*   father, papa
papel   *m*   paper; role; **hacer un papel**   to play a role
par   *m*   pair; **a par del alma**   deeply
para   for, in order to; toward; so that, to the end that; **de un lado para otro**   from one side to the other; **para siempre**   forever; **ser para tanto**   to be important
parábola   parable

parada stop

parado,-a standing; stopped

paradoja paradox

paradójicamente paradoxically

paraguas *m s* umbrella

paraíso paradise

paralelo,-a parallel

paralizar to paralyze

parar to stop; **pararse** to stand up; to stop

Parca fate

parecer to seem, look; **al parecer** apparently; *n m* opinion; **cambiar de parecer** to change one's mind; **parecerse a** to resemble

parecido similar; *n m* resemblance

pared *f* wall

pareja pair, couple

paréntesis *m* parenthesis

pariente *m* or *f* relative

parir to give birth

parisiense *adj* Parisian

paro work stoppage

párpado eyelid

parque *m* park

párrafo paragraph

parroquiano,-a parishioner

parsimoniosamente economically; slowly

parte *f* part; place; **de parte de** on the part of; **en gran parte** mostly; **en (a) todas partes** everywhere; **por otra parte** on the other hand; **por parte alguna** anywhere

participación participation

participante *m* or *f* participant

participar to participate

particular particular, private

partidario,-a partisan

partido party; district; township; game (match)

partir to leave; to cut; **a partir de** starting from; **partir de** to be fired from

pasadizo passageway

pasado past

pasaje *m* passage

pasar to pass; to spend; to happen; **pasa que** it happens that; **pasar hambre** to suffer hunger; **pasar por alto** to overlook; **¿qué pasa?** what's the matter?; **se la pasa** he spends his time

pasatiempo pastime

pasear(se) to stroll, walk, ride

paseo walk, promenade

pasión passion

pasivo,-a passive

pasmado,-a stunned, astounded; chilled; stale

paso sketch; step, footstep; **dar los primeros pasos** to take the first steps; **de paso** in passing, on the way

pasta paste, dough

pastilla pill

pasto grass

pastor *m* shepherd

pastoril pastoral

pastura pasture

pata foot (of an animal)

patata potato

patear to stamp

paternidad paternity

patilla side whiskers

patria fatherland

patriarca *m* patriarch

patrimonio patrimony

patriota *m* patriot

patrocinar to sponsor

patrón *m* patron, landlord, boss

patullado,-a trampled; **patullada** tramping feet

pausa pause

pavimento pavement

pavo turkey

payaso clown

paz *f* peace

pecado sin

pecador,-ra sinful; *n m* or *f* sinner

pecho breast, chest
pedalear to pedal
pedazo piece; **hacer pedazos** to tear to pieces
pedir to ask for
pedrería precious stones
pegar to glue; to beat, to strike; to hit; **pegar el brinco** to leap; **pegar un tiro** to shoot
peinarse to comb one's hair
pelandrín (pelantrín) *m* farmer
peldaño stair
pelea fight
pelear(se) to fight
película picture, movie, film
peligro danger
peligroso,-a dangerous
pelo hair
pelota ball
peluca wig
peludo,-a shaggy, hairy
peluquería barber shop
pena pain; **no valer la pena** not to be worthwhile
penar to suffer
pender to hang
pendiente hanging, pending; absorbed
penetración penetration
penetrante penetrating
penetrar to penetrate
península peninsula
penitencial penitential
penitente *m* penitent
penoso,-a painful
pensador *m* thinker
pensamiento thought
pensar to think; to intend; **pensar en** to think about
pensativo,-a pensive
penumbra shadow
peña rock, mountain
peón *m* day laborer
peor worse, worst; **de mal en peor** from bad to worse
pepita nugget; pip, distemper in fowls

pequeño,-a small, little, of tender age
percepción perception
percibir to perceive
perder to lose; **echar a perder** to spoil, ruin; **perder de vista** to lose sight of
perdición perdition, ruin
pérdida loss
perdiz *f* partridge
perdonar to pardon
perdurable lasting, everlasting
perdurar to last long; to remain
perecer to perish
peregrinación pilgrimage; wandering
peregrino,-a strange, odd
perejil *m* parsley
perezoso,-a lazy, idle
perfección perfection
perfeccionar to perfect
perfumado,-a perfumed
periódico newspaper
periodismo journalism
periodista *m* or *f* journalist
período period
perjuicio injury, damage
perla pearl
permanecer to stay, remain
permiso permission
permitir to permit
pero but, except, yet
perpetuo,-a perpetual
perplejo,-a perplexed
perro,-a dog
perseguir to pursue; to persecute
persona person
personaje *m* personage, character
personalidad personality
personificación personification
personificar to personify
perspectiva perspective
pertenecer to belong
pertenencia belonging
pesa weight
pesadilla nightmare

pesado,-a   heavy

pesadumbre   *f*   grief, affliction

pesar   *m*   sorrow; grief; **a pesar de**   in spite of

pescado   fish

pescador   *m*   fisherman

pescar   to catch (fish), fish

peseta   peseta (monetary unit of Spain)

pesimismo   pessimism

peso   monetary unit

pesoh (pesos)   pesos

pestaña   eyelash

pétalo   petal

pétreo,-a   stony, like stone

petróleo   kerosene

pez   *m*   fish

piadoso,-a   pious, merciful

picado,-a   annoyed

picar   to burn (sun); to sting

picaresco,-a   *adj*   rogue

pícaro   rogue

pictórico,-a   pictorial

pie   *m*   foot; **al pie de la letra**   literally; **ponerse de pie**   to stand up

piedra   stone; **piedra de moler**   grinding stone

piel   *f*   skin, hide

piensah (piensas)   (you) intend

pierde   *m*   loss; **no hay pierde**   none gets lost

pierna   leg

pieza   room; piece

pileta   swimming pool

pillo   rascal, rogue, "bad guy"

pincel   *m*   brush

pino   pine tree

pintal (pintar)   to paint

pintar   to paint

pintor,-ra   painter

pintoresco,-a   picturesque

pintura   painting

pinzas   *f pl*   pincers, tweezers

piña   pineapple

pique   sinking

piramidal   pyramidal

pirámide   *f*   pyramid

pirata   *m*   pirate

piruja   prostitute

piso   floor

pisoteado,-a   trampled

pistola   pistol

pitada   drag, puff

pizarra   slate, blackboard

placa   plate, picture

placer   *m*   pleasure

plagiar   to plagiarize

plancha   sheet, plate

planchar   to iron

planeamiento   planning

planetario   planetarium

plano,-a   level, smooth;   *n*   *m*   level plane

plantado,-a   planted

plata   silver

plateresco,-a   plateresque

platero   silversmith

plática   chat, talk, discussion

plato   dish

platónico,-a   Platonic

playa   beach

plazo   time (limit)

plegar   to crease, fold

plegaria   prayer, supplication

pleito   lawsuit, dispute

plenitud   plenitude

pleno,-a   full

pliego   sheet

pliegue   *m*   fold, crease

pluma   feather

población   population

poblador   *m*   populator, settler

poblar   to populate

pobre   poor

pobreza   poverty

poco,-a   little, few, small; **al poco rato**   in a short while; **falta poco**   it won't be long; **poco a poco**   little by little; **por poco**   almost

pochi   *m or f*   name for Californian

poder to be able, can; **puede que** it is possible that; *n m* power
poderoso,-a powerful
podrido,-a rotten
poema *m* poem
poesía poetry, poem
poeta *m* poet
poético,-a poetic; *n f* poetics
poetisa poetess
polea pulley
policía *f* police; *m* policeman
policíaco,-a *adj* police
policial referring to detective stories
polígloto,-a polyglot
politécnico,-a polytechnic
político,-a political; *n f* politics; *n m* politician
politizar to politicize
polvadera: polvareda cloud of dust
polvo dust; snuff
polvoriento,-a dusty
pomo bottle
pompa pomp; pump
poner to put; **poner la mesa** to set the table; **ponerse** to put on; to become; **ponerse de pie** to stand up; **ponerse de rodillas** to kneel
popularidad popularity
populoso,-a populous
por by, for, through, toward; **estar por** to be in favor of; **por aquí** around here; **por el estilo** like that, of that sort; **por encima de** above; **por eso** therefore; **por favor** please; **por fin** finally; **por la tarde** in the afternoon; **por las dudas** just in case; **por lo contrario** on the contrary; **por lo general** generally; **por lo menos** at least; **por lo tanto** therefore; **por medio de** through; **por otra parte** on the other hand; **por parte alguna** anywhere; **por parte de** on the part of; **por poco** almost; **¿por**

qué? why?; **por supuesto** of course; **por todos lados** from all sides; **por ventura** by chance
porcentaje *m* percentage
poro pore
porque because
porqué *m* reason
porquería filth
porqueríah (porquerías) filth
portada portal
portador *m* bearer
portar to carry; **portarse** to behave
porteño,-a *adj* of Buenos Aires
portero doorman
portón *m* inner front door
portugués,-esa Portuguese
pos: en pos de after, in pursuit of
posado,-a perched, resting
posdata *f* postscript
poseer to possess
posesión possession
posguerra *adj* post-war
posibilidad possibility
posible possible
posición position
positivo,-a positive
pósito public granary
posterior later, lower
postizo,-a false
postular to postulate
póstumamente posthumously
potable potable, drinkable
pozo well
práctica practice
practicar to practice, perform
práctico,-a practical
prado meadow; lawn
preámbulo preamble
precaución precaution
precio price
precioso,-a precious
precipicio precipice
precipitar to rush
precisamente precisely
precisar to need; to determine

preciso,-a   exact, accurate, precise
precolombino,-a   pre-Columbian
predecesor   *m*   predecessor
predicar   to preach
predilección   predilection
predilecto,-a   favorite
predominar   to predominate
prefacio   preface
preferencia   preference
preferir   to prefer
pregunta   question
preguntar   to ask (a question)
prehispánico,-a   pre-Hispanic
prehistórico,-a   prehistoric
prehtá (prestada)   borrowed
prejuicio   prejudice
prematuro,-a   premature
premio   prize
premonición   premonition
prenda: prenda de abrigo   warm
   clothing
prensa   press
preñado,-a   pregnant; full
preocupación   preoccupation,
   concern
preocupado,-a   preoccupied, worried
preocupar   to worry; preocuparse
   (por, de)   to worry (about); to get
   involved with
preparación   preparation
preparar   to prepare
preparativo   preparation
preparatorio,-a   preparatory
presencia   presence
presenciado,-a   witnessed
presentación   presentation,
   introduction
presentar   to present, introduce
presentir   to foresee, anticipate
preservar   to preserve
presidencial   presidential
presión   pressure
preso   prisoner
préstamo   loan
prestar   to lend; prestar
   atención   to pay attention

prestigio   prestige
prestigioso,-a   renowned
presto   quickly
presumir   to presume
presupuesto   budget
pretextar   to give as a pretext
prevenir   to prevent
previo,-a   previous
prieto   black man
primario,-a   primary
primavera   spring
primero,-a   first; el primero
   inferior   first grade;
   primero   *adv*   first
primitivo,-a   primitive
primo,-a   cousin
primogénito   first-born
príncipe   *m*   prince
principiar   to begin
principio   principle; beginning; a
   principios de   at the beginning of;
   al principio   at first
prisa   haste; a toda prisa   quickly,
   hastily
prisión   prison
prisionero,-a   prisoner
privación   privation
probar   to try, try out; to taste,
   sample
problema   *m*   problem
procedencia   origin
proceder   to proceed
procesión   procession
proceso   process
proclamar   to proclaim
procreación   procreation
procurador   *m*   attorney
producción   production
producir   to produce
producto   product
profano,-a   profane (of this world)
profecía   prophecy
profesional   professional
profeta   *m*   prophet
profetizar   to prophesy
profundidad   depth, profundity

profundizar   to deepen, go deep into

profundo,-a   profound, deep

profuso,-a   profuse

programado,-a   programmed

progreso   progress

prohibir   to prohibit

prolijidad   prolixity; **con prolijidad**   very carefully

prólogo   prologue

prolongación   prolongation

prolongar   to prolong

promesa   promise

Prometeo   Prometheus

prometer   to promise

prominente   prominent

promoción   promotion

promover   to promote

pronto   quickly; **de pronto** suddenly

pronunciar   to pronounce

propiciar   to propitiate; to promote

propicio,-a   favorable

propiedad   property

propio,-a   own, of one's own

proponer   to propose

proporción   proportion

propósito   purpose

prosa   prose

proseguir   to continue

prosista   *m* or *f*   prose writer

prosperidad   prosperity

próspero,-a   prosperous

prostitución   prostitution

prostituir   to prostitute

prostituta   prostitute

protagonista   *m* or *f*   protagonist

protección   protection

protector,-ra   protective

proteger   to protect

proteína   protein

protesta   protest

protestante   *m* or *f*   Protestant

prototipo   prototype

provecho   profit; **buen provechito**   may it benefit you, prosit

proveer   to provide

provenir   to arise (from), come from, originate

provincia   province

provinciano,-a   provincial

provocador   *m*   provoker

provocar   to provoke

próximo,-a   next to, near; **próximo a**   about to

proyección   projection

proyectar   to plan

proyectil   *m*   projectile

proyecto   project

proyector   *m*   projector

prudencia   prudence

prueba   proof

psicología   psychology

psicológico,-a   psychological

púa   barb; **alambrado (alambre) de púa**   barbed wire

publicación   publication

publicar   to publish

publicidad   ad; publicity

público,-a   public; *n m*   audience, public

pudrir   to rot

pueblero   city man

pueblo   town, people; working class

puente   *m*   bridge

puero   leek

puerta   door, gate

puerto   port

puertorriqueño,-a   Puerto Rican

pues   *adv*   well, then

puesta   setting

puesto   position, post, place; **puesto que**   since

pugnar   to struggle, fight

pulcritud   neatness, tidiness

pulcro,-a   neat, graceful

pulir   to smooth, polish

pulmón   *m*   lung

pulsar   to finger

pulsera: reloj de pulsera   *m*   wrist watch

punta   tip

puntiagudo,-a sharp-pointed

puntillista pointillist

punto point; **a punto de** to be about to; **al punto** immediately, at once; **en un punto** in a flash; **puntito** fleck; **punto de fuga** vanishing point

punzada sharp pain

puñado handful

puñal *m* dagger

puñetazo blow with fist, punch

puño fist

pupila pupil

purificado,-a purified

purificador,-ra purifying

puritano,-a Puritan

puro,-a pure; only

Q

que that, which, who, whom, than, when; **qué** what, what a, which, how; **¿por qué?** why?; **¿qué hay?** **¿qué pasa?** what's the matter?; **¿qué tal?** how goes it?; **¿qué de?** how many?

quebrado,-a chipped

quebrar to break

quedal (quedar) to be left

quedar to remain, have left, **quedarle bien** to come out well; **quedarse** to stay, remain

quedo,-a soft, quiet

quehacer *n m* duty, work

queja complaint, moan

quejarse to complain

quejido moan

quejumbroso,-a grumbling

quemar to burn

quemazón *f* fire

querella fight, quarrel

querer to wish, want; to love; **querer decir** to mean

quien who, whom, whoever, which, whichever

quiereh (quieres) do you want

quieto,-a quiet, silent, undisturbed

quietud quietness, tranquility

química chemistry

quinta villa manor house

quinto,-a fifth

quirúrgico,-a surgical

quitar to take away; **quitarse** to take off, remove

quizás perhaps

R

rabia anger, fury

racimo cluster

radio (la radiografía) *f* x-ray

ráfaga gust, burst

raíz *f* root; **a raíz de** right after; **con todo y raíces** roots and all

rajar to crack

rama branch

ramaje *m* mass of branches

ramo bouquet; (palm) branch; **Domingo de Ramos** Palm Sunday

rampa ramp

rango rank

rapar to shave

rapé *m* snuff

rápido,-a fast, rapid

raquítico,-a feeble

raro,-a rare, strange

rascacielos *m* skyscraper

rasgo characteristic; adornment

rasguño scratch

raspado,-a scratched up

rastro track, vestige

rastrojo stubble

rato short time, while; **al poco rato** in a short while; **cada rato** every so often; **de rato en rato** from time to time

ratón *m* mouse

raya: a rayas striped

rayo flash of lightning, ray

rayuela hopscotch

raza race

razón *f* reason; **tener razón** to be right

reacción reaction

reaccionar to react

real real, royal, main

realidad reality

realización accomplishment

realizar to accomplish

realzar to elevate, heighten

reanudar to resume

rebanada slice

rebaño flock

rebelarse to rebel

rebelde *m* rebel

rebelión rebellion

rebosante overflowing, dripping

rebotar to bounce

rebozo shawl

receloso,-a distrustful

recepcionista *m* or *f* receptionist

rechazar to reject

recibir to receive

recién *adv* recently; **recién antes** just before

reciente *adj* recent

recinto district

recio,-a strong

recipiente *m* recipient

reclamar to complain

reclinar to recline

recobrar to recover

recodo turn, angle

recoger to gather, pick up, collect

reconciliar to reconcile

reconocer to recognize

reconocible recognizable

reconocimiento recognition

reconquistar to reconquer

recordar to remember; to remind; to awaken

recorrer to peruse; to run back

recorrido route

recostado,-a leaning, reclining

recrudecer to get worse

rectificar to rectify, adjust

rectoría rectory, rector's office

recuerdo memory

recuperar to recover

recurso recourse

red: red metálica screen

redactar to write; to edit

redactor,-ra editor

redención redemption

redimir to redeem

redondo,-a round; **en redondo** round

reducir to reduce

reemplazar to replace

referencia reference

referente *adj* referring

referirse (a) to refer (to)

refinado,-a refined

reflejar to reflect

reflejo reflection

reflexionar to think, reflect

reforma reform; **Reforma** Reformation

reformador,-ra *adj* reform(ing)

reformar to reform

refrán *m* proverb, saying

refrescante refreshing

refugiado refugee

refugiarse to take refuge

refugio refuge

refunfuñar to growl, grumble

regalar to give a present

regalo gift

regañar to scold

regar to water

regazo lap

regionalista *m* or *f* regionalist

regir to control

registrar to register

registro search

regla rule; **por regla** square, straight

regresar to return

regreso return

regulación rule (traffic)

regularidad regularity

rehusar to refuse

reina queen

reinar to reign, rule
reino kingdom
reír to laugh; **reírse** to laugh
reiterar to reiterate
reja grating, railing
rejuvenecer to grow young
relación relation, narrative
relacionar to relate
relajamiento relaxation
relámpago lightning
relatar to relate
relativamente relatively
relato narrative, account, story
releer to read again
relieve *m* relief
religioso,-a religious
reloj *m* watch; **reloj de pulsera** wrist watch
rellenar to fill
rematado,-a ending
remedio remedy
remendado,-a patched, mended
remirar to look at again
remolino whirlwind; cowlick
remoto,-a remote
remover to remove
renacentista *adj* Renaissance
renacer *m* rebirth
renacimiento Renaissance
rencilla grudge
rendija crack
rendir to take (a course); to render
renombre *m* fame
renunciar to renounce, refuse
reñir to quarrel
repartidor *m* distributor, sorter
repartir to distribute
repasar to stroke; to spend; to review
repeler to repel
repente: de repente suddenly
repentino,-a sudden
repercusión repercussion
repercutir to reverberate
repertorio repertoire
repetición repetition

repetir to repeat
replicar to answer, reply
reponer to reply
reportaje *m* report, reporting
reportar to report
reportero,-a reporter
representación representation
representar to represent
represión repression
represivo,-a repressive
reproche *m* reproach
reproducción reproduction
reproducir to reproduce
repugnante repugnant
repujado,-a embossed
reputación reputation
requerir to require
rescatar to rescue
reseco,-a very dry
resfriado: estar resfriado to have a cold
resguardarse (de) to protect oneself (from)
residencia dormitory; residence
residir to reside
resignarse to resign oneself
resistencia resistence
resistirse to resist
resolución resolution
resolver to resolve
resonar to echo
resorte *m* spring
respaldado,-a backed up
respectivamente respectively
respetar to respect
respeto respect
respetuoso,-a respectful
respirar to breathe
resplandor *m* light, radiance
responder to answer
responsabilidad responsibility
responsable responsible
respuesta response
resquebrajado,-a cracked
restaurán *m* restaurant
restaurar to restore

restitución restitution
resto rest, piece; **restos** remains
resuelto,-a resolved, determined
resultado result
resultar to result, turn out; **resultar en** to lead to
resumen *m* summary; **en resumen** in brief, in short
resumir to sum up, summarize
resurrección resurrection
retirar to retire; to take back, move
retobado,-a surly, wild
retocar to retouch
retorcerse to convulse, writhe, squirm
retorcido,-a twisted
retórico,-a rhetorical
retornar to return
retorno return
retratar to depict, portray; **retratarse** to have one's picture taken
retratista *m* or *f* portrait painter
retrato portrait
retribución retribution
reunión meeting
reunir to gather, collect; **reunirse** to meet
revelar to reveal
reventar to split open
reverencia bow
revés *m* reverse; **al revés** upside down, inside out, backward
revista magazine
revolcarse to wallow
revolución revolution
revolucionario,-a revolutionary
revolver to stir
revuelto,-a stirred up
rey *m* king
reyeh (reyes) Magi
reyes *m pl* king and queen; kings; Magi
rezar to pray
rezongar to grumble, mutter

rezongón,-ona grumbler, mutterer; sassy
rezumante *adj* oozing
ribeteado,-a lined
rico,-a rich
ridículo,-a ridiculous
riel *m* rail
riesgo risk
rígido,-a rigid
riguroso,-a strict, tough
rima rhyme
rimador *m* rhymer
rimar to rhyme
rincón *m* corner
riñón *m* kidney
río river
ripostar to reposte
riqueza wealth
risa laughter
risco cliff
ristra string
rítmico,-a rhythmic
ritmo rhythm
rito rite
ritualista ritualistic
robado,-a stolen
roca rock
roce *m* touch
rodar to roll
rodear to surround
rodilla knee; **ponerse de rodillas** to kneel
rogar to beg
rojizo,-a reddish
rojo,-a red
rol *m* role
rollizo,-a plump, sturdy
Roma Rome
romano,-a Roman
romper to break, burst, tear up; **romper a** + *inf* to burst out + *inf*
ron *m* rum
ronco,-a hoarse
ronda circle
rondar to patrol; to walk at night
ronronear to purr

ropa   clothing
ropero   closet
rosa   rose
rosado,-a   pink
rosal   *m*   rosebush
rosario   rosary
rostro   face
roto,-a   broken
rotular   to label; to address
rótulo   sign
rozar   to border on
rubio,-a   blonde
rudimentario,-a   rudimentary
rudo,-a   rough, unpolished
rueda   circle, wheel
rugoso,-a   wrinkled
ruidazal   *m*   clamor
ruido   noise
ruina   ruin
rumbo   direction

S

sábado   Saturday
sábana   sheet
saber   to know, know how; **a saber**   to wit, namely
sabiduría   wisdom; knowledge
sabio,-a   wise; *n m*   wise man
sabor   *m*   taste, flavor
saborear   to enjoy, relish
sabroso,-a   savory, tasty
sacar   to take out, pull out; **sacar a cuento**   to drag in, mention
sacerdocio   priesthood
sacerdote   *m*   priest
sacerdotisa   priestess
saciar   to satiate
sacrificar   to sacrifice
sacrificio   sacrifice
sacudida   shaking, jerk
sacudir   to beat, dust off; to shake; **sacudirse**   to shake oneself
sádico,-a   sadist
sagrado,-a   sacred
sainete   *m*   one-act farce

sal   *f*   salt
sala   room, living room; **sala de espera**   waiting room
salado,-a   salty
saldo   balance sheet
salida   exit; **a la salida**   on leaving
salina   salt pit
salir   to leave, go out; to turn out
salón   *m*   hall
salpicar   to splash
saltar   to jump, leap
salto   leap
salud   *f*   health
saludar   to greet
saludo (de despedida)   wave (of good-bye)
salvación   salvation
salvaje   savage
salvar   to save; to overcome
salvo,-a   safe; **salvo** *conj* except; *prep* without; **a salvo de**   safe from
san   (abbreviation of **santo**) saint
sanababiche   *m*   son of a bitch
sandalia   sandal
sangrar   to bleed
sangre   *f*   blood
sangriento,-a   bloody
sanguinario,-a   cruel, bloodthirsty
sanguíneo,-a   red, blood-colored
sanguinoso,-a   bloody, cruel
sano,-a   healthy; **cortar por lo sano**   to take quick action
santa   saint
santero   saintmaker
santo   saint; saint's day
saña   wrath
sañudo,-a   wrathful, angry
saquito   small bag
sarape   *m*   serape, shawl
sardina   sardine
sardónico,-a   sardonic
sastre   *m*   tailor
sastrería   tailor's shop, men's fashions
sátira   satire

satisfacción satisfaction
satisfacer to satisfy
satisfecho,-a satisfied
Saturno Saturn
secar to dry
sección section
seco,-a dry
secretaría office (of the secretary)
secretario,-a secretary
secreto,-a secret; *n m* secret
secundario,-a secondary
sed *f* thirst; **tener sed** *f* to be thirsty
seda silk
sedentario,-a sedentary
sedicioso,-a seditious
seductor,-ra seductive
seguida succession; **en seguida** at once
seguido,-a in a row; *adv* often
seguil (seguir) to keep on, continue
seguir to keep on, continue; to follow; to remain
según according to
segundo,-a second; *n m* second
seguridad security; reassurance
seguro,-a sure, certain; safe
selección selection
seleccionar to select
sello (postage) stamp
selva jungle
semana week; **fin de semana** *m* weekend
sembrar to sow
semejante similar, such
semejanza similarity
semidiós *m* demigod
semilla seed
senado senate
sencillez *f* simplicity
sencillo,-a simple
sendero path
seno breast
sensación sensation
sensibilidad sensibility, sensitivity

sensible sensitive
sensitivo,-a sensitive
sentado,-a seated, sitting
sentar to seat; to establish; **sentarse** to sit down
sentencia sentence
sentenciado,-a sentenced
sentido sense; **en todos sentidos** in all directions; in every way
sentimiento sentiment, feeling
sentir to feel; to regret; **sentirse** to feel
seña sign, signal; **señas** information
señal *m* signal
señalar to point out
señor sir, Mr., lord
señora lady, Mrs., mistress
señorío domain, great lord
separar to separate
sepulcro grave
sepultar to bury
sequía drought
ser to be; to exist; *n m* being; **ser humano** human being
sereno,-a serene
seriamente seriously
serie *f* series
serio: en serio seriously, serious
serpiente *f* serpent
servicio service; restroom
servidor *m* servant
servir to serve; **no sirve** it is not good; **servir de** to act as; **servirse de** to use; **servir para** to be good for
seso brain; **avive el seso** be alert
sete *m* hedge
setentón,-ona seventy or so
setiembre *m* September
sevillano,-a Sevillian
sicología (psicología) psychology
sicológico,-a psychological
siembra sowing, sowed field

siempre always; **para siempre** forever
sierra mountain range
siesta afternoon nap
sigla abbreviation by initials
siglo century
significación significance
significado meaning
significar to mean
significativo,-a significant
signo sign
siguiente *adj* following
silbato whistling
silencio silence
silencioso,-a silent
silla chair
sillón *m* armchair
simbólico,-a symbolic
simbolismo symbolism
simbolizar to symbolize
símbolo symbol
simbología symbology
simpatía sympathy
simultáneo,-a simultaneous
sin without; **sin embargo** nevertheless
sinagoga synagogue
sinceridad sincerity
sindical *adj* syndical, union
sindicato labor union
singularmente singularly
sino but, but rather, except, solely, only; **no sólo... sino también** not only . . . but also
sinónimo synonym
síntesis *f* synthesis
sintetizar to synthesize
siquiera at least, though; **ni siquiera** not even
sirviente *m* servant
sistema *m* system
sistemático,-a systematic
sitio place
situación situation
situar to locate, situate, place

snobismo snobism
soberanía sovereignty
soberano,-a sovereign; *n m* sovereign
soberbio,-a superb, grand
sobrar to be excessive; to have more than enough; to have left over
sobre on, upon, over, above, about; *n m* envelope
sobremesa after-dinner conversation
sobrenatural supernatural
sobrepasar to surpass
sobresalir to excel
sobresaltar to frighten, startle
sobresalto shock, sudden fear
sobretodo overcoat
sobrevivencia survival
sobrevivir to survive
sobriedad sobriety
sobrina niece
sobrino nephew
sobrio,-a sober
sociedad society
socioeconómico,-a socioeconomic
sociología sociology
sociosicológico,-a social-psychological
socorro succor, aid
sofisticado,-a sophisticated
sofocadamente in a muffled way
soga rope
sol *m* sun; **hacer sol** to be sunny; **puesta del sol** sunset
solar *m* house; drying area
soldado soldier
soleado,-a sunny
soledad solitude, loneliness
soler to be in the habit of, be accustomed to
solicitado,-a solicited
solidaridad solidarity
solidarizarse to make common cause, maintain solidarity

solidez *f* solidity, strength
solitario,-a solitary
solo,-a alone, unaccompanied, single
sólo only; **no sólo... sino también** not only . . . but also
soltar to release, drop; to emit
soltero,-a bachelor, unmarried
solución solution
solucionar to solve
sollozo sob
sombra shadow
sombrero hat
sombrilla parasol
sombrío,-a gloomy
sometido,-a subjected
son *m* sound; Cuban folk song and dance
sonar to sound, ring; **¿le suena?** does it sound familiar?; **sonarse** to blow one's nose; **sonar la puerta** to knock on the door
soneto sonnet
sonido sound
sonreído,-a smiling
sonreír to smile
sonriente *adj* smiling
sonrisa smile
soñar (con) to dream (about)
soñoliento,-a sleepy
sopa soup
soplar to blow
soportar to endure
sorbo "drag"
sordo,-a deaf; dull
sorprender to surprise
sorpresa surprise
sortilegio sorcery
sospechar to suspect
sospechoso,-a suspicious
sostener to maintain, hold up, support
sótano basement, cellar
suave gentle, soft; great
subconsciencia subconscious

subido,-a raised, located, or placed high
subir to raise; to get on; to go up, climb; to rise
súbitamente suddenly
subjetivo,-a subjective
submarino submarine
subrayar to underline
substancia substance
subterráneo,-a underground
suburbio suburb
subvencionado,-a subsidized
subversivo,-a subversive
sucedel (suceder) to happen
suceder to happen
sucesivo,-a successive; **en lo sucesivo** hereafter, in the future
suceso event
suciedadeh (suciedades) *f pl* filthy things
sucintamente succinctly
sucio,-a dirty
sucumbir to succumb
sudado,-a sweaty
sudar to sweat
sudario shroud
sudor *m* sweat
sudoroso,-a sweaty, sweating
suegro father-in-law
sueldo salary
suelo ground, soil
sueño dream, sleep
suerte *f* luck, fate; **caber en suerte** to fall to the lot of; **de tal suerte que** in such a way that
suficiente sufficient
sufrimiento suffering
sufrir to suffer; to bear up under
sugerir to suggest
sugestivo,-a suggestive
suicidarse to commit suicide
sujetar to subject
sumar to add up to
sumisión submission
sumiso,-a submissive

sumo,-a   great, high, supreme; **a lo sumo**   at most
suntuoso,-a   sumptuous
superado,-a   obsolete
superar   to rise above, overcome; to exceed
superficie *f*   surface
superintendente *m*   superintendent
superior *adj*   superior, upper, higher
supersónico,-a   supersonic
superstición   superstition
supersticioso,-a   superstitious
súplica   supplication, prayer
suponer   to suppose
suprimir   to suppress
supuesto: por supuesto   of course
sur *m*   south
suramericano,-a   South American
surco   furrow
sureste *m*   southeast
surgir   to arise, come forth, emerge, appear
suroeste *m*   southwest
surrealismo   surrealism
surrealista *m*   surrealist
suspirar   to sigh
suspiro   sigh
sustancia   substance
sustentar   to sustain, defend, support
sustento   food, sustenance
sustituir   to substitute (for)
susto   fright
suturar   to suture

T

tablero   table
tableteo   rattling
tablón *m*   slab, plank
taburete *m*   stool
tajada   stab
tal   such, such a; **tal vez**   perhaps
tallador *m*   carver, sculptor

talladura   carving
tallar   to carve
taller *m*   workshop
talón *m*   heel
tamaño   size
tamarindo   tamarind
tambor *m*   drum
tambora   bass drum
tampoco   neither
tan   as, so; **tan luego que**   as soon as
tanque *m*   tank
tanto,-a   so great, as much, so much; *adv*   so much, as much; **por lo tanto**   therefore; **son las tantas**   it is late; **tantito así**   this close; **tanto... como**   both . . . and
tapa   lid, cover
tapado   coat; *adj*   hidden
taparrabos *m s*   loincloth
tarde *f*   afternoon; *adv*   late, too late; **de tarde en tarde**   seldom, occasionally; **más tarde**   later; **por la tarde**   in the afternoon
tardío,-a   late, tardy
tarea   task; assignment
taza   cup
teatral   theatrical
teatro   theater
techo   roof, ceiling
techumbre *f*   ceiling
técnica   technique
técnico,-a   technical; *n m*   technician
tecnológico,-a   technological
tecurucho   shack
tejabán *m*   roof; rustic shed
tejido   cloth, weaving; *adj*   woven
tela   piece of cloth
telaraña   cobweb
teléfono   telephone
telepático,-a   telepathic
telescopio   telescope
telón *m*   curtain, backdrop

teltulia (tertulia) social gathering

tema *m* theme

temática thematics, choice of themes

tembladeral *m* quaking bog

temblar to tremble

tembloroso,-a trembling

temer to fear

temeroso,-a fearful

temor *m* fear

templado,-a moderate, pleasant; smooth; **mal templado** in a bad mood

templar to tune

temple *m* temper

templo temple

temporada spell, period of time

temporal *m* storm

temprano early

tendencia tendency

tender to tend; to stretch out

tenebroso,-a dark, gloomy

tener to have; **¿qué tienes?** what's wrong?; **tender... años de edad** to be . . . years old; **tener cuidado** to be careful; **tener dolor de cabeza** to have a headache; **tener en poco** to have a low regard for, despise; **tener ganas de** to feel like; **tener hambre** to be hungry; **tener lugar** to take place; **tener miedo** to be afraid; **tener muchos años** to be very old; **tener presente** to visualize; **tener que** to have to; **tener que ver con** to have to do with; **tener razón** to be right; **tener sed** to be thirsty

tentar to tempt

tentativa attempt

teñir to tinge

teocalli *m* temple

teología theology

teólogo,-a theologian

teoría theory

tercero,-a third

terminar to end, finish

término term

ternura tenderness

terrenal *adj* earthly

terreno terrain, field of action; plot, piece of land

territorio territory

tersura smoothness

tertulia social gathering for conversation

tesis *f* dissertation, thesis

tesoro treasure

testigo witness

testimonio testimony

textura texture

tía aunt

tibio,-a tepid, lukewarm

tiempo time; tense; **al mismo tiempo** at the same time; **de hacía tiempo** of long ago; **en mucho (poco) tiempo** in a long (short) while

tienda store, shop

tieneh (tienes) (you) have

tientas: a tientas in a groping manner

tierno,-a tender

tierra land, earth

tigre *m* tiger

timbre *m* stamp; bell

tímido,-a timid

tinaja large earthen jar

tinieblas *f pl* darkness

tinta ink

tío uncle

típico,-a typical

tipificar to typify

tipo type

tipografía typography

tipógrafo typographer

tiranía tyranny

tirar to shoot; to pull, to throw; **tirar a** to tend toward; **tirarse** to throw oneself

tiro shot; **a tiros** by shooting; **pegar un tiro** to shoot

tironeado,-a   hauled
tironear   to haul
tiroteo   skirmish, volley of shots
titiritero,-a   puppeteer
titular   *m*   headline
titularse   to be entitled
título   title; degree
tiza   chalk
tiznado,-a   sooty
toa (toda)   all
tobillo   ankle
tocar   to play (an instrument); to
   touch; **tocarle a uno**   to be one's
   turn
todavía   still, yet; **todavía no**   not
   yet
todo,-a   all, each, everything; **con
   todo y raíces**   roots and all; **de
   todo**   something of everything; **de
   todos modos**   at any rate; **del
   todo**   completely; **todo el
   mundo**   everyone; **todos los
   años**   every year; **todos los
   días**   every day
tolteca   *adj*   Toltec Indian
tomar   to take; to drink; **¡toma!**   go
   on, now
tomo   volume
tonelada   ton
tono   tone, quality
tontera   foolish thing
tontería   foolishness, nonsense
tonto,-a   fool
tórax   *m*   thorax
torcer   to bend, twist; **torcer el
   gesto**   to make a face
torcido,-a   bent
torero   bullfighter
tormenta   storm
torno: en torno a   around
toro   bull
torre   *f*   tower
torrente   *m*   torrent
torpemente   dully; clumsily
tortuga   turtle
tortura   torture

torturar   to torture
tosco,-a   coarse, rough
toser   to cough
totalidad   totality
trabajador,-ra   worker
trabajar   to work
trabajo   work; **con muchos
   trabajos**   with great effort
tradición   tradition
tradicional   traditional
tradicionalista   *m* or
   f   traditionalist
traducción   translation
traducir   to translate
traductor,-ra   translator
traer   to bring
tráfico   traffic
tragar   to swallow
tragedia   tragedy
trago   swallow
traición   treason, treacherous act
traicionar   to betray
traicionero,-a   treacherous
traidor,-ra   traitor
trama   plot
trampa   trap
tranquilidad   tranquility
tranquilo,-a   tranquil
transcurso   course
transeúnte   *m*   passer-by
transformar   to transform
transición   transition
transitar   to travel, walk
transitorio,-a   transitory
transportar   to transport
transporte   *m*   transportation,
   transport
tranvía   *m*   streetcar
trapo   rag
tras   after, behind
trascender   to transcend
trascordado,-a   forgetful, mistaken
trasformar   to transform
trasladarse   to move; to adjourn; to
   go to
traslúcido,-a   translucent

trasmitir   to transmit
traspasar   to go beyond; to cross
tratado   treaty
tratar   to treat, discuss; **tratar de**   to deal with; to try to; **tratarse de**   to be a matter of
trato   commerce; deal, pact
través: a través de   through
trayecto   trip
trazo   outline
tremendista   tremendist: referring to description intended to shock
tremendo,-a   tremendous
tren   *m*   train
trepar   to climb, mount, clamber
triángulo   triangle
tribu   *f*   tribe
tribulación   tribulation
tribuna   tribunal
tributo   tribute
trilogía   trilogy
trinchera   trench
triste   sad
tristeza   sadness, sad thing
triunfar   to triumph
triunfo   triumph
trizado,-a   broken
trocito (*dim.* **trozo**)   small piece, bit
trompeta   trumpet
tronco   trunk
trono   throne
tropa   troop
tropero   trooper, cattle driver
tropezar   to stumble
trozo   excerpt, fragment, piece
trueno   thunder
truncado,-a   truncated
tubo   tube
tuboh (tubos)   pipes
tuh (tus)   your
tumba   tomb
tunante   *m*   rascal
túnica   tunic
turbar   to disturb, upset
turno   turn

U

ubicación   location, placement
uhté (usted)   you
último,-a   last; **por último**   finally
ultraísmo   Ultraism (art movement)
ultratumba   beyond the grave
umbral   *m*   threshold
UNAM (Universidad Nacional Autónoma de México)   the Autonomous National University of Mexico
único,-a   only, unique
unidad   unity, unit
unificar   to unify
unir   to unite
universidad   university
universitario,-a   university;   *n m* or *f*   university student
universo   universe
unoh (unos)   some
unos,-as   some; **unos a otros**   each other; **unos cuantos, unos pocos**   a few
urbanidad   urbanity; sophistication
urbe   *f*   metropolis
urgido,-a   pressed, motivated
usar   to use
uso   use
útil   useful
utilitario,-a   utilitarian
utilizar   to utilize

V

vaca   cow
vacaciones   *f pl*   vacation
vaciar   to pour out, empty; to hollow
vacío,-a   empty;   *n m*   void; emptiness
vago,-a   vague;   *n m*   loafer, tramp
vagoh (vagos)   loafers
vaho   vapor, steam
vaina   *fig*   thing
vaivén   *m*   fluctuation, inconstancy; swaying
valenciano,-a   Valencian

valer to be worth; **más valía** it would have been better; **no valer la pena** not to be worthwhile
validez *f* validity
válido,-a valid
valiente valiant, brave
valija suitcase
valle *m* valley
valor *m* value; valor, bravery
vanidad vanity
vaquilla heifer
variación variation
variar to vary
variedad variety
varón *m* male
vasallo vassal
vaso glass
vecindad vicinity; quality of being a neighbor
vecino,-a neighboring; *n* resident
vega flat lowland
vegetación vegetation
vehículo vehicle
veintena score (twenty)
vejez *f* old age
vela candle
velado,-a veiled
velar to watch over, keep vigil
velgüenza (vergüenza) shame
velocidad velocity
vena vein
venado deer
venalidad venality, mercenariness
vencer to conquer
vendedor *m* salesman
vender to sell
Venecia Venice
veneno poison
veneración veneration
venerar to venerate
vengador,-ra avenger
vengar to avenge
venir to come
venta sale
ventaja advantage

ventana window
ventanal *m* large window
ventear to sniff the air
ventilación ventilation
ventura luck; **por ventura** by chance
ver to see; **tener que ver con** to have to do with
veranear to spend the summer
verano summer
veras *f pl* truth; **de veras** in earnest; really
verbo verb
verdad truth
verdadero,-a real, true
verde green
verdoso,-a greenish
verdugo executioner
verdulero,-a greengrocer
verdura vegetable
verdusco,-a dark greenish
vereda path, sidewalk
veremoh (veremos) we'll see
vergüenza shame; **tener vergüenza** to be ashamed
verificación verification
verificar to verify
verso verse, line (of poetry)
verter to reveal; to spill
vestido dress
vestir to dress; **vestir de** to dress as
veterinaria veterinary science
vez *f* time; **a la vez** at the same time; **a su vez** in its turn; **a veces** at times; **de vez en cuando** from time to time; **dos veces** twice; **en vez de** instead of; **otra vez** again; **tal vez** perhaps; **una vez** once
vía road, route
viajar to travel
viaje *m* trip; **de viaje** on a trip
viajero,-a traveler
víbora viper
vibrar to vibrate
vicioso,-a vicious

víctima　victim
victoria　victory
vida　life; **¡por vida!** by Jove!;
　ganarse la vida　to earn one's
　living
vidriera　store window; glass case
vidrio　glass
viejo,-a　old
viento　wind; **mirando a los cuatro**
　vientos　*fig*　looking off into
　space
vientre　*m*　abdomen, belly
viga　beam
vigilia　wakefulness
vigoroso,-a　vigorous
vincular　to join, connect;
　vincularse (a)　to be connected
　to, be joined to
vínculo　tie, bond
vino　wine
viña　vineyard
violación　rape
violar　to rape
violencia　violence
violeta　violet
virar　to turn
virgen　*f*　virgin
virtud　virtue
visaje　*m*　grimace, "face"
visigodo,-a　Visigoth
visita　visit, visitor
visitante　*m* or *f*　visitor
visitar　to visit
vista　view, sight, vision; **perder de**
　vista　to lose sight of
vitalidad　vitality
vites: viste　you saw
vitrina　show window; glass door
vivac　*m*　bivouac
víveres　*m pl*　provisions, foodstuffs
viveza　vividness
vívido,-a　vivid, lively
vivienda　dwelling, house
vivir　to live; **modo de vivir**　way of
　living

vivo,-a　alive, bright (colors), lively
vocabulario　vocabulary
vocacional　vocational (school)
vociferar　to shout
volante　*m*　leaflet
volar　to fly
volcán　*m*　volcano
voltearse　to turn around
voltereta　tumble
volumen　*m*　volume
voluntad　will, good will; **de**
　voluntad　voluntarily
voluntario,-a　voluntary
volver　to return; **volver a...**　to
　. . . again; **volver la mirada**　to
　turn one's glance; **volverse**　to
　turn around
voraz　voracious
voto　oath
voz　*f*　voice; **correr la voz**　to be
　said, to be rumored; **en voz**
　alta　aloud; **en voz baja**　in a
　whisper, in a low voice
vudú　*m*　voodoo
vuelta　turn, **dar vuelta**　to turn
vulpeja　bitch fox

W

wawa　small child, infant (Andean
　term)

Y

yacer　to lie
yema　tip (of a finger)
yerba　weed
yerno　son-in-law
yerto,-a　stiff, rigid
yeso　plaster
yip　*m*　jeep

Z

zafarse　to escape
zaguán　*m*　lobby

zamarrear to shake

zanahoria carrot

zapatero,-a shoemaker

zapato shoe

zarandear to shake, move, keep on the go

zarzuela muscial comedy

zas sound which indicates a quick motion, "whish"

zona zone

zoológico,-a zoological

zorro fox

zumbar to buzz